JOGOS TEATRAIS

o fichário de
Viola Spolin

Supervisão editorial J. Guinsburg
Revisão Juliana Cardoso e Évia Yasumaru
Projeto gráfico Adriana Garcia
Assessoria técnica Sergio Kon
Produção Ricardo W. Neves e
Sergio Kon

JOGOS TEATRAIS
o fichário de Viola Spolin

Tradução Ingrid Dormien Koudela

Copyright © 1975, 1989, by Viola Spolin

Dados Internacionais de Catalogação na Publicação (CIP)
(Câmara Brasileira do Livro, SP, Brasil)

Spolin, Viola
Jogos Teatrais: o fichário de Viola Spolin / Viola Spolin ; tradução de Ingrid Dormien Koudela. – São Paulo : Perspectiva, 2014.

Título original: Theater game file
1ª reimp. da 3ª ed. de 2014
Bibliografia
ISBN 978-85-273-0269-2

1. Arte dramática 2. Jogos infantis 3. Spolin, Viola, 1906-1994 I. Título.

01-4912   CDD- 792.01

Índices para catálogo sistemático:
1. Jogos teatrais : Teoria : Artes   792.01

3ª edição – 1ª reimpressão

Direitos reservados em língua portuguesa à

EDITORA PERSPECTIVA LTDA.

Av. Brigadeiro Luís Antônio, 3025
01401-000 – São Paulo – SP – Brasil
Telefax: (0--11) 3885-8388
www.editoraperspectiva.com.br

2020

Para meus netos, David Michael, Rachel, Polly Maria, Aretha, Neva, Jennifer e Jonathan Sills; minhas bisnetas Nadia e Katrina Sills; e meu querido esposo R. Kolmus Greene.

SUMÁRIO

Prefácio 7
Agradecimentos 8
Nota à Edição Brasileira 9

Parte I

Comentários de Professores sobre os Jogos Teatrais 13
Por que Trazer os Jogos Teatrais para a Sala de Aula? 20
O Fichário de Jogos Teatrais 21
A Oficina de Jogos Teatrais 24
    O Planejamento e a Preparação da Oficina 24
    Ordem do Dia 24
    Aquecimentos 26
    Jogos Introdutórios 26
    Instruções para o Coordenador 26
    Área de Jogo 26
    Lista de Checagem da Oficina 27
Três Essências do Jogo Teatral 28
    Foco 28
    Instrução 30
    Avaliação 32
A Atmosfera da Oficina 33
    Autoritarismo 33
    Troca de Energia 34
    Tiro em Falso 35
Bibliografia 36

Parte II

Os Comentários 39
    Comentário sobre *Parte do Todo* 39
    Competição 39

Um Outro Aspecto da Competição..........................40
Times...40
Acordo de Grupo..41
Comentário sobre *Caminhada no Espaço*.......................41
Como Dar Instruções para os Jogos com Espaço 42
Comentário sobre *Objeto no Espaço* 42
Comentário sobre o *Espelho*..................................43
Comentário sobre *Siga o Seguidor*............................43
Comentário sobre *Não Movimento – Câmera Lenta*................44
Balançar e Cambalear 45
Jogos Teatrais com Câmera Lenta 45
Comentário sobre Estímulos Múltiplos 45
Comentário sobre *Transformação* 46
Comentário sobre Onde/Quem/O Quê 47
Onde (Cenário e/ou Ambiente)...............................47
Quem (Personagem e/ou Relacionamento)....................48
O Quê (Ação de Cena/Atividade) 48
Jogar *Versus* Desempenho de Papéis 48
O Glossário de Reflexões......................................50

Parte III

Esboçando Oficinas para ir ao Encontro
de Necessidades Específicas 71
Nível 1: Participação 71
Nível 2: Solução de Problemas 72
Nível 3: Ação Catalisadora 72
Oficinas de Jogos Teatrais para o Ensino Fundamental 73
Nova Sequência de Jogos Teatrais para o Ensino Fundamental 74
Apêndices 75

PREFÁCIO

Em 1963, a publicação de *Improvisação para o Teatro** introduziu pela primeira vez os jogos teatrais de Viola Spolin e sua filosofia para o teatro nos Estados Unidos. Em 1973, a edição feita pela Editora Pitman levou esse trabalho para o Reino Unido, Quênia, África do Sul e Austrália. É amplamente reconhecido que os jogos teatrais tiveram um grande impacto no treinamento e fazer teatral. Um entusiasta disse que *Os jogos teatrais são para o teatro o que o cálculo é para a matemática*. É recomendado que aqueles que necessitam de mais embasamento teórico e/ou ampliação de repertório para o desenvolvimento dos jogadores (atores) e para a produção de dramaturgia consultem *Improvisação para o Teatro*.

As múltiplas dimensões dos jogos teatrais; tanto teatrais como extrateatrais e a abordagem de Viola Spolin para o ensino/aprendizagem fizeram com que fossem introduzidos nos campos da psicologia, recreação, trabalho em prisões, saúde mental e especialmente na educação, em vários níveis e áreas do currículo.

Jogos Teatrais: O Fichário de Viola Spolin é uma seleção especial de jogos teatrais sintetizados a partir de *Improvisação para o Teatro*, de jogos tradicionais infantis e de jogos/exercícios inéditos da autora, apresentados em formas de fichas, visando à prática em sala de aula. Por meio desse fichário, professores e alunos já podem praticar jogos teatrais com benefício para todos.

---

* Trad. bras., São Paulo, Perspectiva, 1979. (N. da T.)

AGRADECIMENTO

Agradeço a Paul Sills que fez sínteses essenciais de *Improvisação para o Teatro*; à Mary Ann Brandt, secretária, aprendiz e amiga e à Sharon Bocklage, editora desse projeto.

Agradecimentos especiais a Northwestern University Press, Evanston, Illinois, que publicou *Improvisação para o Teatro* e permitiu utilizar e adaptar alguns materiais daquele livro para o presente trabalho.

Viola Spoilin

NOTA À EDIÇÃO BRASILEIRA

Os jogos teatrais, de Viola Spolin, vêm sendo elogiados por pessoas de diferentes partes do mundo, do leigo ao pesquisador de teatro, da criança ao adulto. No presente *Jogos Teatrais: O Fichário de Viola Spolin*, incluímos depoimentos de professores e uma listagem da pesquisa brasileira sobre jogos teatrais desenvolvida notadamente em nível de pós-graduação na Escola de Comunicação e Artes – ECA/USP.

O reconhecimento, vindo de público tão variado, de diferentes faixas etárias, nos incentivou a fazer a presente tradução, tornando acessível ao público brasileiro *Jogos Teatrais: O Fichário de Viola Spolin*.

O fichário vem com a proposta de ensinar, passo a passo, para crianças, adolescentes e adultos, as estruturas da linguagem teatral, por meio da delicada teia da aprendizagem do artesanato e da criatividade no jogo teatral.

O mais importante nesta preciosa coletânea de jogos é a descrição pormenorizada das regras e das instruções no jogo teatral. Sem perder sequer uma informação ou detalhe, Viola Spolin sistematiza um método para o ensino do teatro.

Esse método poderá ser adequado a diferentes faixas etárias e ser utilizado com objetivos diversos, dependendo do direcionamento da avaliação realizada após os jogos. Damos aqui algumas sugestões.

O processo de avaliação poderá ser acompanhado, por exemplo, por leituras do *Dicionário de Teatro**, de Patrice Pavis, sendo que os protocolos de avaliação do processo farão o confronto entre a teoria e a prática por meio da contextualização de conceitos teóricos de teatro. Em nossa prática, trabalhamos com os modelos de ação (textos) da peça didática de Bertolt Brecht e Heiner Müller entre outros.

Viola Spolin enfatiza a função educacional do jogo tradicional, um patrimônio cultural que pertence à memória coletiva. O jogo tradicional é um jogo de regras, na classificação epistemológica de Piaget, importando na lógica de meios para jogar e ganhar o jogo. A disciplina à regra cede à sua superação no universo simbólico do jogo teatral. Esse princípio já pode ser exercitado desde a Educação Infantil.

Que tal aproveitar ao máximo e aprender esse processo passo a passo?
Bom divertimento e ótimo aprendizado!

Ingrid Dormien Koudela e Editora Perspectiva

* Trad. bras., São Paulo, Perspectiva, 1999. (N. da T.)

PARTE I

COMENTÁRIOS DE PROFESSORES SOBRE OS JOGOS TEATRAIS*

Professores Americanos

"As crianças estavam fantásticas – concentradas, relaxadas, porém, atentas, absortas, e saíram revigoradas, com olhos brilhantes e alertas". Professor de *Junior High School* (Ensino Médio) sobre *Sentindo o Eu com o Eu* (A2).

"Parece ajudar a criança, dando-lhe consciência e auto estima. A participação em atividades de sala de aula é notadamente implementada". Professor de *Middle School* (Ensino Fundamental) sobre *Sentindo o Eu com o Eu* (A2).

"A *Caminhada no Espaço #1* é prazerosa, relaxante e gratificante. Os jogadores observam inicialmente uns aos outros, depois seu trabalho, seus cadernos e finalmente o ambiente da sala de aula". Professor de *Middle School* (Ensino Fundamental) sobre *Caminhada no Espaço #1* (A6).

"A habilidade para comunicar sem utilizar palavras, aquele sentimento que duas pessoas têm ao estarem sintonizadas, torna esse jogo particularmente útil ao lidar com crianças tímidas". Professor de *Elementary School* (Ensino Fundamental) sobre *Espelho* (A15).

"Uma obra-prima de jogo para crianças que estão aprendendo a decodificar palavras na aprendizagem da leitura. As crianças são capazes de memorizar a diferença entre vogais e consoantes e nomeá-la, mas elas não adquirem seu significado. As crianças pareceram exibir um sentimento de *aha!* quando se concentraram nas sílabas das palavras". Professor de *Third Grade* (Ensino Fundamental) sobre *Vogais e Consoantes* (A73).

"Válido por tirar a ênfase do talento artístico do aluno, ressaltando a representação intuitiva ao comunicar". Professor de *Third Grade* (Ensino Fundamental) sobre *Jogo do Desenho* (A60).

"Um jogo maravilhoso para quebrar toda sorte de barreiras em uma sala de aula, especialmente entre crianças que têm mais facilidade de verbalização e bom desempenho acadêmico e crianças que têm menos facilidade de verbalização e

---

* Os níveis de ensino apontados no Manual correspondentes aos níveis de escolaridade nos Estados Unidos foram substituídos pelos equivalentes brasileiros, de acordo com a nova terminologia apresentada pelos *PCN – Parâmetros Curriculares Nacionais* (Brasil, MEC, Secretaria de Educação Fundamental, 1998). (N. da T.)

poucas oportunidades de sucesso na escola". Professor de *Third Grade* (Ensino Fundamental) sobre *Jogo do Desenho* (A60).

"Serve para incrementar habilidades de audição de forma não penosa e motivadora tanto para alunos como para professores". Professor de *First Grade* (Educação Infantil) sobre *Construindo uma História* (A76).

"A regra para parar de falar apenas no meio de uma palavra levou meu grupo de primeiro ano a elaborar estórias muito imaginativas". Professor de *First Grade* (Educação Infantil) sobre *Construindo uma História: Congelar a Palavra do Meio* (A79).

"As crianças adoraram esse jogo e muitas, que tinham dificuldade de verbalização, saíram-se muito bem nesse exercício". Professor de *Middle School* (Ensino Fundamental) sobre *Blablação: Vender* (A86).

"*Blablação* provou ser absolutamente eficiente para o desenvolvimento de habilidades orais e implementação de padrões de discurso. Vários passaram seus relatos primeiro em *Blablação* e depois em Inglês; havia um incremento notável em altura, clareza e expressividade a cada vez e muito prazer na sala de aula". Professor de *Junior High School* (Ensino Médio).

"Crianças tímidas, que normalmente têm pouco a dizer, muitas vezes se tornam altamente verbais quando são o dublador. Esse jogo provê um método para relacionar-se e sair de si mesmo". Professor de *Middle School* (Ensino Fundamental) sobre *Dublagem* (C39).

"De forma geral, o trabalho na sala de aula foi melhorado, como também as relações entre aluno/aluno e aluno/professor foram estreitadas". Professor de *Middle School* (Ensino Fundamental).

"Os jogos teatrais dão às crianças a oportunidade de superação de si mesmas de uma maneira que provavelmente não era possível durante a parte teórica do dia". Professor de *Middle School* (Ensino Fundamental).

"Como resultado direto dos jogos teatrais, eu vi muitas mudanças nas crianças. Eu vi crianças defensivas e tímidas começarem a participar; eu vi crianças agressivas e impulsivas aprenderem a esperar pacientemente, ouvir e respeitar as outras; eu vi todas as crianças trabalhando em equipe, com consciência apurada e atenção umas nas outras". Professor de *First Grade* (Educação Infantil).

"Estando plenamente convencido da importância capital do jogo teatral em libertar os indivíduos das prisões de serem totalmente programados por outros, e viver vidas robóticas é a sorte de tantos hoje em dia. Fiz de tudo em meu limitado poder para interessar as pessoas pelas oficinas de jogos teatrais. Algumas das mais sensíveis começam também a ver os jogos teatrais como uma forma de envolvimento com o lado espiritual de nossa natureza, utilizando o físico como um instrumento". Professor de *Secondary School Drama Teacher* (professor de teatro de Ensino Médio).

Professores Brasileiros

"Os jogos teatrais se originaram em comunidades de bairro de imigrantes nas grandes cidades americanas, estando ligados a camadas de população desprovidas de teatro, e seguem a tradição de jogos tradicionais populares. Viola Spolin recebeu também influências de Stanislávski, ao qual faz uma dedicatória em *Improvisação para o Teatro*.

A aplicação múltipla para os jogos teatrais, direcionada pelo contexto do grupo de jogadores e pela abordagem crítica utilizada durante as avaliações, sugere que o sistema oferecido por Viola Spolin, ao mesmo tempo em que regula a atividade teatral, traz em si a possibilidade de sua própria superação como método.

No presente *Fichário* as possibilidades didáticas dos jogos teatrais são ampliadas para os diferentes níveis do Ensino Básico (Educação Infantil, Ensino Fundamental e Médio) e para a sua aplicação em diferentes 'áreas de experiência', que podem promover articulações interdisciplinares e o exercício com os eixos de aprendizagem da área de Arte.

De acordo com os *Parâmetros Curriculares Nacionais*, a experiência do teatro na escola deve ampliar a capacidade de dialogar, desenvolvendo a tolerância e a convivência com a ambiguidade. No processo de construção da linguagem, a criança e o jovem estabelecem com seus pares uma relação de trabalho, combinando sua imaginação criadora com a prática e a consciência na observação de regras de jogo. O teatro como diálogo entre palco e plateia pode se tornar um dos parâmetros de orientação educacional nas aulas de teatro". Ingrid Koudela, Escola de Comunicações e Artes – ECA/USP.

"Coordenar processos de aprendizagem teatral no norte do Marrocos, junto a professores de Francês e estudantes de Artes Plásticas, sem dúvida, consistiu em uma experiência tão fascinante quanto delicada. Os primeiros tinham como objetivo a conquista de meios ativos para a abordagem da literatura, enquanto os outros procuravam uma experiência de comunicação artística que incluísse as manifestações corporais. No que tange à coordenação propriamente dita, por um lado, foi preciso mergulhar nos complexos referenciais culturais dos participantes, atravessados por conflitos entre preceitos religiosos ancestrais e os desafios de um mundo globalizado. Por outro lado, foi possível contar com a posse, por parte dos atuantes, de um rico repertório de jogos tradicionais – do qual fazem parte, por exemplo, a amarelinha e o corrupio – o que em muito contribuiu para a compreensão dos fundamentos do sistema de jogos teatrais pelas pessoas envolvidas. Assim, o prazer do lúdico foi retomado em novas bases mediante a depuração da consciência sensorial, que permitiu a construção de universos ficcionais no espaço cênico. Metaforicamente, o jogo teatral desvelava aos próprios participantes inesperadas visões de mundo que emergiam nos grupos e eram posteriormente examinadas. Ao mesmo tempo em que puderam articular um discurso teatral que era o deles, aqueles jovens se apropriaram também de instrumentos para ler criticamente a representação. O caráter lúdico do aprendizado assegurou que belas teias fossem tecidas entre duas culturas até então pouco familiarizadas entre si". Maria Lúcia Pupo, Escola de Comunicações e Artes – ECA/USP.

"Conheci o sistema de jogos teatrais através de *Improvisação para o Teatro*, em 1979, num momento em que eram raríssimas as referências teórico-metodológicas para o ensino de teatro no Brasil. Desde então, busco utilizar a proposta de Viola Spolin junto a estudantes universitários, professores, grupos de teatro amador e interessados leigos, quer como fonte de inspiração para cursos e oficinas, ou mesmo como ferramenta teórica da pesquisa acadêmica. Olhando minha trajetória profissional, é interessante verificar como o uso dos jogos teatrais articula-se organicamente ao meu próprio aprendizado da linguagem dramática, misturando suor, prazer e vontade de exercer a docência com dignidade e competência". Arão Paranaguá de Santana, Universidade Federal do Maranhão – UFMA.

"Além de ser um método capaz de garantir o prazer e a ludicidade, os jogos teatrais estimulam as ações criadoras de alunos e professores. Ao aplicá-lo, podemos perceber o desenvolvimento de habilidades e competências que auxiliam os jovens a lidar com novas situações, a trabalhar em equipe e a saber aceitar, negociar e sugerir novas regras de jogos.

Jovens que tiveram oportunidades de trabalhar com os princípios dos jogos teatrais tornam-se mais seguros e se sentem mais capazes para se aventurar na representação teatral. Pouco a pouco, aprendem a se comunicar no palco e a se relacionar com a plateia de maneira espontânea. O aprendizado teatral é construído ao longo das experiências do grupo". Joaquim Cesar Moreira Gama, professor de teatro de Ensino Médio.

"A aquisição de competência de codificação precisa estar articulada com a aquisição da competência da decodificação. O instrumento da avaliação objetiva dos jogos, pela descrição do ocorrido em cena e da conservação ou não do foco e das regras do jogo, propõe que não se trata só de ensinar a ser ator, mas de ensinar a ser plateia". Marco Aurélio Vieira Pais, professor de teatro de Ensino Médio.

"Em minhas aulas, como professor do Ensino Fundamental da rede pública da cidade de São Paulo, utilizei o sistema de jogos teatrais para a construção de situações de produção de textos narrativos. A partir da estrutura básica (Onde, Quem, O Quê) e da focalização das próprias ações na produção de textos, os alunos tiveram a oportunidade de improvisar situações que eram transformadas em narrativas escritas. Inventar histórias a partir de uma linguagem cênica permite a conscientização e a visualização dos acontecimentos, cenários e personagens. Isto facilitava a discussão com os alunos sobre as histórias narradas por escrito e a reestruturação dos textos quando necessário". Ulisses Ferraz de Oliveira, professor de teatro e de português de Ensino Fundamental.

"Conheci Ingrid e os jogos teatrais em 1981 quando estudava na ECA/USP. Naquela época, em função da pesquisa de linguagem teatral, a descoberta dos jogos teatrais teve o efeito de uma 'Eureka'! A ideia fundamental de que o Teatro é um jogo, e como tal pode ser acessível a qualquer pessoa que aceite suas regras e descubra o prazer de jogar, é formidável. O jogo teatral pode ser praticado por qualquer um, em qualquer espaço e, ainda mais, promove a discussão e a crítica dentro do grupo que o pratica. Os papéis de jogador e plateia são vividos por todos, o que aprofunda a experiência estética dos participantes.

Até hoje eu ainda os pratico, com entusiasmo, de mil maneiras, adaptando-os para contextos sociais e culturais muito variados. Aqui em Richmond, Canadá, onde resido desde 1997, coordeno cursos de Teatro nos quais utilizo os jogos teatrais. A diferença com a minha prática brasileira? Aqui, onde tudo é organizado, falta espontaneidade. É surpreendente observar como os jogos que tratam do contato não verbal, por exemplo, são os mais interessantes para as crianças e jovens". Marilda Carvalho, Escola de Comunicações e Artes – ECA/USP.

"Os jogos teatrais de Spolin foram instrumentos eficazes para que eu pudesse trabalhar sistematicamente o conceito teatral de *fisicalização* junto a alunos da escola pública.

A *fisicalização* refere-se à capacidade dos jogadores de tornarem visíveis para observadores do jogo teatral objetos, ações e papéis sem o uso de qualquer suporte material (figurinos, adereços, cenografia etc.). Isso permite ao educando descobrir as possibilidades expressivas do seu corpo e compreender o princípio semiótico da linguagem teatral.

O fato de os desafios cênicos formulados por Spolin serem apresentados como jogos com regras permite que os alunos se apropriem de conceitos teatrais, prazerosamente, em sala de aula. Além disso, assegura a oportunidade para uma interação ativa, espontânea e verdadeira por parte de todos". Ricardo Japiassu, professor de teatro da Universidade do Estado da Bahia – UEB.

"Podemos afirmar que os jogos teatrais se inserem no quadro geral de uma pedagogia do jogo, não deixando possibilidades para que ocorram soluções fáceis ou falseadas por tensões no processo de aprendizagem, autorizando professores e alunos a ultrapassarem os modos tradicionais do trabalho educativo em artes. Constitui um modo objetivo e sistemático que poderá resgatar a prontidão necessária para a atuação cotidiana na educação e ainda o desenvolvimento das habilidades expressivas e comunicativas requisitadas pelos diversos tipos de teatro na atualidade". Mauro Rodrigues, professor de teatro da Universidade Estadual de Londrina – UEL.

Bibliografia Brasileira sobre Jogos Teatrais

Várias publicações e pesquisas brasileiras se ocupam com o método de jogos teatrais, oriundas principalmente da pesquisa realizada em nível de pós-graduação em Artes, na ECA/USP.

Além da tradução de *Improvisation for the Theatre*, Northwestern, 1963; *Theatre Games for Rehearsal: A Director's Handbook*, Northwestern, 1985; *Theatre Game File*, Northwestern, 1975, fiz um levantamento dos trabalhos de pesquisa de minha autoria que se ocupam com o método de Jogos Teatrais.

ALVES, Amara C. *A Brincadeira Prometida... o Jogo Teatral e os Folhetos Populares*. São Paulo, ECA/USP (Dissertação de Mestrado), 1992.

ARAÚJO, Geraldo Salvador de. *O Teatro na Educação. O Espaço de Construção da Consciência Político-estética*. São Paulo, ECA/USP (Tese de Doutorado), 1999.

BONOME, Marly. *Histórias da História do Teatro Aplicado à Educação*. São Paulo, ECA/USP (Dissertação de Mestrado), 1994.

CARVALHO, Marilda B. *Coro: Janela para o Mundo*. São Paulo, ECA/USP (Dissertação de Mestrado), 1993.

COELHO, Ana F. C. *A Introdução do Texto Literário ou Dramático no Jogo Teatral com Crianças*. São Paulo, ECA/USP (Dissertação de Mestrado), 1989.

GAMA, Joaquim Moreira. *Processo e Produto em Teatro-educação*. São Paulo, ECA/USP (Dissertação de Mestrado), 2000.

JAPIASSU, Ricardo. *As Relações entre o Brinquedo do Faz-de-conta e o Teatro-educação*. ECA/USP, 2000.

KOUDELA, Ingrid Dormien. *Jogos Teatrais*. São Paulo, Perspectiva, 1984.

_____. *Brecht: um Jogo de Aprendizagem*. São Paulo, Edusp/Perspectiva, 1991.

_____. STEINWEG, Reiner. *Lehrstück und episches Theater. Brechts Theorie und die theaterpädagogische Praxis*. Frankfurt, Brandes & Apsel, 1995.

_____. *Texto e Jogo*. São Paulo, Fapesp/ Perspectiva, 1997.

LIMA, Janice Shirley Souza. *Desvelando Necessidades, Vestindo a Máscara, Abrindo a Cortina do Teatro na Universidade*. Belém, Universidade Federal do Pará (Dissertação de Mestrado), 1999.

OLIVEIRA, Ulisses Ferraz. *Cenas de Conceituação: A Aventura do Movimento no Ato de Aprender*. São Paulo, FE/USP (Dissertação de Mestrado), 1996.

PAIS, Marco Aurélio. *A Aquisição da Competência Semiótica para a Atuação Teatral*. São Paulo, ECA/USP (Dissertação de Mestrado), 2000.

PUPO, Maria Lúcia. *Le Jeu, enjeu d'une formation. Théâtre et Éducation au Brésil*. Paris, Institut d'Études Théâtrales, Université Paris III (Doutorado), 1985.

_____. *Textos Literários e Teatro-educação*. São Paulo, ECA/USP (Tese de Livre- docência), 1997.

SANTANA, Arão Paranaguá. *Teatro e Formação de Professores*. São Luis, EDUFMA, 2000.

SANTIAGO, Maria do Socorro. *Pelos Caminhos do Sairé: Um Estudo do Aproveitamento da Cultura Popular no Teatro-educação*. São Paulo, ECA/USP (Tese de Doutorado), 1996.

SANTOS, Vera Lúcia Bertoni. *A Estética do Faz-de-Conta. Práticas Teatrais na Educação Infantil.* Porto Alegre, URGS (Dissertação de Mestrado), 2000.

POR QUE TRAZER OS JOGOS TEATRAIS PARA A SALA DE AULA?

Todos podem jogar! Todos podem aprender por meio do jogo. *Jogos Teatrais: O Fichário de Viola Spolin* é um curso organizado para o professor de classes regulares que quer trazer o prazer, a disciplina e a mágica do teatro para a sala de aula.

Devido às incríveis demandas colocadas hoje à escola, corremos o risco de professores e alunos ficarem exauridos ou automatizados, sem perceber que isso está ocorrendo. Experimentar os jogos teatrais em sua sala de aula pode trazer novo alento (e mais)!

Os jogos teatrais foram originalmente concebidos por Viola Spolin para ensinar técnicas teatrais para jovens estudantes, escritores, diretores e técnicos, sem se constituírem em lições de *como fazer*. Por meio do jogo e de soluções de problemas, técnicas teatrais, disciplinas e convenções são absorvidas organicamente, naturalmente e sem esforço pelos alunos. Jogos teatrais são ao mesmo tempo um simples divertimento e exercícios teatrais que transcendem ambas as disciplinas para formar a base de uma abordagem alternativa para o ensino/aprendizagem. Por essa abordagem, professores e alunos, durante curtos períodos durante a semana, podem sair do *conteúdo*, colocar de lado *objetivos e papéis* e jogar. *Tempo de oficina para todos! Vamos jogar!*

Jogos teatrais, experimentados em sala de aula, devem ser reconhecidos não como diversões que extrapolam necessidades curriculares mas sim como suportes que podem ser tecidos no cotidiano, atuando como energizadores e/ou trampolins para todos. Inerente a técnicas teatrais são comunicações verbais, não verbais, escritas e não escritas. Habilidades de comunicação, desenvolvidas e intensificadas por meio de oficinas de jogos teatrais com o tempo abrangem outras necessidades curriculares e a vida cotidiana.

Ensinar/aprender deveria ser uma experiência feliz, alegre, tão plena de descoberta quanto a superação da criança que sai das limitações do engatinhar para o primeiro passo – o andar! Para além das necessidades curriculares, os jogos teatrais trazem momentos de *espontaneidade*. *O intuitivo [...] gera suas dádivas no momento de espontaneidade*[1]. Aqui/agora é o tempo da descoberta, da criatividade, do aprendizado. Ao participar dos jogos teatrais, professores e alunos podem encontrar-se como parceiros, no tempo presente, e prontos para comunicar, conectar, responder, experienciar, experimentar e extrapolar, em busca de novos horizontes.

---

1. Ver, *Improvisação para o Teatro*, p. 4.

O FICHÁRIO DE JOGOS TEATRAIS

O Manual

Este Manual é seu guia para *Jogos Teatrais: O Fichário de Viola Spolin* que está diante de você. O manual divide-se em três partes. A Parte I dá os elementos do jogo teatral, uma explanação da sequência como oficina e algumas dicas de como planejar e coordenar. A Parte II busca trazer uma maior compreensão da abordagem para o ensino/aprendizagem.

Leia as Partes I e II do Manual com atenção antes de apresentar os jogos teatrais para um grupo e refira-se ao material aí contido quando necessário para tirar as dúvidas na medida em que o trabalho progrida.

O *Fichário* foi concebido como um instrumento de extrema flexibilidade lúdica e didática, permitindo formas das mais variadas na escolha e sequência dos jogos teatrais. Assim a Parte III do Manual e os Apêndices oferecem ao professor um leque de sugestões quanto ao modo de selecioná-los, adaptá-los e rearranjá-los para ir ao encontro das necessidades específicas da sala de aula e dos interesses do aluno.

Os Jogos Teatrais

A unidade básica do *Fichário* é o jogo ou exercício individual, descrito de forma padronizada em uma ficha de 13,5cm x 20,5 cm. A utilização de cada ficha deve ser tão simples como seguir uma receita: os ingredientes de cada jogo estão listados e as instruções de como combiná-los foram incluídos em cada ficha. Uma representação gráfica de cada ficha aparece na página 23.

Todas as fichas de jogos estão reunidas em uma embalagem do *Fichário* que divide o corpo dos jogos em três seções – A, B e C. A sequência de jogos dentro de cada seção e a construção de cada uma em relação a que lhe antecedeu visa conduzir o grupo mais facilmente através do trabalho. Essas três seções em conjunto foram planejadas visando a autonomia. Você, o professor, pode iniciar com o *Jogo A1* e proceder na ordem através das seções A, B e C, encontrando aí um programa completo, sequencial, que pretende dar suporte e preparação para todo o aprendizado.

A seção A está para a seção B e C como a abertura está para uma ópera. A seção A é uma seleção de jogos teatrais estruturados e jogos tradicionais que revelam a dinâmica pessoal inerente ao jogo, tornando todos abertos para a experiência do teatro e do trabalho coletivo. A seção A contém material básico que pode ser tirado da sequência e apresentado a qualquer grupo com facilidade e sucesso.

Repita um jogo favorito tanto tempo quanto perdurar o interesse. Isto é particularmente verdadeiro no trabalho com grupos de educação fundamental. Não há necessidade de pressa em apresentar novos jogos. Quando um grupo está participando de um jogo predileto com grande energia, envolvimento e entusiasmo, ele estará aprendendo (participação).

Aconselhamos a utilização dos jogos teatrais da seção A até que você e seus alunos se sintam confortáveis com o formato do jogo teatral: Foco, Instrução e Avaliação. Quando ficar evidente que o grupo todo está jogando com prazer e que o crescimento está acontecendo no trabalho, sendo que todos estão interessados em mais experiência teatral, vá para os jogos da seção B.

A seção B é uma seleção de jogos teatrais com foco adicional nas convenções e estruturas teatrais (dramáticas): Onde (cenário e/ou ambiente), Quem (personagem e/ou relacionamento) e O Quê (atividade).

Há um velho ditado utilizado durante o ensaio de peças de três atos: *O terceiro ato acontece por si só*. A seção C contém jogos/exercícios adicionais.

A Ficha de Jogo

Cada jogo é apresentado por uma ficha em formato semelhante a uma receita, de forma que possa ser lida e entendida com facilidade. A seguir apresentamos um diagrama de uma ficha de jogo típica, com os elementos básicos de cada jogo.

Título	Letra-Código Numérico
(chave para rápida identificação reconhecimento do jogo/exercício)	(seções A, B e C; cada seção inicia de novo com I)

PREPARAÇÃO
Aquecimentos (Jogos para iniciar a oficina).
Jogos Introdutórios (Jogos que naturalmente introduzem ao jogo em pauta).
Instruções do coordenador (Requisitos de participação – plateia ou grupo todo; objetos de cena necessários etc.).

FOCO
O ponto focal do jogo; um instrumento para adquirir experiência o FOCO pode ser lido diretamente para a classe.

DESCRIÇÃO
Como jogar – regras, limites, número de jogadores por time, limites de horário etc.; pode ser lido em voz alta para a classe.

INSTRUÇÃO
Enunciados para o coordenador que devem ser falados durante o jogo para manter os jogadores com o FOCO e participando do jogo; os enunciados para Instruções estão impressos em ambos os lados da ficha.

AVALIAÇÃO
Questões objetivas para manter a discussão afastada de julgamentos pessoais – bom ou mau – e presente ao FOCO do problema a ser solucionado no jogo; avalie depois que cada time tiver jogado.

NOTAS
Pontos de observação para o professor, que atua dando instruções para auxiliar na compreensão, apresentação, instrução e avaliação do jogo.

ÁREAS DE EXPERIÊNCIA
Tipo de jogo; sugestões para correlações curriculares.

A OFICINA DE JOGOS TEATRAIS

O Planejamento e a Preparação da Oficina

O termo *oficina* é aqui utilizado para significar uma sequência de atividades com jogos teatrais – uma sequência com um início (jogos introdutórios, jogos de aquecimento, outras preparações); um meio (jogos/exercícios com ênfase particular); e um final (energia intensificada e antecipação para a próxima experiência de aprendizagem – matemática, estudos sociais – e a próxima oficina de jogos teatrais).

Se possível, reserve um tempo regular de seu horário semanal para realizar oficinas de jogos teatrais. Jogar por dez minutos aqui e acolá trará resultados, mas o ideal seria 45 minutos duas vezes por semana. Um jogo selecionado da sequência do *Fichário* com os aquecimentos e jogos introdutórios pode ser a moldura para uma sessão de oficina. O tempo necessário para cada jogo específico pode variar muito, dependendo do interesse e da energia do grupo. Um grupo de primeiro ano do Ensino Fundamental pode levar vinte minutos para absorver e ter uma atividade prazerosa com determinado jogo teatral que outro grupo mais velho pode captar em cinco minutos. Você, o professor de classe, o diagnosticador, descobrirá a melhor solução para essa questão de tempo a partir de sua própria experiência.

Ordem do Dia

É prática confortável vir para a oficina com uma ordem do dia, ou plano, que inclui ao menos 50% dos jogos teatrais que você poderia cumprir no tempo previsto. Interesse, energia e entusiasmo podem exigir que se deixe de lado um determinado jogo teatral, substituído por outro quando o momento assim o exigir. Fichas de 5x8cm podem ser usadas para anotar sua ordem do dia, e guardadas como fichário pessoal. Seguem dois exemplos de ordens do dia, uma para ser usada com alunos do primeiro ano do Ensino Fundamental e outra utilizada pela autora com atores profissionais.

OFICINA: #3   Data: 4 fevereiro   Duração: 50 min.
N. de jogadores: 18   Grupo: primeiro ano Ensino Fundamental

PLANEJAMENTO: (Durante a sessão de oficinas, faça um círculo em torno daqueles jogos/exercícios realizados e numere a sequência com que foram realizados.)

JOGOS TRADICIONAIS (aquecimento)

Jogo dos Seis Nomes (A50)

Passa-Passa Gavião (A5)

3 (Três Mudanças (A14))

6 (Corrida de Índios (A65))

Jogo do Desenho (A60)

JOGOS TEATRAIS

1 (Sentindo o Eu com o Eu (A2))

2 (Extensão da Visão (A20))

Visão Periférica (A53)

4 (Espelho (A15))

5 (Quem é o Espelho? (A16))

Siga o Seguidor #1 (A17)

Notas: De forma geral, resposta excelente; especialmente os jogos de espelho. Desajeitados e desconfortáveis inicialmente no exercício Sentindo o Eu com o Eu; tentar novamente no próximo encontro como introdutório para Siga o Seguidor #1.

OFICINA: #12   Data: 2 outubro   Duração: 1 hora
N. de jogadores: 9   Grupo: elenco de TV, adultos

PLANEJAMENTO: (Durante a oficina, faça um círculo em torno daqueles jogos/exercícios realizados e numere a sequência com que foram realizados.)

JOGOS TRADICIONAIS (Aquecimentos)

2 (Passa-Passa Gavião (A5))

3 (Ruas e Vielas (A44))

5 (Jogo do Desenho (A60))

JOGOS TEATRAIS

1 (Sentindo o Eu com o Eu (A2))

4 (Contato (C17))

Dar e Tomar: Aquecimento (A74)

Dar e Tomar (B6)

Notas: Sessão leve e boa. Discussão sobre marcação na TV. Os jogadores sugeriram a repetição dos jogos de espelho; jogos de *Playground*, *Blablação* e *Vogais e Consoantes*. Nova frase para instrução: *Observe sua atitude diante do que está realizando! Intensifique-a!*.

Aquecimentos

Atletas, cantores, ginastas e outros reconhecem o aquecimento (seja ao equilibrar um bastão; solfejar ou correr) como essencial para sua *performance*. Os aquecimentos listados em cada ficha de jogo são jogos tradicionais ou jogos teatrais em que o grupo todo participa simultaneamente, por alguns minutos, ao iniciar a Oficina. Aquecimentos distendem e relaxam, trazendo todos para o contato consigo mesmo e com o espaço (a sala de aula) e preparando para o que está por vir. Caso um aquecimento específico não esteja listado como jogo, consulte o Apêndice 18 que traz a lista de todos os aquecimentos no *Fichário*. Dependendo daquilo que precedeu e o que está por vir, o coordenador pode escolher um aquecimento apropriado desse Apêndice. Um exercício básico de aquecimento é colocado no início das seções B e C para fácil acesso. Sinta-se livre para utilizar aquecimentos no final da oficina de jogos teatrais para reafirmar o grupo – para reuni-lo novamente como um todo.

Jogos Introdutórios

Os jogos introdutórios listados em uma ficha são aqueles jogos específicos experimentados anteriormente na sequência do *Fichário* que prepararam o grupo para o jogo teatral que você irá propor. Dependendo da prontidão e desenvolvimento do grupo, você poderá repetir o jogo introdutório listado para a sessão da Oficina ou simplesmente referir-se a ele durante a apresentação do novo jogo teatral. À medida que trabalha com o *Fichário*, encontrará fichas que repetem jogos já experimentados anteriormente. Essas fichas repetidas foram incluídas para ressaltar a importância daquele jogo anterior como introdutório para o novo jogo teatral e como uma fonte de *insight* para você e para o grupo. Lembretes: 1) não hesite em repetir jogos com os quais o grupo tenha prazer; 2) jogue sempre.

Instruções para o Coordenador

As instruções indicadas na ficha referem-se a objetos de cena; a equipamento necessário; a comentários a serem lidos no Manual e se há ou não necessidade de plateia para o jogo.

Área de Jogo

A área de jogo é qualquer espaço na sala de aula em que possa ser realizado o jogo. Deve ser ampla o suficiente para acomodar o jogo teatral específico que foi selecionado e para acomodar os jogadores na plateia. A área de jogo irá variar, naturalmente de acordo com as necessidades do jogo. Na medida em que o grupo progride para as seções B e C, mais experiências teatrais serão almejadas. É possível estabelecer uma área com cortinas na sala de aula e, dependendo da viabilidade, praticáveis (para serem utilizados como camas, sofás, tronos, escritórios etc.); suporte para figurinos e peças de figurinos; um canto de som com microfones, gravadores e efeitos sonoros; refletores e outros que poderão produzir a mágica do teatro. Com raras exceções, no entanto, os jogos teatrais do *Fichário* podem ser jogados sem adereços ou equipamento teatral de qualquer espécie.

Lista de Checagem da Oficina

1. Antes de apresentar qualquer jogo teatral, leia as fichas que você selecionou para a Oficina para estar seguro que entendeu o que irá acontecer.

2. Quando não há exigência de times, apresente o jogo para o grupo todo.

3. Quando há necessidade de times para o jogo teatral, ele inicia no momento da contagem/divisão dos times. Jogadores com o mesmo número se agrupam, reúnem-se e formam um corpo (o time). Todos os times devem ouvir o que será pedido[1].

4. O Foco e a descrição do jogo pode ser lido para os jogadores a partir da ficha. Mantenha seu próprio nível de energia elevado nesse momento. Seja entusiasta, rápido e preciso; traga seu grupo para o espírito do jogo com os gestos de seu próprio corpo, risada, alegria e entusiasmo. Comece a participar do jogo você mesmo no momento de apresentá-lo.

5. Não seja professor. Insistir muito na apresentação mata a vitalidade do jogo e provoca perguntas ansiosas (perguntando ao *professor* para dizer *como*). Não fique parado de braços cruzados. Seja parceiro de jogo, parte do todo durante a oficina de jogos teatrais. Apresentações do jogo como *lições* irão reduzir a excitação e a expectativa e dissiparão a energia necessária para jogar. Em alguns casos, o próprio jogo irá restaurar essa energia, mas nem sempre. A abordagem por meio de lições pode criar resistência e levar a atitudes defensivas.

6. Evite dar exemplos. Aqueles que aparecem na ficha são para a sua compreensão do jogo como instrutor. Experimente fazer com que os jogadores atuem sem exemplos; alguns jogadores automaticamente limitam sua própria liberdade de escolha para ir ao encontro dos exemplos.

7. Mesmo que alguns jogadores não estejam *captando* e pareçam confusos, comece o jogo. Você cava um fosso cavando. A instrução dada durante o jogo e os períodos de avaliação após cada jogo irão remover equívocos.

8. Com o tempo, a ansiedade para ser o primeiro time irá mudar. Os times vão querer ser os últimos para obter benefícios dos períodos prévios de avaliação.

---

1. Ver *Times*, p. 40.

9. Sugestão: quando um jogo exige um único jogador e todos querem ser o primeiro, peça para o jogador mais insistente, escolher quem será o primeiro jogador. Se todos forem temerosos, o coordenador poderá ter que ajudar um jogador ou time a iniciar.

10. Quando todos os jogadores estiverem prontos a iniciar o jogo para a plateia, eles podem dizer *Cortina!* Quando se tratar de um time, não aponte um jogador para executar essa tarefa, deixando que os jogadores como grupo entrem espontaneamente na experiência teatral, invocando sua própria cortina. A maneira como os jogadores invocam a cortina pode ser uma medida para você sobre o desenvolvimento do sentido de parte do todo pelos jogadores.

11. Quando um jogador ou time inicia, os remanescentes tornam-se jogadores na plateia para aqueles que estão em cena. (Quer se trate de fato de um palco ou de uma simples área de jogo na sala de aula.)

12. Se o tempo for um fator de limitação, alguns jogos teatrais podem ser jogados por vários times simultaneamente, como por exemplo, *Cabo de Guerra* (A12); *Blablação: Português* (A88), *Espelho* (A15). No entanto, a plateia de jogadores deve ser formada sempre que possível por seu valor significativo no processo de aprendizagem para todos.

13. Finalize a Oficina quando o nível de energia estiver alto.

Três Essências do Jogo Teatral

Foco

Os ingredientes-chave da abordagem do jogo teatral de Spolin são dados para cada jogo pelo FOCO; *Instrução e Avaliação*. Atenção especial é dada aqui para esses três itens essenciais como um auxílio para compreender sua utilidade e poder.

FOCO – *Os exercícios são instrumentos contra a artificialidade; estruturas criadas para despertar a espontaneidade – ou talvez uma estrutura cuidadosamente construída para isolar inferências. Importante no jogo é a bola – o FOCO, um problema técnico, às vezes um duplo problema técnico que mantém a mente (um mecanismo de censura) tão ocupada fazendo com que o gênio (espontaneidade) aconteça sem querer –* Tung, em *Film Quarterly*.

Cada enunciado dado pelo FOCO é um problema essencial para a atuação que pode ser solucionado pelos jogadores. A mente ocupada em um ponto focal permite movimento estabilizado, o jogador é liberto para a resposta plena, sem censura, orgânica, diante dos muitos estímulos e fenômenos em constante mutação que entram ou emergem durante o jogo. Atitudes, atenção difusa, defesas e censuras são absorvidas diante do FOCO estabelecido e a resposta espontânea se torna uma probabilidade.

FOCO é uma pausa, um ponto de partida para tudo. Todos se encontram pelo FOCO. A Instrução ajuda os jogadores a encontrar/manter o FOCO que coloca o jogo em movimento e todos se tornam parceiros de jogo ao lidar com o mesmo problema de diferentes pontos de vista. O professor/instrutor vai ao encontro do FOCO; os jogadores em cena vão ao encontro do FOCO; os jogadores na plateia vão ao encontro do FOCO. Desta forma, com o FOCO entre todos, dignidade e privacidade são mantidas e a parceria verdadeira pode ser criada, pelo professor transformado em jogador que sabe tanto sobre o resultado do jogo quanto os jogadores na plateia.

O FOCO não é o objetivo do jogo. Procurar permanecer com o FOCO gera a energia (o poder) necessária para jogar que é então canalizada e flui através da estrutura dada (forma) para configurar o evento de vida real. Um aluno de oito anos disse certa vez: *É preciso investir toda sua força para permanecer com o FOCO*. No entanto, manter o FOCO não significa colocar viseiras diante de outros estímulos que surgem durante o jogo. No futebol, o FOCO é a bola. Jogadores, instrutores e torcedores nas arquibancadas dirigem toda sua atenção (energia) para a bola e, sem censuras relativas ao passado/futuro determinando o que deve ou não ser feito, o jogo toma conta de si mesmo[2].

Pela utilização do FOCO como um instrumento, emergindo na área X, uma abertura é criada para energias novas, regeneradoras, abrindo portas para o *insight*. O esforço para manter o FOCO e a incerteza sobre o desfecho diminuem atitudes de defesa, criando auxílio mútuo e gerando envolvimento orgânico no jogo na medida em que ele se desenvolve e que professores e alunos são surpreendidos pelo momento presente – alertados para solucionar o problema – aprendendo!

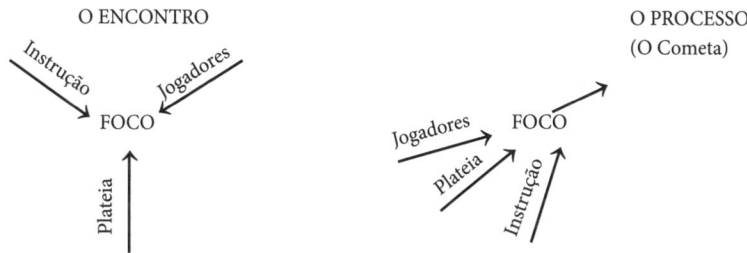

O exercício de *Exposição* (A1) deveria ajudar a tornar claro o FOCO. Na Parte II desse exercício, quando é dado um FOCO, os jogadores experimentam bem-estar e paz de espírito. A mente que divaga, preocupada em assumir atitudes, é focalizada – ocupada, trazendo harmonia para o organismo no ambiente.

---

2. Ver Comentário sobre Onde/Quem/O Quê, para uma ampliação desse exemplo, p. 47.

Instrução

Esse guia essencial, vital para o jogo, cresce a partir do FOCO do jogo. Ele se dá por meio do enunciado de uma palavra ou frase que faz com que os jogadores se atenham ao FOCO (*Veja a bola!*). Os alunos abandonam seus papéis e tornam-se jogadores; o professor abandona o papel de professor e torna-se parceiro de jogo, um guia, através da instrução. Durante o jogo, a instrução, como em um jogo de bola, torna-se os olhos e ouvidos dos jogadores.

Com o tempo, todos podem aprender a dar instruções. Idade e experiência são irrelevantes. A instrução, que acompanha as ações dos jogadores, é enunciada instantaneamente, de acordo com as necessidades do jogo. Os jogadores, por seu lado, seguem, utilizam e constróem a partir da instrução enquanto estão jogando.

Todas as fichas contêm sugestões de instruções para cada proposta de jogo. Utilize inicialmente as frases sugeridas, a serem enunciadas durante o jogo, em momentos apropriados. Exceções e acréscimos às instruções listadas nas fichas são muitas vezes necessárias e surgem espontaneamente a partir do jogo, se o coordenador permanecer com o FOCO. Muitas vezes o professor como jogador pode perder o FOCO e a instrução torna-se ineficiente ou fora de propósito. Caso isso aconteça com você, permita que o jogo o auxilie a encontrar novamente o FOCO. *Tire da cabeça e coloque no espaço!* é uma boa frase de Instrução nesse caso, assim como no *Jogo de Bola* # 1(A9). Procure compartilhar o mesmo espaço dos jogadores! Durante a instrução esse espaço é o FOCO!

A instrução deve conduzir o processo teatral, libertando pensamentos e emoções ocultas, sem interromper diálogo e ação. A instrução permite que o professor tenha a oportunidade de participar do jogo. Jogos teatrais não são lições! Ninguém sabe o que vai acontecer!

A instrução deve ser dada com voz clara e conduzir os jogadores, eliminando as distrações. No entanto, é errado confundir os jogadores com grande quantidade de comentários ou direcionamentos. Devem existir pausas entre as frases enunciadas na instrução para que jogos emergentes, ações, relacionamentos e acontecimentos possam tornar-se visíveis no espaço entre você, os jogadores no espaço cênico e os jogadores na plateia.

O aluno que foi bem treinado para mostrar que ele ou ela está prestando atenção quando o professor fala terá inicialmente alguma dificuldade em aceitar o professor como um parceiro, trabalhando com o mesmo FOCO, participando do mesmo jogo. *Ouça minha voz, mas não preste atenção a ela!* é uma boa frase a ser usada durante a instrução quando os jogadores interrompem para obedecer. Grupos de qualquer faixa etária intuitivamente compreendem. (Não preste atenção em mim, o *professor*.) Este é um passo muito importante para o desenvolvimento da dignidade, quando o aluno é *libertado* do *medo* – medo de quebrar a dependência da aprovação/desaprovação do professor – na medida em que ensinar e aprender passam a ser complementares*.

Dê a instrução buscando resposta orgânica, mantendo o jogador com o FOCO e incrementando os níveis de energia *Veja o objeto com seus pés!*, *Com a parte posterior de sua cabeça!*

> *Compartilhe sua voz! Intensifique! Explore e intensifique!*
> *Sem dramaturgia!*
> *Jogue o jogo!*
> *Sustente o FOCO!*
> *Veja a bola!*
> *Mostre! Não conte!*
> *Mais um minuto de jogo!*
> *Ajude seu parceiro que não está jogando!*

Estas e muitas outras frases similares serão encontradas nas fichas de jogos teatrais. A instrução mais eficiente é espontânea e surgirá durante o jogo.

A instrução busca intensificar o jogo até o auge de energia e percepção dos jogadores – um passo para a ruptura! Evite imagens (*Imagine* ou *Faça de conta*) ao dar instruções. A sugestão de imagens (*Seria assim ou assado*) impõe pensamentos passados para aquilo que está acontecendo aqui/agora e aniquila a experiência de cada um e de todos (Você, jogadores, plateia). As instruções não deveriam alterar o curso do jogo, mas simplesmente canalizar para o FOCO.

Instruções dadas pelo aluno: o treinamento para os alunos auxilia a construir coordenadores/professores na sala de aula. *Blablação: Português* (A88), *Vogais e Consoantes* (A73), *Ruas e Vielas* (A44), *Espelho com Fala Espelhada #1* (A52), e *Fala Espelhada #2* (B20) são adequadas para o treinamento em dar instruções na oficina. Por exemplo, caso seu grupo tenha jogado e compreendido *Blablação: Português*, inicie com uma oficina de treinamento em dar instruções:

> *Hoje vamos fazer um treinamento em dar instruções com* Blablação: Português. *Tudo bem, vamos fazer a contagem* (para times com três jogadores). (Veja *Times*, página 40.)
>
> *Vamos jogar todos ao mesmo tempo. Cada participante dos diferentes times irá escolher um número: 1, 2, 3. Dois participantes de cada time serão os jogadores e um participante será o instrutor. Número 1 será o primeiro a dar instruções e os números 2 e 3 serão os jogadores. Quando eu chamar Número 2, então os jogadores de número 2 se tornarão o instrutor e os números 1 e 3 os jogadores e assim por diante.*

Caminhe pela sala, de time em time, para ajudar e dar assistência às instruções. Algumas instruções dos alunos podem alterar de *Blablação: Português* rápido

---

* Ver também Perguntas Ansiosas p. 64. (N. da T.)

demais, outras poderão ser por demais lentas. Permita que cada membro da classe tenha oportunidade para dar instruções. Encontrando-se na posição de guiar as necessidades de outros, mesmo o aluno mais resistente irá superar suas resistências como num passe de mágica.

Uma variante para o jogo acima será utilizar um time de três jogadores. A plateia de jogadores avaliam então cada instrução individual:

Para os jogadores na plateia: *A instrução manteve o jogo em movimento? A instrução foi rápida demais? A instrução foi dada prestando atenção para o que os jogadores estavam fazendo?*

Para os alunos que deram a instrução: *Vocês concordam com os jogadores na plateia? Vocês estavam realmente prestando atenção aos jogadores ou vocês estavam dando instruções a bel-prazer (ouvindo apenas a si mesmos)?*

A instrução pode ser avaliada para muitas atividades em sala de aula (*Compartilhe sua voz!, Veja a palavra!, Vogais e consoantes!*). Se alguns alunos perderem o FOCO do jogo no meio de uma atividade, experimente dar a instrução em câmera lenta: *Lutem em câmera lenta! Empurrem em câmera lenta! Olhem em câmera lenta!* Conforme disse um professor de Ensino Médio: *A instrução atinge o real significado dos Jogos Teatrais na escola – a renovação do relacionamento professor/aluno.*

Avaliação

Quando um jogador ou time trabalha com o problema apresentado (FOCO) na área de jogo, todos os outros jogadores tornam-se plateia. A plateia de jogadores não permanece sentada esperando pela sua vez, mas está aberta para a comunicação/experiência e torna-se responsável pela observação do jogo a partir desse ponto de vista. Aquilo que foi comunicado ou percebido pelos jogadores na plateia é discutido por todos.

Avaliação não é crítica. Avaliação (assim como a instrução) cresce a partir do FOCO que é reestabelecido a partir de perguntas dirigidas tanto para os jogadores na plateia como para os jogadores atuantes. Por exemplo, se o FOCO de um jogo é *manter a corda no espaço – fora da mente*, como no *Cabo de Guerra*, (A12), as questões de avaliação lidam com esse problema e sua solução.

Para os jogadores na plateia: *A corda estava na mente dos jogadores? Os jogadores estavam fazendo de conta? A corda estava no espaço? A corda estabeleceu conexão entre os jogadores? A corda estava na mente de vocês? – plateia?*

Para os jogadores atuantes: *Vocês concordam com os jogadores na plateia? A corda estava apenas na mente? Ou estava no espaço?*

Em um ambiente livre de autoritarismo, preconceito, assunção e interpretações[3], a questão dirigida para os jogadores atuantes: *Vocês concordam com os*

---

3. Interpretação – Aluno: *Não é desse jeito que deve ser feito.* Instrutor: *Quem lhe disse isso?* Aluno: *Meu professor.*

jogadores na plateia? é aceita sem ofensa – como um auxílio de parceiros de jogo empenhados na solução de um problema.

Questões para avaliação objetivas aparecem em cada ficha, centradas no problema (FOCO) e não no julgamento do jogador:

Para os jogadores na plateia: *O que vocês estão vendo? O que os jogadores comunicaram? Vocês estão inferindo? Adivinhando?*

Para os jogadores atuantes: *Vocês concordam com os jogadores na plateia? você (seu time) tirou proveito das avaliações dos jogadores que os antecederam?*

Professor/instrutor, procure atentar para como ou quando você está desviando as questões de avaliação para respostas com expectativas – seu próprio ponto de vista[4]. A avaliação verdadeira, que está baseada no problema (FOCO) a ser solucionado, elimina críticas e julgamento de valores e dissolve a necessidade de o professor/jogador e/ou o jogador/aluno dominar, controlar, fazer preleções e/ou *ensinamentos*[5]. Esta interação e discussão objetiva entre jogadores e grupos de jogadores desenvolvem confiança mútua. Forma-se um grupo de parceiros e todos estão livres para assumir responsabilidade pela sua *parte do todo*, jogando.

A Atmosfera da Oficina

Autoritarismo

Não há papéis a desempenhar! Não há nada a ensinar! Não há nada a aprender! Durante o encontro na oficina, por que não férias – de ensinar, de aprender, de provar, de representar, de agradar, de recompensar, de apaziguar, de punir, de disciplinar?

Quando fica claro para cada jogador que ele não tem nada a provar, que não lhe serão colocadas perguntas que ele não saiba responder, nenhum problema que ele não possa resolver, os jogadores deixarão acontecer! Quando apenas o fazer e a resposta são solicitadas, a confiança é aceita com prazer.

Autoritarismo em todas as suas gradações (aprovação/desaprovação; bom/mal;certo/errado; defesas; livros didáticos; notas etc.) é colocado de lado durante as oficinas de jogos teatrais, de forma que professores e alunos possam ser libertados do ditador (passado/futuro) para encontrar aqui/agora o FOCO e tornarem-se parceiros de jogo. Impondo ou apoiando-nos em experiências de outros, quadros de referência e padrões de comportamento tornam todos vítimas. Vemos com os olhos dos outros e sentimos cheiros com os narizes dos outros. Seja exercendo a autoridade ou submetendo-nos, o autoritarismo não permite assumir o ser hu-

---

4. Ver *Improvisação para o Teatro*, p. 266.
5. Ver *infra*, p. 56.

mano único que somos. Idealmente, a oficina de jogos teatrais permite que cada participante (inclusive o professor) assuma seu próprio espaço de ser. O professor torna-se o instrutor por meio do FOCO, ao mesmo tempo em que confia profundamente que os parceiros jogadores tenham os recursos interiores para completar (solucionar) o problema.

Não seja sabichão! Todos nós temos o direito de dizer *Eu não sei!* Não existe uma maneira absolutamente certa ou errada para solucionar um problema. Um professor com larga experiência no passado pode conhecer uma centena de formas para solucionar um problema particular e ainda assim um aluno pode aparecer com a solução cento e um. Deixe que o aluno tenha a chance de surpreendê-lo.

Você pode recair em regras autoritárias ocasionalmente durante as oficinas para impor ordem, para ser ouvido ou para lidar com alguém que não sabe distinguir entre liberdade e licenciosidade. Simplesmente tome consciência do fato e tome nota. Sem a necessidade de recompensas exteriores como defesa, a oficina de jogos teatrais deve intensificar as relações entre os jogadores e permitir liberdade para experimentar com os parceiros, com o ambiente e consigo mesmo. Dessa forma as oficinas revelam suas recompensas inerentes por meio da atuação, seja ela teatral, curricular ou pessoal.

Seja revigorado! Liberte-se da necessidade de ter que ser o professor durante as oficinas. Experimentar a experiência *deve* incluir o professor tanto quanto o aluno. Ainda que isso possa parecer difícil e um impedimento para muitos professores que não estão acostumados com o jogo, trabalhe (jogue) com isto! Com o tempo, tanto você quanto seus alunos encontrarão liberdade, jogando. Considere-se a si mesmo como jogador e por favor, por favor, jogue. Encontre tempo para reunir-se com alguns professores colegas e jogue alguns dos jogos sem a presença das crianças – em casa, depois da escola. Que tal na próxima reunião de professores?

Troca de Energia (Fora da Mente! no Espaço!)

A energia faz com que rodas girem e máquinas funcionem. Pare! Olhe! Ouça! quando por alguma razão os níveis de energia caírem durante uma oficina. Energia acumulada (morta) pode causar doença – física, emocional e/ou psíquica. Quedas de energia são sinais para ação e exigem mudança.

Energia é gerada e trocada dentro do grupo quando todos estão verdadeiramente jogando (experienciando). Por exemplo, *Vogais e Consoantes* (A73) requer FOCO tão intenso que todas as partes produtoras de energia do corpo do jogadores formam um todo para conectar com os parceiros no espaço. Se você caminhar dentro do círculo enquanto os jogadores estão jogando, a troca de energia é tão intensa que as conexões entre os parceiros podem ser literalmente sentidas! Amarras invisíveis no espaço!

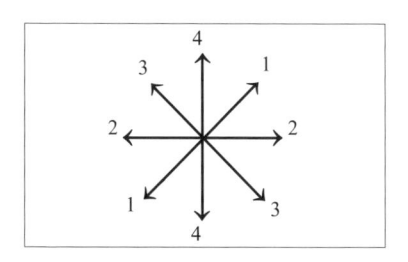

É por essa razão que você poderá encontrar seu grupo de alunos jogando *Vogais e Consoantes* no recreio. O desafio de manter-se a par de distrações gera crescente entusiamo pelo jogo.

A troca de energia que acontece em *Vogais e Consoantes* também pode ser observada nos jogos de *Transformação* (veja Apêndice 6). O FOCO, que propicia atenção física para o problema gera energia canalizada, seja em um jogo de bola ou numa situação com personagens.

Conceitos, respostas intelectuais, associações, imaginação, dramaturgia, desempenho de papéis, fazer-de-conta e pré-planejamento de como fazer mantêm a energia circulando na cabeça dos jogadores em lugar de ocupar o espaço entre eles. A instrução indicada nas fichas ajuda a circulação da energia direta, provocando uma abertura entre os jogadores. Os jogos teatrais podem ser os primeiros passos na compreensão da troca de energia com objetos, com pensamentos, com pessoas, com tudo aquilo que somos quando saímos do nosso eu interior e nos relacionamos com o espaço.

Tiro em Falso

Quando um jogo não funciona, quando você e seus jogadores estão fatigados, faça as seguintes perguntas a si mesmo: *Estou dando energia suficiente? Estou dando tempo suficiente às oficinas? As sessões estão muito intensas? O horário é tarde? Estou sendo ofensivo? Estou aborrecendo? Os jogadores estão trabalhando contra mim? Estou usando os jogadores como marionetes? Estou exigindo mais respostas do que os jogadores podem me dar agora? Confio em meu grupo? Confio em mim mesmo? Estou sendo parte do grupo? Estou aqui na sala de aula? Meus jogadores estão aqui comigo? Necessitamos de um aquecimento para estarmos aqui reunidos na sala de aula? Estamos jogando? Deveríamos ir todos para casa?*

Se você, o coordenador, atua como anfitrião, será capaz de procurar uma resposta e encontrá-la. Se tiver selecionado um jogo que está além da capacidade do grupo ou outro que não sabe colocar em ação, *pare esse jogo* e jogue outro. Não tenha medo de mudar ou alterar as regras do jogo se essa mudança esclarece a apresentação e/ou intensifica o interesse, envolvimento e resposta[6].

Finalize a oficina quando o nível de energia estiver alto e você e seu grupo estiverem na busca do desconhecido.

6. Ver Esboçando Oficinas para Ir ao Encontro de Necessidades Específicas, p. 71.

Bibliografia

BANCROFT, Jessie H. *Games*. N.Y., Macmillan, 1937.
BOYD, Neva L. *Handbook of Games*. Ann Arbor, University Microfilms, 1975.
_____. *Play and Game Theory in Group Work*. Chicago, University of Illinois, 1971.
BROWN, Florence W. & BOYD, Neva L. *Old English and American Games*. Chicago, Fitzsimons, 1915.
PEDERSON, Dagny & BOYD, Neva L. *Folk Games of Denmark and Sweden*. Chicago, Fitzsimons, 1915.
_____. *Folk Games and Gymnastic Play*. Chicago, Fitzsimons, 1915.
SILLS, Paul. *Story Theatre*. Canada, Applause Books, 2000.
SPACEK, Anna & BOYD, Neva L. *Folk Dances of Bohemia and Moravia*. Chicago, Fitzsimons, 1917.
SPOLIN, Viola. *Improvisation for the Theatre*. Evanston, Northwestern University Press, 1963.
_____. *Theatre Games for Rehearsal: A Director's Hankbook*. Evanston, Northwestern University Press, 1985.
_____. *Theatre Game File*. Evanston, Northwestern University Press, 1985.
_____. *Theatre Games for the Classroom. A Teacher's Handbook*. Evanston, Northwestern University Press, 1986.
_____. *Improvisationsthechniken fur Pädagogik, Terapie und Theater*. Paderborn, Junfermann-Verlag, 1983.

PARTE II

Esta segunda parte do Manual dos *Jogos Teatrais* visa auxiliar você e seus alunos a explorar a abordagem dos jogos de Spolin em seu sentido mais amplo. Comentários sobre tipos de jogos particulares, centrais nesta abordagem, são apresentados, acompanhados de um glossário de reflexões sobre jogar, aprender, ensinar e conhecer.

OS COMENTÁRIOS

Comentário sobre *Parte do Todo* (Comunicação e Harmonia)[1]

> *A parte mais fraca deve resistir ao esforço;*
> *De maneira a represá-la [...]*
> *É tornar aquela parte tão forte quanto o resto*[2].

O jogo teatral *Parte do Todo* é o fio condutor do processo de Jogos Teatrais. Tornar-se ou ser *parte do todo* produz um corpo único, por meio do qual jogadores atuantes, jogadores na plateia e a instrução são diretamente envolvidos, dando suporte uns aos outros. Um jogador unificado (corpo-mente-área X), funcionando em níveis elevados de energia individual, conecta-se parceiros de jogo por um esforço livre de limitações do passado. Um jogador assim apoiado por muitos é livre para jogar e muitos jogadores podem dessa forma atuar como um só. O esforço e a ruptura daí resultante (se atingido) são compartilhados igualmente por todos como *parte de um todo*.

Competição

Competição e comparações que fragmentam uma pessoa e isolam um jogador de seus parceiros destroem *parte do todo*. A competição, originalmente usada como um incentivo para maior produtividade e como um instrumento de ensino para desenvolver mais habilidades, infelizmente funciona apenas para poucos e deveria estar superada por ser inoperante. A competição pode alimentar astúcia, manipulação, violência e/ou defesa. Quando a marcação é mais importante do que os jogadores e o jogo, valores pessoais são distorcidos pela *necessidade de vencer*. Quando mesmo o jogador mais jovem percebe que ele não pode puxar a corda sem que haja alguém do outro lado ou quando um time de futebol é capaz de ver o time oposto

---

1. Ver Apêndice 1.
2. Oliver Wendell Holmes, "The Deacon's Masterpiece or The Wonderful 'One-Hoss Shay' ".

não como *o inimigo* mas como parceiro de jogo, *o inimigo* torna-se parte do todo (em harmonia) dando e tomando em função de uma realização mútua – jogando!

Disputas para quebrar recordes existentes – no esporte, na música e outros – nos quais entramos pelo puro prazer, estímulo e exaltação inerentes (uma planta alcançando o sol, nossos antepassados saindo da caverna, o homem chegando na lua) inspiram um esforço que está por trás desses momentos históricos – momentos de fazer História – seja no universo ou na sala de aula. O novo momento então instantaneamente se torna passado e o desconhecido se torna conhecido! História! Galgamos os próximos degraus mais elevados para todos! O avanço de um torna-se avanço para todos.

Um Outro Aspecto da Competição

Esteja atento, verificando se a competição por atenção através de recompensas está sendo fomentada em sua sala de aula. Tome cuidado para não ser um *tirano benevolente que dispensa dádivas aos "bons" súditos e castigas aos "maus"*[3].

Veja o Apêndice 1 para consulta de jogos que são facilitadores de *Parte do Todo**.

Times

Times são uma estrutura organizacional útil e a maioria das descrições de jogos teatrais *exigem* um número específico de jogadores por time. Para favorecer o espírito de *Parte do Todo* na sala de aula, os times devem ser escolhidos aleatoriamente. Isso evita o sofrimento, a dúvida e a solidão que, na maioria das vezes, surgem quando os jogadores aguardam o chamado do professor ou capitão do time. Subserviência e dependências de amigos e "panelas" podem ser dissolvidas através da seleção randômica, quando todos os jogadores estiverem seguros do seu envolvimento no processo de aprendizagem do teatro.

O jogador assustado e bravo é surpreendido "jogado na piscina" sem tempo para *Eu não posso, Eu não quero* etc. pelo recurso do acaso – por meio da contagem. Por exemplo, se um jogo exige um time de cinco jogadores e você tem trinta jogadores, terá seis times. Os jogadores fazem a contagem até seis enunciando (nas fileiras ou em volta das mesas) um número em sequência, de um a cinco, iniciando novamente a partir de um e assim por diante até que todos tenham dito um número. Os

---

3. Ver *Improvisação para o Teatro*, p. 250.

* Os jogos teatrais listados no Apêndice 1 trabalham com o FOCO em *Parte do Todo*. *Éramos unidos!* O aprendizado cumulativo do jogo teatral *Parte do Todo* provoca participação e responsabilidade, interação, atenção, comunhão, expressão física e vocal, habilidades narrativas, agilidade sensorial, consciência corporal e tantas outras aprendizagens no processo de pesquisa da linguagem do teatro. Se inicialmente o princípio aparece apenas em *flashes*, (pequenos repentes de espontaneidade), repita a experimentação com esse jogo teatral até que o aprendizado cumulativo de *Parte do Todo* seja instaurado em sua equipe de trabalho teatral. (N. da T.)

jogadores de número 1 são o primeiro time, aqueles de número 2 o segundo etc. Se você tiver 31 jogadores, um dos times terá seis jogadores. Se houver um grande desnível no desenvolvimento do grupo, você poderá fazer a indicação de jogadores por times. Faça isso sem apontar a questão para os jogadores.

Acordo de Grupo

Uma vez estabelecidos os times e apresentadas as regras de jogo, os componentes de cada time devem entrar em acordo sobre a organização e posição de todos os jogadores dentro do time, seja com relação a uma profissão no jogo tradicional *Três Mocinhos de Europa* (A36) ou entrando em acordo sobre o Onde, Quem e O Quê na seção B do Fichário.

Acordo de grupo não é conformismo com a *tirania da maioria* nem é a obediência cega a um líder. Pelo acordo de grupo os jogadores tem liberdade de escolha, que permite alternativas. Diferenças e similaridades são respeitadas. Ninguém é ridicularizado ao dar uma sugestão. Ninguém assume a decisão. Deferência de um pelo outro é exercitada entre os jogadores. Todos têm o direito de participar na medida de sua capacidade. Todos recebem e assumem livremente responsabilidade por sua parte no todo. Todos trabalham individualmente ao máximo para a realização do evento.

Inicialmente os times podem não trabalhar com o verdadeiro acordo de grupo conforme descrito acima. A chance para desenvolver a quase perdida capacidade para o julgamento independente é oferecido aqui. O professor coordenador, indo de time em time depois de apresentar o jogo, pode auxiliar o ditador a *dar* e a criança passiva e tímida a *tomar* a sua parte no todo. Períodos de avaliação e o jogo em si irão favorecer essa abertura de espírito na qual a parceria nasce entre os jogadores. Embora nem todos os jogadores tenham as mesmas habilidades, todos têm a mesma oportunidade para desenvolver respostas sinceras.

Comentário sobre *Caminhada no Espaço*[4]

Caminhada no Espaço e *Sentindo o Eu com o Eu* (A2), mais do que exercícios de percepção sensorial, são maneiras orgânicas de perceber/sensibilizar/experienciar o ambiente (espaço) à nossa volta como uma dimensão atual na qual todos entram, comunicam, vivem e são livres. Distrações são abandonadas e os jogadores são ajudados a entrar no momento presente, com outros jogadores e com formas e objetos. Cada jogador torna-se um instrumento receptivo/emissor capaz de ir além de seu ser físico e do ambiente imediato. A *Caminhada no Espaço* invariavelmente

4. Ver Apêndice 2.

cria um estado de alerta e um sentido de pertencimento e conexão (*Parte do Todo*). Assim como a água alimenta a vida marinha, a substância do espaço nos envolve e alimenta[5]. *Há espaço suficiente para todos!* Cada qual no seu espaço abre espaço para os outros. Isto será intuitivamente compreendido pelos jogadores: *Saia de si mesmo! Saia de si mesmo! Onde quer que esteja!*.

Como Dar Instruções para os Jogos com Espaço

A instrução pode ser lida diretamente para o grupo a partir das fichas. O coordenador inicia o exercício caminhando. Ele deve participar ativamente nesses exercícios. Se por alguma razão você se sentir desconfortável nos exercícios de espaço, evite usá-los durante as oficinas iniciais e recorra ao exercício mais simples *Sentindo o Eu com o Eu* (A2), deixando que os jogadores permaneçam sentados[6].

Caminhadas no Espaço deveriam ser dadas sempre como aquecimento para o dia de aula, para a oficina de jogos teatrais, ou como um revigoramento quando os alunos ou você parecem cansados (em lugar nenhum). As frases para instruções nas fichas de espaço irão desenvolver familiaridade com os exercícios e com o tempo modificações para dar as instruções irão emergir das necessidades de seu grupo. Uma vez que tenha experimentado outros tipos de jogos como *Ouvir/Escutar* e *Olhar/Ver* descobrirá que é natural introduzir frases de instrução dos jogos *Caminhada no Espaço*.

Comentário sobre *Objeto no Espaço* (Tornando Visível o Invisível)[7]

O professor que tem objetivos a cumprir e conteúdos a ensinar raramente tem tempo ou energia para permitir que sentimentos ou pensamentos internos emerjam. As oficinas com *Objeto no Espaço* auxiliam a descobrir o eu interior. Objetos feitos de substância do espaço são projeções desse eu interior (invisível), colocados no universo visível. Com efeito, a bola invisível jogada para um parceiro no *Jogo de Bola #1* (A9) é um compartilhar estabelecendo conexão com um parceiro que aceita e pega a bola invisível. Para alcançar essa conexão, *Mantenha a bola no espaço e não em sua mente!* e *Dê à bola seu tempo e espaço!* são instruções dadas com frequência. Todos intuitivamente percebem, sentem a substância do espaço invisível como um fenômeno manifesto, *real!* O espaço (o desconhecido) torna-se visível por meio do acontecimento. Por meio da substância do espaço todos podem fazer novas trocas em liberdade, essenciais para jogar, comunicar, aprender e viver.

---

5. *Tocar – Ser Tocado* (A32) oferece uma boa possibilidade para sair de si mesmo e gera expansão.
6. Ver os comentários de professores sobre esse exercício, p. 13.
7. Ver Apêndice 3.

O objeto no espaço não é pantomima. Pantomima é uma forma de arte, irmã da dança que utiliza objetos invisíveis como o ator utiliza falas. O objetivo dos objetos no espaço não é desenvolver essa técnica (embora possam ser utilizados para tal), mas despertar esta área do intuitivo que compreende e vê essa evidência física do eu interior até então oculta. Reconhecimento dessa dimensão do universo traz excitação e revigoramento a todos. Quando o invisível (aquilo que está submerso, interiorizado, desconhecido) torna-se palpável – a mágica do teatro! Campo fértil para o artista, o pesquisador, o ator!

Comentário sobre o *Espelho*
(Um Passo para a Espontaneidade)[8]

Espelho (A15) e *Espelho com Fala Espelhada 1* (A52) estabelecem uma relação para cada jogador por meio do ato físico de ver ou ouvir. As instruções dadas para *Espelho* (A15) e outros nessa série são: *Reflita aquilo que está vendo! e não aquilo que você acha que está vendo! Mantenham o espelho entre vocês!*

Espelho são exercícios de reflexo espontâneo e não de imitação. Essa diferença, sutil e essencial, deve ficar clara para que os jogos de *Espelho* sejam eficientes ao mobilizar a resposta interna plena e física como extensão do eu. O *Espelho* exige resposta espontânea ao outro sem espaço de tempo. Refletir é agir. Imitar é reagir.

Na imitação, aquilo que é visto é primeiramente enviado pela cabeça para análise criando um período de tempo. A mente deve imaginar o que fazer. A espera permite tempo para a inserção de atitudes, ambivalência e fragmentação da experiência: *Eu deveria fazer isso assim? Ou assado?*. Boa imitação é uma habilidade, mas é limitada e limitante. A capacidade da imitação é um obstáculo na nossa busca pela espontaneidade.

Espelho é o estado de atuar diretamente sobre aquilo que é visto (percebido). Refletir é orgânico. A pessoa como um todo torna-se viva e alerta no momento presente, aqui/agora. Não há necessidade de discutir a diferença entre refletir e imitar com seus jogadores. Permita que a autodescoberta orgânica, não verbal aconteça ao jogar.

Comentário sobre *Siga o Seguidor*
(Um Momento de Liberdade e Repouso)[9]

Espelho (A15) e *Quem é o Espelho?* (A16) introduzem naturalmente *Siga o Seguidor #1* (A17). Ao seguir o seguidor, não há líder. Todos os jogadores lideram.

---

8. Ver Apêndice 4.
9. Ver Apêndice 4.

Ninguém inicia. Todos iniciam. Todos refletem. *Você está consigo mesmo!*, *Não inicie!*, *Siga o iniciador!*, *Siga o seguidor!* são frases de instrução para esse jogo. Refletindo continuamente a si mesmo, sendo refletido por outro jogador, gera movimento e mudança fluente sem que ninguém seja iniciador deliberado: é refletir simplesmente o que está sendo visto. Para auxiliar a tornar esse ponto familiar para os jogadores, ao ver um jogador iniciando um movimento durante o jogo, pergunte ao jogador *Você viu esse movimento?* Ou: *você está iniciando*. *Siga o Seguidor* aquieta a mente e ajuda os jogadores a entrar em um tempo, espaço, momento, sem lugar para atitudes ou pensamentos (o passado). Ao mesmo tempo seguidores e líderes, os jogadores pressentem sua própria profundidade. É um momento de alegria e prazer. Os jogadores percebem que estão inter-relacionados em um plano não físico, não verbal, não psicológico, não analítico, sem julgamentos, área de seu eu interior livre. Apenas sendo!

Quando todos se tornarem líderes,
Quem será o seguidor?
Quando todos se tornarem seguidores,
Quem ficará para ser o líder?
Quem ficará para ser líder ou liderado
Quando todos forem seguidores e líderes?

Siga o seguidor é um fio tecido através de toda a estrutura do processo de jogos teatrais[10].

Comentário sobre *Não Movimento – Câmera Lenta*[11]

Não movimento é um estado de descanso silencioso (silêncio na tempestade) no qual ninguém precisa provar nada a ninguém. Os jogadores podem persistir no estado de não movimento durante alguns momentos, na preparação para a "cortina teatral" ou durante as caminhadas no espaço quando é dada a instrução: *Não movimento!*. Não movimento ajuda a clarear a mente (atitudes) e conversação interior.

O aquecimento com *Não Movimento* (A30) traz o reconhecimento que o movimento emerge do não movimento; que cada não movimento ou não pensamento aparente é um passo completo, tão importante quanto o último ou o próximo. Veja também *Começo e Fim com Objetos* (B48).

Colocar uma ação ou pensamento em movimento ajuda a criar transformação. Pensamento periférico, pensamento ambivalente não se encontra em lugar algum. Não movimento faz com que o pensamento/ação cozinhe em fogo lento, criando

---

10. Quando jogado diariamente, variando os parceiros, *Siga o Seguidor #1* (A17) pode trazer unidade e harmonia miraculosas para a sala de aula.
11. Ver Apêndice 11.

vitalidade, aquietando o equipamento físico (corpo/mente) e trazendo energia e novo conhecimento de fontes profundamente ocultas.

Você poderia dizer que um centro-avante está em não movimento ao atravessar o campo. Sua mente está em repouso absoluto, livre de atitudes, para ver, ouvir e, dessa forma, selecionar espontaneamente a rota a ser tomada, evitando obstáculos e parceiros que procuram obstruir sua corrida.

A frase de instrução *Não movimento!* não é um chamado para congelar, mas antes esperar. *Tome distância de seu próprio corpo!* é uma instrução que espontaneamente evoca um estado de estar em *não movimento*. Quando tomamos distância não necessitamos guiar, não há tempo para ver o cenário. Utilize *Não movimento!* como instrução quando for útil no jogo.

Balançar e Cambalear

Desprendimento em função de mais envolvimento. Envolvimento em função de uma visão mais ampla.

Jogos Teatrais com Câmera Lenta

Se *Não Movimento: Caminhada* (A31) parecer por demais sofisticada inicialmente (embora mesmo crianças de Ensino Fundamental tenham gostado desse exercício), experimente dar a instrução *Câaammmeraaaa leeeeenta!* em lugar de *Não movimento!*. Veja *Jogo de Bola #1* (A9), *Câmera Lenta – Pegar e Congelar* (A56) e *Caminhada Cega no Espaço* (B51), em que se encontram frases de instrução. Utilize frases de instrução para auxiliar os jogadores na movimentação em câmera lenta com o corpo todo. *Pisque em câmera lenta! Masque chicletes em câmera lenta! Respire em câmera lenta!* Inicialmente a maioria dos jogadores irão movimentar-se simplesmente em câmera lenta com movimentos desajeitados, iniciando e interrompendo o movimento. Com o tempo, os jogadores irão perceber organicamente que por meio da câmera lenta cada movimento flui para o próximo movimento e que, mesmo parado em câmera lenta, o corpo está em constante movimento fluido como um filme em câmera lenta.

Não Movimento e *Câmera Lenta* estão relacionados. Fazer jogos com os dois jogos teatrais ajudará a entender similaridades e diferenças.

Comentário sobre Estímulos Múltiplos[12]

Os jogadores tornam-se ágeis e alertas, prontos e desejosos de novos lances ao responderem diversos acontecimentos acidentais simultaneamente. A capacidade pessoal

---

12. Ver Apêndice 5.

para envolver-se com os problemas do jogo e o esforço dispendido para lidar com os múltiplos estímulos que ele o provoca, determinam a extensão desse crescimento[13].

Para alcançar a sobrevivência em nossa sociedade complexa, os indivíduos devem lidar, integrar e trabalhar com uma variedade de dados. Seja guiando um carro, voando em um jato ou apenas atravessando uma rua comercial, a atenção é necessariamente dividida, ao mesmo tempo em que tudo deve ser simultaneamente integrado, coordenado e selecionado com harmonia, unidade, bem-estar e segurança.

Apesar de a maioria dos jogos lidarem automaticamente com estímulos múltiplos, jogos específicos foram incluídos no *Fichário* para intensificar habilidades nessa área. *Quanto Você Lembra?* (A90); *Conversação em Três Vias* (A91); *Escrever em Três Vias* (A92); *Desenhar em Três Vias* (A93); e *Debate em Contraponto #1,#2 e #3* (C10, C11 e C12) exigem do aluno uma abertura e resposta para muitos estímulos simultâneos. Você pode achar que os exercícios com estímulos múltiplos provocam ansiedade nos jogadores, mas isso não irá ocorrer se eles forem experimentados com espírito de aventura. Os jogadores irão criar capacidade crescente para lidar com uma multiplicidade de fenômenos e para selecionar espontaneamente sua sobrevivência dentro do problema colocado. A instrução é responsável em manter o espírito de aventura operando nesses jogos teatrais. Divirta-se!

Comentário sobre *Transformação*[14]

Mudança está dentro de nós. Podemos mudar, ser mudados e criar mudança. Impossível de ser captada plenamente por meio de palavras, as transformações parecem surgir do movimento físico intensificado e da troca dessa energia em movimento entre os jogadores. A partir da união dessa energia, no espaço entre os jogadores, nasce uma nova criação – a transformação.

Parece, a partir de anos de observação desse fenômeno admirável, que existe uma fonte entre os jogadores que pode transformar-se em um evento visível. Transformações são mágica teatral e uma parte intrínseca dos jogos teatrais. Transformações, na forma de objetos, ambientes inteiros etc. aparecem ou surgem espontaneamente quando os jogadores permanecem com o FOCO dentro da estrutura dada do jogo selecionado. No entanto, *Transformação de Relacionamento* (C53) e *Debate em Contraponto #2 e #3* (C11 e C12) são três exercícios no *Fichário* que exigem especificamente um ciclo de transformação, dissolução e transformação contínuas. Por exemplo, na *Transformação de Relacionamento* (C53) os jogadores geram movimento em torno e através de um relacionamento conhecido. Por meio do movimento e da troca de energia, a primeira relação é cristalizada, exaurida e

---

13. Ver *Improvisação para o Teatro*, p. 5.
14. Ver Apêndice 6.

então é permitida a sua dissolução, a partir da qual uma nova relação pode aparecer. Uma vez que a aparência (um papel) foi introduzida, a transformação termina. Quando a relação se torna relacionamento, dê a instrução para que os jogadores voltem para o movimento intensificado e troca de energia, distanciando-se da aparência, do conhecido (desempenho de papéis) em direção a uma nova transformação desconhecida a ser criada entre os jogadores. A mudança ocorre não apenas uma vez, mas muitas e muitas vezes!

Pelo fato de os exercícios de transformação não visarem a cenas, associações deveriam ser evitadas. Associações podem ser muito espertas, imaginativas e divertidas, mas a dissolução e a transformação não acontecem quando a energia permanece na cabeça e não no espaço entre os jogadores.

Jogar com transformação muitas vezes traz uma compreensão intuitiva que, ao "deixar acontecer", libera o processo, a energia em movimento se dissolve em transformação. É possível reconhecer intuitivamente por esses exercícios que a vida em si mesma e as relações na vida são passíveis de transformações.

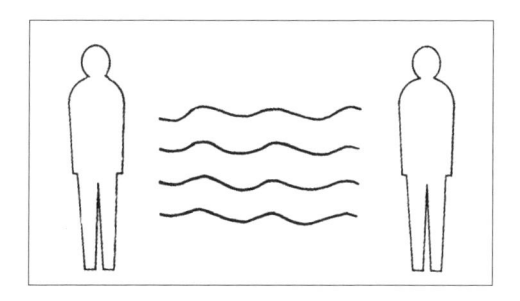

Comentário sobre Onde/Quem/O Quê[15]

Muitas descrições dos jogos teatrais utilizam os termos Onde, Quem e O Quê. Os termos teatrais *cenário*, *personagem* e *ação de cena* limitam os jogadores à situação teatral. Utilizando Onde, Quem e O Quê conduz os jogadores de forma não verbal para o mundo exterior de ambiente, relacionamento, e atividade, o universo do cotidiano. Ao introduzir os termos Onde, Quem e O Quê quando aparecem no *Fichário*, proponha a seguinte discussão:

Onde (Cenário e/ou Ambiente)

Como sabemos Onde estamos? Você sempre sabe Onde está?
Às vezes não sei Onde estou.

---

15. Ver Apêndice 7.

Como sabe se está num ambiente familiar? Como sabe se está na cozinha? Se todos os ambientes da casa fossem modificados, como saberia qual dos cômodos é a cozinha?

Pelas perguntas, os jogadores irão concluir que sabem Onde estão (ou não sabem Onde estão) por meio dos objetos físicos no ambiente.

Quem (Personagem e/ou Relacionamento)

Em uma discussão similar, os jogadores concordarão que as pessoas *mostram* Quem elas são por meio das atitudes que manifestam umas para com as outras, mais do que *contando* Quem elas são:

Em um ônibus, como sabe a diferença entre dois colegas de escola e dois estranhos?

A utilização do Quem durante as oficinas de jogos teatrais tornará os jogadores mais abertos para uma observação mais ampla de seu próprio mundo. *Mostre!. Não conte!* é uma instrução utilizada nos jogos teatrais que trará uma compreensão mais profunda de como nos revelamos uns para os outros no cotidiano, sem dizer uma palavra.

O Quê (Ação de Cena/Atividade)

Não confunda o O Quê com enredo, história ou dramaturgia![16] O Quê, conforme utilizado neste trabalho, é uma atividade (assistindo televisão) entre jogadores que definem Quem (marido, mulher, filho, estranho) e Onde (sala de estar).

Uma vez estabelecidos, o Onde, Quem, O Quê agirão por si mesmos. Onde, Quem e O Quê são o campo (estrutura) no qual o jogo acontece. Por exemplo, no futebol: Onde é o campo de jogo e as traves que delimitam o gol, a marca de pênalti, as linhas da pequena área; Quem é o goleiro, os atacantes e os jogadores da defesa; O Quê é a atividade de chutar a bola, driblar o adversário, marcar gols (*Dois cartões amarelos e você está expulso!*) O FOCO do jogo é *olhar para a bola*.

Manter o FOCO desperta a energia necessária para jogar. A energia flui através da estrutura (Onde, Quem, O Quê), dando forma ao evento.

Jogar *Versus* Desempenho de Papéis

Desempenho de Papéis: relacionamentos do passado – ser alguém que você não é – *versus* Jogar um papel: experienciando relações de um para um – ser quem você é – jogar!

---

16. Ver Glossário.

No desempenho de papéis, os jogadores entram no papel (mãe, pai, professor, alunos, diretor etc.) e reagem de acordo. Ao jogar um papel, os jogadores atuam no momento presente, experienciando a si mesmos e aos outros. Dessa forma todos atingem um nível mais elevado de compreensão ao se relacionarem consigo mesmos e com os outros.

Reconheça o fato de que o desempenho de papéis conforme está descrito aqui trabalha com comportamentos como relacionamentos (conflitos: pai/filho; professor/aluno etc.) e usualmente se refere a fatos antigos, seja por meio de conflitos do passado na família, vizinhança ou *scripts* de televisão. O desempenho de papéis pode ser útil para a identificação de comportamento social e para auxiliar a alterar ou compreender padrões de desvio como drogas, alcoolismo, racismo e disputas familiares. É esplêndido como sociodrama quando a atuação tende a tornar-se clínica. Evitando o desempenho de papéis na oficina, os jogadores serão poupados de situações e de linguagem medíocres e monótonas (óbvias).

Durante as oficinas com Onde, Quem, O Quê os exercícios podem muitas vezes regredir para o desempenho de papéis. As instruções nas fichas trarão todos novamente de volta para o jogo. Não há roteiro conhecido! Ao dar as instruções, não seja o diretor, exigindo qualidades de personagem, maneirismos, conflitos e interpretações durante o jogo *Mais emoção! Esfregue suas mãos! Mais raiva!*. Ao contrário, dê a instrução para que parceiros joguem com outros parceiros (*Explore e intensifique! Veja seu parceiro de jogo! Sustente o problema! Sejam o espelho um do outro!*).

O roteiro é secundário – quer se trate de uma peça ou roteiro, um jogo de futebol ou uma lição de geografia –, o conteúdo irá surgir espontaneamente, sendo que o jogo é inspirado a partir da experiência física, intuitiva. Conteúdos e relacionamentos de personagens transformam-se em relações em transformação. Pense-os, papéis como figurinos, como marionetes através dos quais passam pessoas vivas[17].

---

17. Para aqueles interessados em se aprofundar nos aspectos teatrais do personagem e desempenho de papéis, ver *Improvisação para o Teatro*, pp. 159, 229-230 e 338.

O GLOSSÁRIO DE REFLEXÕES

Vida, Liberdade e Felicidade! Onde podem ser encontrados? Na família? Na vizinhança? Na televisão? Na sala de aula? No colo de sua mãe?

As seguintes reflexões, em combinação com os jogos teatrais no *Fichário*, promovem independência, autonomia, comunhão, liberdade.

Aborrecimento
Aluno/Professor – Professor/Aluno
Apatia
           Aprovação/Desaprovação
Atitudes
Autoproteção
Avanços
Barulho *versus* Desordem
Cerebral
Compartilhar
Compromisso
Comunicação
Comunicação Não Verbal
Comunidade
Conceitos
Confiança
Conformidade
Criatividade
Crise
Crítica
Desenvolvimento Desigual
Desequilíbrio
Diálogo
Didatismo
Disciplina
Dramaturgia
Ego
Ensinamentos
Enviar e Receber
Envolvimento

Espontaneidade
Experiência
"Explore e Intensifique!"
Fazer-de-Conta
"Fora de Mente! No Espaço!"
Ganhando/Perdendo/Jogando o Jogo
Grupo
Hipocrisia
Imaginação
Informação
Inibições
Iniciativa
Intuição
Inventividade
Jogadores na Plateia
Jogar com Segurança
Jogo Aberto
Liberdade
Liderança
Limites
Luta/Voo
Medo de Participação
Memorização
Moralidade
Mostrar, Não Contar! Fisicalização
Objetivos
Olhar-Ver
Orgânico
Ouvir-Escutar
Palavras

Parceria
Passividade
Paternalismo
Perguntas Ansiosas
Período de Tempo
Permissividade
Potencialidade
"Preste Atenção!"
Processo
Psicodrama
Realização

Relação/Relacionamento
Responsabilidade
Respostas/Solução de Problemas
Rótulos
Saltos Inexplicáveis
Saúde
Talento
Tempo Presente
Trabalho
"Um Minuto!"
Viajando

Aborrecimento (Fadiga Corporal)

Envolvimento com aquilo que está acontecendo, ativamente ou em silêncio, produz efeitos físicos visíveis: corpos alertas, olhos brilhantes e faces rosadas tanto para os jogadores como para você. Fraquezas corporais terminam quando o envolvimento surge!

Aluno/Professor – Professor/Aluno (Sem Compartimentações)

Na oficina de jogos teatrais, abandone o papel de professor e torne-se parceiro de jogo. A utilização de Instruções tanto pelo professor como, com o tempo, pelos alunos jogadores irá transformar alunos em professores e professores em alunos na medida em que todos se tornam jogadores. Lembre-se que a cada distância que você percorre com seus alunos, você (professor) ganha mais espaço. Quando você guia um estudante para onde você esteve, todos necessariamente se movem um passo à frente.

Apatia (Inércia)

Sem conexão. Sem resposta. Sem interesse. Sem envolvimento. Sem iniciativa. Sem esperança. As oficinas devem tirar os apáticos de sua atitude de defesa pelo de envolvimento (ser necessário) especialmente quando lhes é dada a chance de dar instrução para pequenas unidades que jogam[1].

Aprovação/Desaprovação (Falso Reforço)

Lados opostos de uma mesma moeda, a aprovação/desaprovação produzem resposta emocional e dependência de autoridade, que obstrui ou desencaminha o jogador do trabalho real – experienciar a si mesmo e o problema. Quando temos que olhar para os outros para dizer-nos onde estamos, quem somos e o que está

---

1. Ver instruções dadas pelo aluno, p. 31.

acontecendo, nos afastamos de nossa própria identidade. Onde estamos? O que estamos fazendo? E perguntamos eternamente: Quem somos?

Atitudes

Aluno: *Eu não sei! Não sei fazer! Seria melhor! Nunca tive uma chance! Ela é queridinha da professora! Eeeiiiih! Aquele jogo novamente! Eu sou estúpido! Não aprendo! Estou cansado! Quando podemos ir para casa? O professor me odeia!*
Professor: *Não posso! Quem precisa disso? São todos bobos! Eles não gostam de mim! Por que não sabem ficar quietos? Não consigo ensinar nada! Como farei isso? Estou cansado! Quando poderei ir para casa?*
Atitudes dos professores e dos alunos podem interromper o jogo antes que ele inicie. Quando aparecerem atitudes como essas durante os jogos, experimente dar as seguintes instruções: *Observe o que Você está sentindo, Continue fazendo o que está fazendo, Não interrompa! Apenas observe seus sentimentos!*.

Autoproteção

Autoproteção nos impede de assumir riscos. Há perigo em assumir riscos – você pode falhar.

Avanços (Um Passo para o Além, o Espírito, um Novo Lugar, um Novo Pensamento, ou Mudança na Pessoa)

A espontaneidade que vai além das limitações do passado em direção a um novo evento; indo além de si mesmo e das suas capacidades. Ir além de si mesmo é alcançar... aprender! (ver gráfico abaixo)

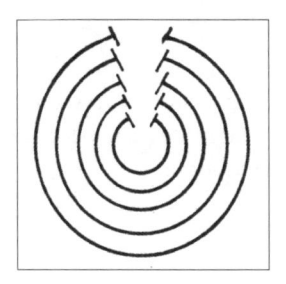

Barulho versus Desordem

Jogar produz barulho. Aprenda a reconhecer a diferença entre o barulho que nasce da desordem e barulho que nasce da energia libertada a ser canalizada através do jogo.

Cerebral (Memória)

O cerebral é um armazém do passado que, abandonado a si mesmo, limita a resposta corporal diante do novo acontecimento.

Compartilhar

Compartilhe sua voz! Compartilhe o quadro de cena! Compartilhe seu rosto! e outras frases de instrução encontradas no *Fichário* promovem o reconhecimento instantâneo orgânico da responsabilidade pessoal para comunicar. *Compartilhe sua voz!* não significa necessariamente falar mais alto[2]. Quando *Compartilhe!* é enunciado durante o jogo teatral, todos os jogadores intuitivamente compreendem e respondem a essa necessidade. Não discuta esse ponto com os jogadores. Através do *compartilhar*, os jogadores aprendem a dividir o quadro de cena e a projetar com clareza sem nunca ter ouvido uma preleição sobre esse assunto. *Compartilhe!* não deve ser dirigido a um jogador individual chamando-o pelo nome. Todos os jogadores em cena são responsáveis pelo todo.

Compromisso

Compromisso verdadeiro revela-se através da experiência, ação responsável e preocupação com o bem-estar dos outros. Pode ser desenvolvido desde os mais jovens por meio do jogo teatral.

Comunicação (Mostrar e Contar)

Não pedimos aos espectadores adivinharem o que foi comunicado pelos jogadores em cena, mas simplesmente para mostrarem o imaginário, a mágica do teatro.

Comunicação Não Verbal

Atuar é às vezes melhor do que falar. Comunicar a partir de uma porção mais profunda e inusitada de si mesmo. As séries de *Espelho* (Apêndice 4), *Objetos no Espaço* (Apêndice 3) e *Blablação* (Apêndice 10) desenvolvem habilidades de comunicação não verbal.

Comunidade (Harmonia, Unidade)

Uma sala de aula muitas vezes não é mais do que um agrupamento arbitrário de pessoas, mas, em alguns casos, pode ser a única comunidade que o aluno

---

2. Ver *Sussurro de Cena* (C16).

possui. Com a vida em família em declínio e a televisão usurpando o tempo do aluno, o significado de comunidade deve ser atingido em sala de aula. A comunidade deve ser pensada como um fenômeno do espírito a ser deliberadamente buscado. Os jogos teatrais constróem o espírito de comunidade no ambiente da sala de aula.

Conceitos

Teorias rotuladas, muitas vezes mal digeridas de achados de outras pessoas. Durante as oficinas procure evitar a evocação de conceitos que bloqueiam a experiência pessoal. Buscamos uma fonte mais profunda. Através do corpo físico para além do conhecido.

Confiança (Estendendo uma Mão)

Quando não mais necessitamos viver pelos olhos e ouvidos de outros e aprendemos a conhecer nossa própria substância, a confiança pode ser gerada. Dentro de um estado de confiança, podemos confiar em nossos parceiros (mesmo quando falham).

Conformidade (Diferenças Sufocadas)

Medo produz conformidade. Com o tempo, os jogadores (professor e alunos) começam a confiar no esquema e aceitar diferenças consigo mesmos e para com os outros.

Criatividade (Nascer e Recomeçar)

Criatividade exige um máximo de empenho, seja ao fazer um bolo, pintar um quadro ou ensinar.

Crise (Vida e Morte)

O momento máximo ou ponto de mutação de uma situação ou momento estático quando muitas eventualidades são possíveis; um momento de tensão no qual o resultado é desconhecido. Fazer teatro é uma série de crises. O jogador deve enfrentar as mudanças simples ou extraordinárias que a crise apresenta[3].

---

3. Ver *Improvisação para o Teatro*, p. 338.

Crítica

Embora muitas vezes visto como construtiva e útil, a crítica coloca aquele que está sendo criticado na defensiva! O jogo teatral permite que a avaliação permaneça no plano simbólico e estético do fenômeno teatral.

Desenvolvimento Desigual (Diferenças Individuais)

Habilidades desenvolvem-se em graus variados em cada grupo. Desenvolvimento desigual deve ser esperado nas oficinas, mas ao atender com resposta individual à instrução, a compreensão do jogador dará conta disso. Parta de onde seu aluno está, não onde você acha que ele ou ela deveriam estar. Cada qual se desenvolve de acordo com sua capacidade ou limite, padrão de crescimento e natureza.

Desequilíbrio

As oficinas trarão muitos momentos de desequilíbrio, que liberta os jogadores de atitudes de defesa na medida em que o organismo responde como um todo. O movimento constante para reequilibrar liberta a energia necessária para atingir aquilo que ainda não foi tocado, o desconhecido.

Diálogo

Quase todos os jogos teatrais exigem diálogo. No trabalho inicial, o medo da troca verbal pode ser muito elevado. Os jogadores podem perguntar *Podemos falar?* ou ruminar palavras silenciosamente. Dê simplesmente a instrução *Compartilhe sua voz!* e imediatamente ação e diálogo serão uma unidade. Também os jogos de *Blablação*[4] farão com que a troca de diálogo entre os jogadores se torne uma resposta orgânica, sem medos.

Didatismo

O didatismo amacia, cobre e muitas vezes mata possibilidades de nova visão pela insistência em velhos fatos como caminho único.

Disciplina

Nos jogos teatrais trabalhamos com autodisciplina em lugar de *vara de marmelo*! É mais divertido assim!

---

4. Ver *infra*, p. 81.

Dramaturgia (Planejar o Como)

Não faça dramaturgia! é uma frase de instrução que ao ser utilizada quando os atuantes estão jogando faz com que os jogadores deixem de se esconder por trás de palavras e vejam o mundo real de relações indo ao encontro dos acontecimentos em processo. Quando a dramaturgia precede o jogo nas oficinas de jogos teatrais, o processo está morto. Dramaturgia é planejar o *como* e a utilização de material velho, mesmo que esse material tenha apenas alguns minutos de duração. A dramaturgia leva à manipulação do grupo pelos dramaturgos. Quando os jogadores se reúnem em times para estabelecer o acordo sobre Onde, Quem, O Quê, o coordenador deve ir de grupo em grupo desencorajando o pré-planejamento de *como* solucionar o problema. Assegure aos jogadores que, se permanecerem com o FOCO, o problema será solucionado. Isso é tudo! As oficinas de jogos teatrais não requerem desempenho, roteiros ou cenas acabadas, mas apenas que os jogadores permaneçam com o FOCO. A dramaturgia torna-se impossível quando o jogador permanece com o FOCO, já que ninguém sabe como o jogo vai continuar. Caso uma cena acabada for uma resultante, isso é um extra! Naturalmente *Não faça dramaturgia!* não significa que um grupo não possa reunir-se para escrever uma peça*.

Ego

A bajulação exacerba e isola as necessidades do ego através do esforço para receber palmadinhas na cabeça. Vaidade e orgulho, que exigem estímulos externos para manterem-se, são dissolvidos em um ambiente não autoritário. O ego, integrado como parte do todo na pessoa, torna-se então um instrumento para maior penetração no ambiente e conduz ao esforço, objetivo e trabalho real.

Ensinamentos (Preleições)

Ensinamentos dão conforto a quem os dá. Quem recebe o conhecimento? A maioria dos ensinamentos não permite que o aluno experiencie a lição que você está ensinando.

Enviar e Receber (O Corpo como Instrumento)

O artista, o ator e o dançarino, utilizam o corpo como um instrumento. Por que não o aluno e também o professor?
Veja e olhe através do olho como instrumento, e não com o olho.

---

* Paul Sills, filho de Viola Spolin, desenvolveu a forma de Story Theatre, uma modalidade de jogos teatrais em que o elenco seleciona uma história. Geralmente os textos utilizados são contos populares, como aqueles coletados pelos irmãos Grimm. Vide Paul Sills, *Story Theatre*, Nova York, Aplause Books. (N. da T.)

Ouça e escute através do ouvido como instrumento, e não com o ouvido.
Tome distância de seu próprio corpo!
Envie o olhar. Receba a visão.
Envie a audição. Receba a escuta.
Envie o tato. Receba a sensação.
Fenômenos internos/externos podem ser vistos, ouvidos, sentidos e tocados.

Envolvimento

Envolvimento com aquilo que está acontecendo produz o estado físico e mental, necessário para a aprendizagem. Aquela criança que está pedindo atenção busca envolvimento. Não ignore a criança!

Espontaneidade (Evocando a Genialidade!)

Material espontâneo aparece de forma suscinta, altamente organizada. O momento muitas vezes acontece quando você menos espera. Aconteceu! Surpresa!

Experiência (Um Processo Vivo)

A experiência não pode ser reconstruída através da memória. O instrutor sabe quando o jogo é uma experiência vivida. Pergunte aos seus jogadores!

"Explore e Intensifique!"

Utilize a frase para instrução *Explore e Intensifique!* Muitas vezes. Os jogadores crescem fisicamente, intelectualmente e intuitivamente. Veja também *Explorar e Intensificar* (C6).

Fazer-de-Conta

Durante as oficinas evite a expressão *fazer-de-conta* ou outras palavras como *imaginar* ou *acreditar* que prendem os jogadores a experiências passadas impedindo a relação com os parceiros diante de um acontecimento novo.

"Fora de Mente! No Espaço!"

A educação permaneceu por demasiado tempo na mente. Por causa de sua enorme importância para os jogos teatrais e para a sala de aula, a frase de instrução: *Fora da mente, coloque no espaço!* é enfatizada. Ao ser dada durante o jogo, a frase não é fantasiosa, produz uma campo real – ESPAÇO – no qual a troca de energia, o jogo, acontece entre os jogadores. *Tire da mente e coloque no espaço!* é recomendado tanto para a instrução como para os períodos de avaliação. Mesmo o jogador mais jovem responde, e sentindo essa área da nossa percepção – o *Perceba o Espaço* – como algo real! A pergunta *Estava na sua cabeça? Ou no espaço?* é aceita sem necessidade de defendas. *Fora da mente, no espaço!* elimina ou previne respostas condicionadas, limpa a cabeça, a mente, os julgamentos de atitudes subjetivas, bem/mal/certo/errado. A percepção corporal e o equipamento sensorial são intensificados e a troca de energia é facilmente atingida para ser utilizada em nossas necessidades cotidianas.

Ganhando/Perdendo/Jogando o Jogo

Não importa se você ganha ou perde, mas como joga.

Quando a autora era uma jovem jogadora de basquete, fez muitas cestas e foi considerada uma campeã. Anos mais tarde, um grupo de psicólogos em Chicago, durante uma discussão sobre o valor da competição como incentivo, não queria acreditar quando disse que raramente tomava conhecimento, ao jogar basquete, como estava o placar. *Por que, então*, eles perguntaram, *você fez tantas cestas?* A autora respondeu *Porque minha tarefa era fazer cestas!*

Grupo (Um Corpo de Indivíduos)

O grupo é essencial para que o jogo aconteça. Grande parte dos jogos teatrais iniciais no *Fichário* e a utilização específica de times buscam construir um grupo de parceiros na oficina. Os times nem sempre irão produzir um grupo. Por meio dos times, no entanto, aspiramos o acordo e espírito de grupo.

Hipocrisia

Quando você ignora a criança que está mentindo, amolando etc., a criança *sabe* que você (professor, mãe etc.) sabe disso. Isso não é negligenciar um parceiro?

Imaginação (Jogo Mental)

É preciso prestar atenção para não permitir que a imaginação, por mais charmosa que seja, restrinja desnecessariamente maior exploração. A imaginação e fantasia podem tomar conta da psique do jogador e trazer possíveis perigos futuros para a estrutura emocional, criando defesas e bloqueios. Na oficina, os jogadores utilizam a *Substância do Espaço* e não a sua imaginação para dar forma aos objetos. Na busca do novo, do desconhecido, pense em *transformação* e não em *imaginação*.

Informação

Informação quando confundida com aprendizagem leva a um baixo nível de comunicação que pode impedir a pesquisa. No entanto, quando entendida como mais uma forma de buscar o passado – história –, a informação pode auxiliar o processo porque permitimos que se torne mais um trampolim para um novo lugar. Dessa forma a aprendizagem factual pode assumir seu lugar próprio na estrutura de ensino/aprendizagem.

Inibições

Inibir o pensamento exploratório do aluno pode ser considerado uma boa forma de disciplina, mas pode também fechar a porta para o pesquisador. Em uma sala de aula numerosa, o poeta, o sonhador, o aventureiro precisam às vezes ser alertados, mas na oficina de jogos teatrais eles podem experimentar a liberdade.

Iniciativa

Para assumir o risco de tomar a iniciativa de uma ação, o jogador precisa sentir confiança. Ele precisa acreditar no jogo, no grupo e em ser parte do todo. Quando o castigo e a repreensão deixam de ser os únicos critérios para a produtividade, a confiança é alimentada pela avaliação do grupo sobre o problema e as iniciativas do jogador são apoiadas pela instrução.

Intuição (Área X)

Intuição, da maneira como é utilizada neste trabalho, recebe outras denominações por inúmeras outras escolas. Pelo fato de ser uma fonte indefinida e talvez indefinível, a intuição significa aqui área X – a área a partir da qual o artista (o poeta, o filósofo, o cientista, o professor, a dona de casa) busca inspiração. O intuitivo promove o intelecto, a mente, a memória, o conhecido e mergulha em fontes escondidas, sem rótulos. O uso do intuitivo (área X) não pode ser ensinado. É preciso ser surpreendido por ele. É algo que simplesmente acontece!

Para evitar que a palavra "intuitivo" torne-se vazia ou que a usemos para conceitos ultrapassados, utilize-a para denotar aquela área do conhecimento que está além das restrições de cultura, raça, educação, psicologia e idade; mais profundo do que as roupagens e maneirismo, preconceitos, intelectualismos e adoções de ideias alheias que a maioria de nós usa para viver o cotidiano. Ao invés disso, abracemo-nos uns aos outros em nossa pura humanidade e nos esforcemos durante as sessões de trabalho para liberar essa humanidade dentro de nós e de nossos alunos. Então, as paredes de nossa jaula de preconceitos, quadros de referência e o certo-errado predeterminado se dissolvem. Então, olhamos com um "olho interno"[5].

Inventividade

Inventividade é esperteza individual que corta o diálogo espontâneo. A inventividade segue padrões conhecidos e busca resposta prevista.

Jogadores na Plateia

Os jogadores na plateia devem partilhar do jogo no mesmo espaço que os atores. Os espectadores na plateia não respondem pelos jogadores em cena, mas de outro ponto de vista estão abertos para o que se passa na área de jogo. O espectador aprimora seu equipamento perceptivo/sensorial. A percepção do jogo teatral do ator amplia a visão do espectador.

Jogar com Segurança (Medo de Exposição/Ridículo)

Sentir-se seguro impede o enfrentamento de acontecimentos inesperados ou novos. Sentir-se seguros não permite que os jogadores usem nova energia.

Jogo Aberto

O jogo aberto acontece quando os jogadores aceitam o acordo de grupo e se libertam da necessidade de ser o *melhor*.

Liberdade

A liberdade pode ser criada na oficina quando os jogadores, como *Parte do Todo*, reconhecem os limites e aceitam seu direito de explorar o avanço e romper limitações.

Liderança (Responsabilidade, Compromisso com o Grupo)

Posicione aqueles alunos que são catalisadores naturais em posições nas quais possam ajudar a difundir a atividade até que todos os jogadores sejam capazes de tomar iniciativas na oficina. Mas preste atenção para que não tomem conta. Com o tempo, todo e qualquer jogador será capaz de desenvolver habilidades de liderança[6].

---

5. Ver *Improvisação para o Teatro*, p. 18.
6. Ver Comentário sobre *Siga o Seguidor*, p. 43.

Limites

Impostos pela autoridade, os limites podem impedir crescimento. Quando aceitos pelo grupo como regras do jogo, os limites tornam-se guias e apoio para o tempo presente no jogo e na vida.

Luta/Voo (Ação Espontânea para a Sobrevivência)

Mobilização do sistema físico como um todo; excitação, ação física total necessária para ir ao encontro do momento de risco. Não há tempo para pensar o que fazer ou como agir – fazer! Atuar! Essa liberação espontânea parece limpar todo o sistema de pensamento morto. Todo aquele que tem que atuar no momento presente para evitar um acidente conhece muito bem o sentimento de integração e clareza que acompanha a salvação de si mesmo. O mecanismo de luta foi seriamente atrofiado na vida moderna e precisa ser regenerado para a sobrevivência animal. Talvez a crescente delinquência/passividade de nossas crianças devesse ser buscada, ao menos em parte, na aberração dessa liberação natural e fisiológica (instrumento de sobrevivência). A oficina de teatro como a atividade de esporte, exige resposta física espontânea podendo oferecer o exercício do equipamento de luta/voo e fortalecer o comportamento cotidiano e futuro.

Medo de Participação

Mesmo no nível mais simples da opção entre jogar ou não jogar, a liberdade de escolha é respeitada nas oficinas. No entanto, um aluno que está exercendo esse direito de não jogar pode estar com medo da participação. A contagem aleatória para formar os times quase sempre "joga os jogadores na piscina", fazendo com que joguem antes que tenham tempo de tomar fôlego. Um aluno que não quer jogar, deve ser observado já que o medo pode ser minimizado e uma eventual participação possa ser encorajada. Se um jogador se recusa a jogar durante o jogo, experimente dar a instrução: *Ajude seu parceiro que não está jogando!*. Nunca chame os jogadores pelo nome. A partir da incerteza sobre qual jogador não está jogando, nasce o acordo de grupo.

Memorização (Informação)

Embora a memorização e troca de informação sejam instrumentos necessários, não deveriam ser confundidas com aprendizagem. Se a memorização de informação fosse o único objetivo, os alunos saberiam apenas aquilo que já é conhecido.

Moralidade (Valores)

As crianças que foram minhas alunas em 1938* diziam: *Professora, você não é um ladrão (mentiroso, canalha, trapaceiro) enquanto não for pego.* Essa moralidade delinquente parece ter permeado toda nossa cultura. O ensino de valores é tido como parte do trabalho de educação. No entanto, umas poucas horas vendo televisão faz com que reconheçamos que a prática de violência, esperteza, manipulação, roubo e "pisar nos outros" são cultivados como valores reinantes em nossa cultura. Quando uma sociedade é fragmentada e não trabalha como um todo para produzir valores, como pode um professor solitário fazê-lo aqui e acolá? Os jogos teatrais não buscam inspirar comportamento moral *adequado* (bom/mau), mas sim libertar cada indivíduo para sentir a sua própria natureza e a de seus parceiros – espera-se que a partir dessa experiência a moralidade verdadeira, *o amor pelo próximo* possa nascer.

Mostrar, Não Contar! Fisicalização

Mostre! Não conte! é outra frase de instrução. *Mostrar* é *fisicalização* – tornar objetos, relacionamentos, sentimentos etc. físicos – e permitir que aquilo que está acontecendo emerja e seja revelado. *Contar* é falar sobre o que está acontecendo em vez de deixar que aconteça. Diálogo é permitido na medida em que é necessário e não deve ser confundido com *contar*. Uma excelente frase de instrução para ajudar os jogadores a fisicalizar é *Tire da cabeça, coloque no corpo, no espaço!*

Objetivos (Início/Fim/Início)

Pense nos objetivos como inícios, que sempre se estendem para novos inícios.

Olhar-Ver

Uma árvore é uma árvore antes que você pense que você pode ver uma árvore. (Suas ideias preconcebidas sobre a árvore.)

---

* Viola Spolin matriculou-se na Recrutional Training School dirigida na Chicago's Hull House por Neva Boyd. O contato com o trabalho dessa educadora exerceu uma influência decisiva na visão de Spolin acerca do jogo e da educação. Por indicação de Boyd, Spolin foi supervisora em Chicago do Work Progress Administration's Recretional Project (WPA) que, integrado à política do New Deal do presidente Roosevelt buscava combater a recessão economica e seus efeitos através de aulas de arte e artesanato para trabalhadores pobres. Foi nesse trabalho que Spolin percebeu a necessidade de um sistema de treinamento teatral que fosse de fácil entendimento e que pudesse superar as barreiras culturais e étnicas. Baseando-se no seu treinamento com Boyd, desenvolveu o que seria chamado depois de Theatre Games (Jogos Teatrais). (N. da T.)

Ver é a parte negligenciada de olhar. *Desperte sua habilidade de ver!* Consulte as fichas de jogos teatrais que contêm Áreas de Experiência.

Orgânico

Um ser integrado em um ambiente integrado desenvolvido por meio do jogo produz resposta orgânica. Na experiência orgânica, a natureza é revelada!

Ouvir-Escutar

Escutar é a parte negligenciada de ouvir. Ao enfatizar o escutar nos jogos teatrais, (ouvir/escutar) colocamos a responsabilidade para o escutar sobre aquele que quer/necessita ser ouvido[7].

Palavras (Sons, Fatos, Informação, Símbolos)

Eu digo para minha professora o que ela quer ouvir, assim ela me deixa em paz. Palavras podem dizer o que você quer ouvir e podem esconder o que você necessitaria saber. Procure absorver a mensagem real e não as palavras que estão em seu lugar. Deixe que as palavras sejam sons que precisam ser ouvidos – ativadores – não apenas gravações, rótulos e informação usada em lugar de encontro, diálogo, contato. Os significados das palavras devem penetrar e ativar o ouvinte, o escritor, o leitor.

Parceria

Durante as oficinas, o aluno/professor e o professor/aluno devem estar abertos para dar e receber parceria, o direito à pergunta e à resposta. Pela parceria, as habilidades individuais podem variar muito, mas todos estão dando e tomando, jogando com igualdade. Todos, alunos/professores e professores/alunos unidos enfrentam o desconhecido.

Passividade (Agressão Piegas, Escondida)

Passividade é uma resposta ao autoritarismo. Passividade é desistência de ação responsável, deixando que outros pensem por você. A pessoa medrosa seduz outra a agir. Essa atitude indefesa provoca o domínio dos outros. Reconheça a atitude passiva! Quaisquer que sejam as razões clínicas ou experiências anteriores, com o tempo, a prática de jogos teatrais ajudará todos os alunos. Confie em si mesmo.

---

7. Ver Apêndice 13 que contém exercícios/jogos para *Ouvir-Escutar*.

Confie nos parceiros. Interrompa desvios. Tome decisões. Inicie ações. Assuma riscos. Procure a liberdade!

Paternalismo (Autoritarismo Oculto)

A menos que você, o professor, participe do jogo com o aluno, estará paternalizando! Jogue! Não tenha medo de perder sua dignidade, seu controle ou sua posição. Todos são parceiros de jogo.

Perguntas Ansiosas. (Medo de Assumir Responsabilidade, Medo de Assumir Posições, Medo da Independência)

O medo não é trivial. Aprenda a reconhecer questões de ansiedade como medo e terror *Como quer que eu faça?* Perguntas ansiosas colocam o resultado da ação sobre o outro *Foi isso o que você me disse!* Se aparecerem perguntas ansiosas nos jogos teatrais, experimente o seguinte:

1. Peça gentilmente que o jogador repita a pergunta tantas vezes quanto necessário até que você e os outros encontrem as repostas possíveis. *Deixe que a pergunta seja respondida muitas outras vezes.*
2. Repita brevemente as regras. Explicações pormenorizadas atraem muitas outras perguntas ansiosas Você, coordenador, está ansioso? Está "jogando mais lenha na fogueira"?
3. Inicie o jogo. Lembre-se que fazer as contagens dos times antes de apresentar um novo jogo dá início ao jogo antes que os jogadores se deem conta. Jogar dissolve o medo, a ansiedade.
4. Respeite o medo! Mas não tenha medo do medo!

Período de Tempo

Período de tempo é controle e ambivalência do passado (Eu deveria ou não?), planejamento etc., para entrar e dissipar o momento – o espontâneo. Não há tempo para pensar sobre o jogo – o jogador joga.

Permissividade (Liberdade Fingida)

Permissividade é desistir da responsabilidade pela nossa parte em casa, na vizinhança, na sala de aula etc. ou procurar colocar-nos na posição de nunca assumir um erro. *Eles estão livres para fazer o que querem; não é culpa minha!* Observe os controles sutis que estão escondidos na permissividade e reconheça que o professor permissivo, ao dar com uma das mãos e retirando com a outra, nunca deixa na realidade o processo fluir. Precaução: não confunda liberdade com licença. Se os alunos estiverem testando a atmosfera anti-autoritária da oficina de Jogos Teatrais, experimente dizer para os jovens autoritários: *Não queiram tomar vantagem de mim só porque são pequenos!*

Potencialidade (Todo Momento é o Mais Importante de sua Vida!)

Potencialidade não é futuro. Potencialidade é *agora*. Potencialidade pode ser experimentada a cada momento. Atualize sua potencialidade a cada minuto. Potencialidade, como todo organismo vivo, deve ser alimentada para crescer, não para algum vago momento no futuro, mas no futuro imediato, o próximo passo. Agora! Nenhum momento é sem importância. Todo momento pode ser o mais importante de sua vida!

"Preste Atenção!"

Prestar atenção para o quê? O que você e seus alunos esperam?

Processo (Movimento, Mudança)

Processo, como o fogo, queima a crosta, as camadas de defesa que nos impedem de dar e tomar. O processo é o objetivo e o objetivo é processo sem fim.

Psicodrama

Representar problemas pessoais em uma atmosfera terapêutica; desempenho de papéis. Psicodrama pode invadir a privacidade dos jogadores. Durante as oficinas não é necessário utilizar o sofrimento pessoal para o jogo teatral.

Realização

Mude a palavra realização para realizar (trabalhando, movendo, mudando) e aproxime-se mais do sentido de realização.

Relação/Relacionamento

Todo relacionamento se torna estático, transformado em desempenho de papéis se a relação for perdida. Relacionamento é algo consolidado; relação é uma força em movimento – vendo, ouvindo, percebendo. Os jogos de *Transformação* ajudam os jogadores a entender esse ponto.

Responsabilidade

Sendo mestre de nosso próprio destino[8], damos uma contribuição pessoal para um projeto, comunitário ou coletivo, em vez do cumprimento do dever para com uma autoridade.

Respostas/Solução de Problemas

Não há maneira certa ou errada para solucionar um problema na oficina; existe apenas uma maneira – a busca! Quantas pessoas foram torturadas, ridicularizadas e exiladas por não darem a resposta *correta?* Respostas mudam e se alteram com o tempo. Seja consciente do livro de respostas.

Rótulos

Evite rótulos; eles são muitas vezes utilizados em lugar do pensamento. Saber os nomes das coisas e não saber nada a respeito delas não faz com que os jogadores façam descobertas e investigações pessoais.

Saltos Inexplicáveis

Em uma oficina de uma hora por semana, observou-se, após um período de cinco semanas, que um garoto hispano-americano bastante bravo, de seis anos, que tinha limitações de linguagem, recusou-se a entrar nas atividades da oficina durante as primeiras semanas, exceto no jogo *Espelho* (A15). Na quinta semana, essa criança, que deve ter levado um bom tempo ponderando sobre a bola invisível e o Espelho, trouxe uma bola real. O coordenador propôs um jogo de bola envolvendo todas as crianças no grupo como aquecimento. Essa criança juntou-se ao grupo jogando de coração aberto pela primeira vez. Depois da oficina, pegou a mão da professora e, ao atravessar o pátio da escola, apontou e disse *Olhe! Veja o reflexo das nuvens na água!* Sem discussão, o coordenador e a criança sabiam que esse primeiro voo poético estava conectado com aquilo que havia acontecido antes no Jogo Teatral. Como explicá-lo?

Saúde (Como Pode Afetar o Aprendizado)

Muitas respostas lentas, fadiga e falta de interesse na sala de aula podem ser devido à falta de nutrição. Isso pode ser igualmente verdadeiro para os bem-nutridos. O nutricionismo produziu uma literatura impressionante sobre esse assunto

---

8. Ver Acordo de Grupo, p. 41.

importante. Embora você possa fazer pouco pelos subnutridos, a consciência sobre o problema pode ajudar. Boa saúde para você, professor!

Talento (Criatividade)

As oficinas de jogos teatrais irão tocar o talento natural que existe em cada um. Por isso todos dão um passo gigantesco em direção ao gênio que espera por ser despertado.

Tempo Presente (Agora! Presença! Veja a Bola!)

Não pense no tempo presente como tempo cronológico considerando como um momento em que todos estão mutuamente engajados em uma experiência cujo resultado é ainda desconhecido. *Deixe que o momento o preencha!* Jogos tradicionais quando livres de competição e egocentrismo oferecem o momento presente. *Caminhada no Espaço* (Apêndice 2), *Espelho* (Apêndice 4) e os jogos de *Transformação* (Apêndice 6) desenvolvem consciência e firmeza em relação ao momento vivo.

Trabalho

Jogos teatrais na sala de aula não são frivolidades. *A experiência de jogo pode preparar a pessoa para os propósitos de outras atividades, pois o jogo verdadeiro cria o incentivo para usar nossas melhores habilidades*[9].

"Um Minuto!"

Quando é dada a instrução: *Mais um minuto para terminar o jogo!* não significa que se deseja que a cena termine, e sim ajudar os jogadores a encontrar, manter ou intensificar o FOCO.

Viajando

Um novo pensamento necessita de um novo espaço. Momentos insuspeitados, de desequilíbrio comuns no jogo teatral por meio do FOCO oferecem oportunidades para fazer com que os jogadores viajem para um novo espaço.

---

9. Neva Boyd, *Play and Game Theory in Group Work*, Nova York, Dover, 1945, p. 86.

PARTE III

A sequência de jogos conforme está descrita nas fichas (A1 até C54) podem ser utilizadas como estrutura de uma série completa e coesa de oficinas de jogos teatrais. Mas o *Fichário* também foi destinado a ser flexível – os jogos podem ser sequenciados de formas variadas para ir ao encontro de necessidades instrucionais específicas. A Parte III deste *Fichário* oferece alguns direcionamentos para novas sequências, especialmente para oficinas de jogos teatrais para crianças de Ensino Fundamental. As Áreas de Experiência que estão listadas na ficha para cada jogo estão aqui combinadas de forma que se você quiser fazer uma oficina ou uma série de oficinas sobre Movimento Físico e Expressão ou Comunicando através de Palavras, por exemplo, encontrará uma listagem de jogos que se relacionam com essas áreas.

ESBOÇANDO OFICINAS PARA IR AO ENCONTRO DE NECESSIDADES ESPECÍFICAS

Um jogo é uma estrutura operacional (trampolim) para manter o jogador jogando. Existem ao menos três níveis no jogo e provavelmente muitos mais.

Nível 1 – Participação: interação e envolvimento, *prazer e jogos*.

Nível 2 – Solução de problemas: desenvolvimento de habilidades físicas, mentais, perceptivas (instrumentos).

Nível 3 – Ação catalisadora: possibilidade de contato espontâneo, área X individual (para além do aparente – indefinido).

Utilize as três áreas acima como seus guias para adaptar o *Fichário*. Jogar em qualquer um desses níveis é válido.

Nível 1: Participação

Os jogos teatrais são adequados a todas as faixas etárias e origens. Quando necessário, no entanto, o jogo deveria ser modificado ou alterado para ir ao encontro de limitações de tempo, espaço, limites físicos, privações de saúde, medos etc. Não há padrões estabelecidos para isso. Experimente no início ser fiel à apresentação nas fichas. Qualquer alteração ou mudança deveria surgir espontaneamente a partir do jogo, quando necessário.

Uma variação de *Construindo uma História* (A76) foi desenvolvida espontaneamente em função de uma menina de sete anos que não conseguia falar. Ao ser chamada para continuar a história, a única resposta da criança foi um som assustado, quase inaudível. Imediatamente as regras foram alteradas para incluir essa criança: pediu-se a todos no círculo para que fizessem um som baixinho quando chegasse a sua vez. Sentindo-se incluída, a criança libertou-se do medo e passou a ser capaz de responder ao jogo. Continuando a focar na liberdade da criança diante do medo de participar e seu crescente prazer e empenho, novas regras mais desafiadoras foram gradativamente acrescentadas (faça dois sons, três sons, uma palavra, duas palavras etc.). Enquanto as necessidades de uma criança foram dessa forma atendidas, o grupo todo participou com prazer e a criança nunca percebeu que ela era o foco de atenção, na medida em que a história foi rapidamente passada de um para outro. O professor ficou tocado com a experiência, comentando depois com outro professor que *Sally participou pela primeira vez!*

Nível 2: Solução de Problemas

Cada jogo teatral traz intrinsecamente um problema que é enunciado no *Fichário* como FOCO. O jogo irá desenvolver as habilidades necessárias para solucionar o problema proposto. Sob o item *Áreas de Experiência* no final de cada ficha, algumas das áreas de habilidades exploradas são enunciadas em termos gerais. Definir rigidamente o conteúdo ou disciplina de cada jogo teatral destruiria: sua força vitalizante[1].

Construindo uma História (A76) pode ser utilizado para redação em sala de aula, mas isso não deve excluir sua utilidade como trabalho narrativo ou como um simples desvio da rotina de sala de aula. O *Jogo da Palavra # 1: Charadas* (B30) pode ser útil para dramatizações históricas, sociológicas, mas também para discussões e redações sobre problemas comunitários. *Vogais e Consoantes* (A73) tem enorme valor para leitura em voz alta e para classificar padrões de fala, mas seus alunos podem utilizá-lo como diversão durante o recesso. Deixe que as categorias de jogos atuem apenas como indícios para o professor/diagnosticador.

Nível 3: Ação Catalisadora

Avanço, assim como a criatividade, não pode ser programado. Procure manter os jogadores desequilibrados para surpreender o conhecimento espontâneo novo, dando a instrução para o inesperado durante todo jogo teatral – *Explore e Intensifique! Blablação! Contato!* etc[2]. Nenhum jogo teatral trará ótimos resultados para todos os jogadores. Se as oficinas não estiverem sensibilizando alguns jogadores, procure novos jogos teatrais que o façam.

---

1. Ver Apêndices, para esclarecimentos nessa área, p. 75.
2. Ver *A Plateia Dirige* (C54).

OFICINAS DE JOGOS TEATRAIS PARA O ENSINO FUNDAMENTAL

Faixa etária e origem não devem limitar o prazer com o jogo teatral. Apresentados em termos de seu próprio nível de experiência, os jogos teatrais da seção A foram experimentados com as crianças mais pequenas. As seguintes sugestões podem ser úteis para professores de Ensino Fundamental.

1. Não trabalhe com o exercício da *Exposição* (A1) que poderá ser introduzido mais tarde.

2. Jogue os jogos tradicionais que há no *Fichário* (Apêndice 12) e outros que você conheça com muita frequência[1].

3. Caso esteja relutando em pedir que os jogadores experimentem a caminhada pela substância do espaço, introduza o espaço pedindo aos jogadores para nomearem a substância à sua volta na sala. Deixe que os jogadores a denominem como *ar*, *oxigênio*, *sala*, *atmosfera* ou o que for, dizendo apenas que na oficina de jogos teatrais nós a chamamos de *substância do espaço* e que é possível atravessá-la caminhando e/ou descobrindo objetos para jogar.

4. Antes de apresentar os jogos com objeto no espaço como *Jogo de Bola #1 e #2* (A9 e A10) e *Jogo da Trapaça* (A11) você poderá preferir que os jogadores passem uma bola real de um para o outro no círculo. Tenha equipamentos de playground à mão na sala de aula para jogar se o tempo o permitir*.

5. Repita os jogos de *Espelho* (Apêndice 4) frequentemente. Daí pode resultar uma forte ligação de um jogador com outro.

6. Veja o Comentário de Onde, Quem, O Quê[2] para introduzir termos teatrais para as crianças de Ensino Fundamental.

7. Crianças mais jovens são beneficiadas com a utilização de adereços reais. *Baú Cheio de Chapéus* (B12), *Jogo da Palavra #1 e #2* (B30 e B31), *Quem Está Batendo? #1* (A95), *Quem Está Batendo? #2* (B33), *Bonecos #2* (B37), *Efeitos Sonoros Vocais* (C34) e *Dublagem* (C39) podem promover experiências teatrais valiosas para as crianças.

---

1. Consulte a lista de livros de jogos tradicionais, p. 36.
* Spolin refere-se aqui a objetos que promovem atividades lúdicas como bolas, petecas, cordas, dados etc. (N. da T.)
2. Ver *supra*, p. 47.

8. Segue uma sequência de jogos teatrais para as primeiras séries do Ensino Fundamental. De forma alguma rígida, essa ordem pode tornar o material mais acessível para crianças menores. As decisões finais sobre a oficina cabem ao experiente professor de classe.

Nova Sequência de Jogos Teatrais para o Ensino Fundamental

Passa-Passa Gavião A5
Sentindo o Eu com o Eu A2
Ouvindo o Ambiente A3
Extensão da Audição A4
Quem Iniciou o Movimento? A13
Três Mudanças A14
Espelho A15
Quem é o Espelho? A16
Siga o Seguidor #1 A17
Caça-Gavião A18
Tocar – Ser Tocado A32
Jogo de Identificação de Objetos A29
Jogo da Bola #1 A9
Jogo da Bola #2 A10
Jogo da Trapaça A11
Cabo de Guerra A12
Sentindo o Eu com o Eu A19
Corrida de Índios A65
Extensão da Visão A20
Penetrando Objetos A21
Corrida de Corda A43
Pular Corda A22
Playground #1 A23
Playground #2 A24
Três Mocinhos de Europa A36

O Que Estou Comendo? Cheirando? Ouvindo? A37
É Mais Pesado quando Está Cheio A38
Dificuldade com Objetos Pequenos A39
Jogo dos Seis Nomes A50
Construindo uma História A76
Construindo uma História: Congelar a Palavra no Meio A79
Exposição A1
Parte do Todo #1: Objeto A25
Parte do Todo #2 A26
Envolvimento com Objetos Grandes A27
Preso A28
Não Movimento: Aquecimento A30
Não Movimento: Caminhada A31
Substância do Espaço A33
Moldando o Espaço A34
Transformação de Objetos A35
Fisicalizando um Objeto A41
Envolvimento em Duplas A42
Ruas e Vielas A44
Ruas e Vielas: Variantes A45
(continue com a ordem numérica de acordo com as fichas)

APÊNDICES

Para o professor que deseja seguir um tema específico nas oficinas ou introduzir jogos teatrais para conteúdos curriculares existentes, os seguintes apêndices são ofertados. Compartimentar habilidades físicas e mentais é artificial. As Áreas de Experiência e categorias no Apêndice são limitadoras. Não deixe que elas o limitem!

Muitas habilidades sensoriais, físicas, vocais criativas são interrompidas. Elas precisam ser redescobertas para as necessidades da vida diária. No entanto, as habilidades em si não é o que perseguimos na oficina de jogos teatrais. Se as necessidades curriculares ou temas específicos distanciam do *jogo*, você está no caminho errado. Os jogos teatrais permitem que os alunos criem suas próprias experiências e tornem-se donos de seu próprio destino.

Jogar unifica e aprimora o instrumento de corpo/mente como um todo. Permitindo o confronto consigo mesmo e com os outros. Um ser humano único caminha galgando novos degraus na vida onde vemos, ouvimos, cheiramos, tocamos, pensamos, comunicamos, trabalhamos, vivemos, somos! Os jogos teatrais podem intensificar e alertar a percepção, servindo às necessidades curriculares. *O artista [ator] capta e expressa um mundo que é físico. Transcende o objeto – mais do que informação e observação acuradas, mais do que o objeto físico em si. Mais do que os olhos podem ver*[1].

1 Parte do Todo

Parte do Todo: Interação

Jogo de Bola # 1 A9 e A40
Jogo de Bola #2 A10
Jogo da Trapaça A11
Cabo de Guerra A12
Pular Corda A22
Playground #1 A23
Playground #2 A24
Envolvimento em Duplas A42
Parte do Todo #3: Profissão A67
Parte do Todo #4 A68
Exercício do Onde B8
Jogo do Onde B9
Efeitos Sonoros Vocais C34
Saídas e Entradas C51

Parte do Todo: Ligação

Espelho A15
Siga o Seguidor #1 A17
Siga o Seguidor #2 A49
Contato C17
Dublagem C39

Parte do Todo: Interdependência

Parte do Todo #1: Objeto A25

---

1. Ver *Improvisação para o Teatro*, p. 14.

Parte do Todo #2 A26
O Objeto Move os Jogadores A46
Acrescentar uma Parte A47
Envolvimento em Três Partes ou Mais A48

Onde com Ajuda B41
Onde com Obstáculos B42
Onde com Ajuda – Obstáculo B43
Eco C33

2 Caminhada no Espaço

Sentindo o Eu com o Eu A2 e A19
Caminhada no Espaço #1 A6
Caminhada no Espaço #2 A7
Caminhada no Espaço #3: Esqueleto A8

Não Movimento: Aquecimento A30
Não Movimento: Caminhada A31
Câmera Lenta – Pegar e Congelar A56
Caminhada Cega no Espaço B51

3 Objeto no Espaço

Jogo de Bola #1 A9 e A40
Jogo de Bola #2 A10
Jogo da Trapaça A11
Cabo de Guerra A12
Pular Corda A22
Playground #1 A23
Playground #2 A24
Envolvimento com Objetos Grandes A27
Preso A28
Substância do Espaço A33
Moldando o Espaço A34
Transformação de Objetos A35
Três Mocinhos de Europa A36
É Mais Pesado Quando Está Cheio A38
Dificuldade com Objetos Pequenos A39
Fisicalizando um Objeto A41
Envolvimento em Duplas A42
O Objeto Move os Jogadores A46
Acrescentar uma Parte A47
Envolvimento em Três Partes ou Mais A48
Espelho com Penetração #1 A51
Conversação com Envolvimento A57
Encontrando Objetos no Ambiente Imediato A84

Blablação: Vender A86
Demonstração do Onde B2
Onde #1: Construindo um Ambiente/ Cenário B3
Onde #2: Construindo um Ambiente/ Cenário B4
Exercício do Onde B8
Jogo do Onde B9
Onde Através de Três Objetos B25
Mostrando Quem Através de um Objeto B35
Envolvimento com o Ambiente Imediato B39
Exploração de Ambiente Amplo B40
Onde com Ajuda B41
Onde com Obstáculos B42
Onde com Ajuda – Obstáculo B43
Onde Especializado B44
Começo e Fim com Objetos B48
Onde com Atividade Não Relacionada B49
Onde sem Mãos B50
Modificando a Emoção C31
Onde com Adereços de Cena C32
Verbalização do Onde – Parte II C41
Cego Avançado C43

4 Refletindo

Espelho/Siga o Seguidor

Espelho A15
Siga o Seguidor #1 A17
Moldando o Espaço A34

Siga o Seguidor #2 A49
Espelho com Penetração #1 A51
Fala Espelhada #1 A52
Dar e Tomar B6
Blablação: Ensinar B10

Blablação Intérprete #1 B17
Blablação Intérprete #2 B18
Espelho com Penetração #2 B19
Fala Espelhada #2 B20
Efeitos Sonoros Vocais com Onde, Quem e O Quê C35
Dublagem C39
Convergir e Re-dividir C47

Trocando de Lugares C48
Transformação de Relacionamento C53

Reconhecimento Espontâneo ao Refletir

Quem é o Espelho? A16

5 Estímulos Múltiplos

Jogos com Estímulos Múltiplos

Quanto Você Lembra? A90
Conversação em Três Vias A91
Escrever em Três Vias A92
Desenhar em Três Vias A93

Debate em Contraponto #1 C10
Debate em Contraponto #2 C11
Debate em Contraponto #3 C12

Seleção Espontânea

Jogo do Desenho A60

6 Transformação

Jogos de Transformação

Transformação de Objetos A35

Debate em Contraponto #2 C11
Debate em Contraponto #3 C12
Transformação de Relacionamento C53

7 Teatro

Teatro: Orientação Inicial para o Onde (Cenário e/ou Ambiente)

Envolvimento com Objetos Grandes A27
Preso A28
Acrescentar uma Parte A47

Teatro: Orientação Inicial para o Quem (Personagem e/ou Relacionamento)

Que Idade Tenho? A61
Que Idade Tenho? Repetição A62

Teatro: Orientação Inicial para o Quê (Atividade)

Parte do Todo #2 A26
Envolvimento em Três Partes ou Mais A48

Teatro: Onde (Cenário e/ou Ambiente)

Que Horas São? #1 A63
Exercício do Tempo #1 A64
Encontrando Objetos no Ambiente Imediato A84
Demonstração do Onde B2
Onde #1: Construindo um Ambiente/Cenário B3
Onde #2: Construindo um Ambiente/Cenário B4
Plantas Baixas e Direções de Cena B7
Exercício do Onde B8
Jogo do Onde B9
Onde: Blablação B11
Seleção Rápida para o Onde #1 B23
Seleção Rápida para o Onde #2 B24

Onde Através de Três Objetos B25
Que Horas São? #2 B27
Exercício do Tempo #2 B28
Mostrar o Onde sem Objetos B29
Envolvimento com o Ambiente Imediato B39
Exploração de Ambiente Amplo B40
Onde com Ajuda B41
Onde com Obstáculos B42
Onde com Ajuda – Obstáculo B43
Onde Especializado B44
Onde com Atividade Não Relacionada B49
Onde sem Mãos B50
O Que Está Além: Onde C7
Onde com Adereços de Cena C32
Efeitos Sonoros Vocais C34
Verbalização do Onde – Parte I C40
Verbalização do Onde – Parte II C41
Cego Avançado C43

Teatro: Quem (Personagem e/ou Relacionamento)

O Que Faço para Viver A66
Parte do Todo #3: Profissão A67
Parte do Todo #4 A68
Quem Sou Eu? A98
Jogo do Quem B21
Mostrando Quem Através de um Objeto B35
Movimento Rítmico B45
Irritação Física #1 C24
Irritação Física #2 C25
Hábitos e Tiques Nervosos C26
Sustente! #1 C27
Sustente! #2 C28
Músculo Tenso C29
Modificando a Emoção C31
Tensão Silenciosa C52
Transformação de Relacionamento C53

Teatro: O Quê (Atividade)

O Que Estou Comendo? Cheirando? Ouvindo? A37
É Mais Pesado Quando Está Cheio A38

Dificuldade com Objetos Pequenos A39
Fisicalizando um Objeto A41
Vendo um Esporte: Lembrança A59
Parte do Todo #3: Profissão A67
Blablação: Vender A86
Blablação: Incidente Passado A87
Blablação: Português A88
Começo e Fim com Objetos B48
Explorar e Intensificar C6
O Que Está Além: Atividade C8
O Que Está Além: Evento Presente C49
O Que Está Além: Acontecimento Passado ou Futuro C50

Teatro: Onde, Quem e O Quê

Quem Está Batendo? #1 A95
Trocando os Ondes B26
Quem Está Batendo? #2 B33
Cego B52

Teatro: Clareando o Quadro de Cena; Marcação Autodirecionada

Dar e Tomar B6
Afundando o Barco – Compartilhando o Quadro de Cena B13
Convergir e Re-dividir C47
Trocando de Lugares C48

Teatro: Figurinos

Baú Cheio de Chapéus B12

Teatro: Vinhetas

Baú Cheio de Chapéus B12
Jogo da Palavra #1: Charadas B30
Jogo da Palavra #2 B31
Quem Está Batendo? #2 B33
Bonecos #1 B36
Bonecos #2 B37
Automação B38
Movimento Rítmico B45

Sussurro de Cena C16
Contato C17
Onde com Adereços de Cena C32
Efeitos Sonoros Vocais C34
Efeitos Sonoros Vocais com Onde, Quem e
    O Quê C35
Dublagem C39
Deixando um Objeto em Cena C44
Enviando Alguém à Cena C45
Saídas e Entradas C51
Tensão Silenciosa C52
Transformação de Relacionamento C53

Teatro: Atuando com o Corpo Todo

Pés e Pernas #1 C18
Pés e Pernas #2 C19
Exercício para as Costas #1 C20
Exercício para as Costas #2 C21
Mãos C22
Partes do Corpo – Cena Completa C23

Teatro: Fisicalização da Emoção

Modificando a Emoção C31

Teatro: Efeitos de Som

Efeitos Sonoros Vocais C34
Efeitos Sonoros Vocais com Onde, Quem,
    O Quê C35

Teatro: Resposta Plena

Cego Avançado C43

Teatro: Movimento em Cena

Saídas e Entradas C51

Seletividade

Seleção Rápida para o Onde #1 B23
Seleção Rápida para o Onde #2 B24
Onde Através de Três Objetos B25

8 Linguagem

Jogos para Leitura

Jogo dos Seis Nomes A50
Espelho com Penetração #1 A51
Fala Espelhada #1 A 52
Conversação com Envolvimento A57
Relatando um Incidente Acrescentando
    Colorido A58
Jogo de Observação A69
Vendo o Mundo A71
Sílabas Cantadas A72
Vogais e Consoantes A73
Dar e Tomar: Leitura A75
Construindo uma História A76
Construindo uma História para Leitura A77
Fantasma A78
Construindo uma História: Congelar a
    Palavra do Meio A79
Construindo uma História a partir de
    Seleção Randômica de Palavras A80
Caligrafia Grande A81
Caligrafia Pequena A82
Caligrafia Cega A83
Jogo do Vocabulário A89
Quanto Você Lembra? A90
Escrever em Três Vias A92
Iluminando A97
Espelho com Penetração #2 B19
Fala Espelhada #2 B20
Jogo da Palavra #1: Charadas B30
Jogo da Palavra #2 B31
Quem Está Batendo? #2 B33

Silabação

Sílabas Cantadas A72
Construindo uma História: Congelar a
    Palavra do Meio A79

Padrões de Fala

Vogais e Consoantes A73

Palavras como Parte da História como um Todo

Construindo uma História a partir de Seleção Randômica de Palavras A80

Jogos com Caligrafia

Caligrafia Grande A81
Caligrafia Pequena A82
Caligrafia Cega A83

9 Comunicação

Comunicação: Agilidade Verbal

Passa-Passa Gavião A5
Caça-Gavião A18
Vogais e Consoantes A73
Chicotinho Queimado A96
Dar e Tomar B6
Diálogo Cantado B47
Aquecimento: Sussurro de Cena C15
Sussurro de Cena C16
Eco C33
Efeitos Sonoros Vocais C34
Efeitos Sonoros Vocais com Onde, Quem, O Quê C35
Dublagem C39
Convergir e Re-dividir C47

Comunicação: Familiaridade e Flexibilidade com Palavras

Jogo dos Seis Nomes A50
Espelho com Penetração #1 A51
Fala Espelhada #1 A52
Conversação com Envolvimento A57
Relatando um Incidente Acrescentando Colorido A58
Jogo de Observação A69
Vendo o Mundo A71
Sílabas Cantadas A72
Vogais e Consoantes A73
Construindo uma História A76
Fantasma A78
Construindo uma História: Congelar a Palavra do Meio A79

Construindo uma História a partir de Seleção Randômica de Palavras A80
Caligrafia Grande A81
Caligrafia Pequena A82
Caligrafia Cega A83
Encontrando Objetos no Ambiente Imediato A84
Jogo do Vocabulário A89
Conversação em Três Vias A91
Escrever em Três Vias A92
Iluminando A97
Espelho com Penetração #2 B19
Fala Espelhada #2 B20
Seleção Rápida para o Onde #1 B23
Seleção Rápida para o Onde #2 B24
Jogo da Palavra #1: Charadas B30
Jogo da Palavra #2 B31
Quem Está Batendo? #2 B33
Debate em Contraponto #1 C10
Debate em Contraponto #2 C11
Debate em Contraponto #3 C12
Contato C17
Irritação Física #1 C24
Irritação Física #2 C25
Construindo uma História com Subtons de Emoção C30
Verbalização do Onde – Parte I C40

Comunicação: Falando – Diálogo

Espelho com Penetração #1 A51
Fala Espelhada #1 A52
Conversação com Envolvimento A57
Vogais e Consoantes A73
Encontrando Objetos no Ambiente Imediato A84

Blablação: Português A88
Conversação em Três Vias A91
Iluminando A97
Blablação: Intérprete #1 B17
Blablação: Intérprete #2 B18
Espelho com Penetração #2 B19
Fala Espelhada #2 B20
Debate em Contraponto #2 C11
Debate em Contraponto #3 C12
Contato C17

Comunicação: Falando – Narrando

Relatando um Incidente Acrescentando Colorido A58
Vendo o Mundo A71
Construindo uma História A76
Construindo uma História: Congelar a Palavra do Meio A79
Construindo uma História com Subtons de Emoção C30
Verbalização do Onde – Parte I C40

Comunicação: Desenho

Jogo do Desenho A60
Desenhar em Três Vias A93

Comunicação: Sem Palavras

Blablação: Introdução A85
Blablação: Vender A86
Blablação: Incidente Passado A87
Blablação: Ensinar B10
Onde: Blablação B11
Blablação: Língua Estrangeira #1 B14
Blablação: Língua Estrangeira #2 B15
Blablação: Intérprete #1 B17
Blablação: Intérprete #2 B18

Comunicação: Ressonância na Fala

Dar e Tomar B6
Diálogo Cantado B47
Convergir e Re-dividir C47
Trocando de Lugares C48

10 Comunicação Não Verbal

Mostrar, Não Contar

O Que Estou Comendo? Cheirando? Ouvindo? A37
É Mais Pesado Quando Está Cheio A38
Dificuldade com Objetos Pequenos A39
Fisicalizando um Objeto A41
Vendo um Esporte: Lembrança A59
Blablação: Vender A86
Blablação: Incidente Passado A87
Blablação: Português A88
Quem Sou Eu? A98
Blablação: Ensinar B10
Jogo do Quem B21
Trocando os Ondes B26

Jogos com Comunicação Não Verbal

Jogo de Bola #1 A9
Jogo de Bola #2 A10
Jogo da Trapaça A11
Cabo de Guerra A12
Espelho A15
Quem é o Espelho? A16
Siga o Seguidor #1 A17
Pular Corda A22
Playground #1 A23
Playground #2 A24
Envolvimento com Objetos Grandes A27
Preso A28
Substância do Espaço A33
Moldando o Espaço A34
Transformação de Objetos A35
Três Mocinhos de Europa A36
O Que Estou Comendo? Cheirando? Ouvindo? A37
É Mais Pesado Quando Está Cheio A38
Dificuldade com Objetos Pequenos A39
Jogo de Bola #1 (Repetição de A9) A40

Fisicalizando um Objeto A41
Envolvimento em Duplas A42
O Objeto Move os Jogadores A46
Acrescentar uma Parte A47
Envolvimento em Três Partes ou Mais A48
Siga o Seguidor #2 A49
Espelho com Penetração #1 A51
Fala Espelhada #1 A52
Encontrando Objetos no Ambiente
   Imediato A84
Blablação: Introdução A85
Blablação: Vender A86
Blablação: Incidente Passado A87
Blablação: Português A88
Quem Está Batendo? #1 A95
Demonstração do Onde B2
Onde #1: Construindo um Ambiente/
   Cenário B3
Onde #2: Construindo um Ambiente/
   Cenário B4
Dar e Tomar B6
Exercício do Onde B8
Jogo do Onde B9
Blablação: Ensinar B10
Onde: Blablação B11
Blablação: Língua Estrangeira #1 B14
Blablação: Língua Estrangeira #2 B15
Blablação: Intérprete #1 B17
Blablação: Intérprete #2 B18
Espelho com Penetração #2 B19
Fala Espelhada #2 B20

Onde Através de Três Objetos B25
Mostrando Quem Através de um
   Objeto B35
Envolvimento com o Ambiente
   Imediato B39
Exploração de Ambiente Amplo B40
Onde com Ajuda B41
Onde com Obstáculos B42
Onde com Ajuda – Obstáculo B43
Onde Especializado B44
Começo e Fim com Objetos B48
Onde sem Mãos B50
O Que Está Além: Onde C7
O Que Está Além: Atividade C8
Pés e Pernas #1 C18
Pés e Pernas #2 C19
Exercício para as Costas #1 C20
Exercício para as Costas #2 C21
Mãos C22
Partes do Corpo – Cena Completa C23
Modificando a Emoção C31
Onde com Adereços de Cena C32
Efeitos Sonoros Vocais com Onde, Quem,
   O Quê C35
Dublagem C39
Verbalização o Onde – Parte II C41
Cego Avançado C43
Convergir e Re-dividir C47
Trocando de Lugares C48
Tensão Silenciosa C52
Transformação de Relacionamento C53

11 Consciência Física e Movimento

Exploração do Movimento Corporal

Não Movimento: Aquecimento A30
Não Movimento: Caminhada A31
Câmera Lenta – Pegar e Congelar A56
Bonecos #1 B36
Bonecos #2 B37
Automação B38
Movimento Rítmico B45
Caminhada Cega no Espaço B51
Pés e Pernas #2 C19
Pés e Pernas #1 C18

Contato C17

Movimentos Físicos e Expressão

Sentindo o Eu com o Eu A2
Caminhada no Espaço #1 A6
Caminhada no Espaço #2 A7
Caminhada no Espaço #3: Esqueleto A8
Jogo de Bola #1 A9
Jogo de Bola #2 A10
Jogo da Trapaça A11
Cabo de Guerra A12
Sentindo o Eu com o Eu (Repetição A2) A19

Pular Corda A22
Playground #1 A23
Playground #2 A24
Não Movimento: Aquecimento A30
Não Movimento: Caminhada A31
Jogo de Bola #1 (Repetição de A9) A40
Câmera Lenta – Pegar e Congelar A56
Onde sem Mãos B50
Caminhada Cega no Espaço B51
Exercício para as Costas #1 C20
Exercício para as Costas #2 C21
Mãos C22
Partes do Corpo – Cena Completa C23
Irritação Física #1 C24
Irritação Física #2 C25
Hábitos ou Tiques Nervosos C26
Sustente! #1 C27
Sustente! #2 C28
Músculo Tenso C29

Percepção da Cabeça aos Pés

Vendo o Mundo A71

Percepção Corporal

Sentindo o Eu com o Eu A2
Sentindo o Eu com o Eu (Repetição A2) A19

Refinando e Intensificando a Consciência

Explorar e Intensificar C6

Jogos de Playground

Jogo de Bola #1 A9
Jogo de Bola #2 A10
Jogo da Trapaça A11
Cabo de Guerra A12
Pular Corda A22
Playground #1 A23
Playground #2 A24
Jogo de Bola #1 (Repetição de A9) A40

12 Jogos Tradicionais

Jogos Tradicionais

Passa-Passa Gavião A5
Caminhada no Espaço #3: Esqueleto A8
Quem Iniciou o Movimento? A13
Três Mudanças A14
Jogo dos Seis Nomes A50
Pegador – Pegador com Explosão A55
Jogo do Desenho A60
Corrida de Índios A65
Jogo de Observação A69
Eu Vou para a Lua A70
Sílabas Cantadas A72
Fantasma A78
Jogo do Vocabulário A89

Quanto Você Lembra? A90
Batendo A94
Iluminando A97
Caminhada Cega no Espaço B51

Jogos Tradicionais: Jogos Dramáticos

Três Mocinhos de Europa A36
Ruas e Vielas A44
Ruas e Vielas: Variantes A45
Chicotinho Queimado A96
Jogo da Palavra #1: Charadas B30
Jogo da Palavra #2 B31

13 Som e Fala

Jogos de Ouvir-Escutar

Ouvindo o Ambiente A3
Extensão da Audição A4
Fala Espelhada #1 A52
Relatando um Incidente Acrescentando Colorido A58
Eu Vou para a Lua A70
Sílabas Cantadas A72
Dar e Tomar: Aquecimento A74
Dar e Tomar: Leitura A75
Construindo uma História: Congelar a Palavra do Meio A79
Quanto Você Lembra? A90
Conversação em Três Vias A91
Batendo A94
Quem Está Batendo? #1 A95
Iluminando A97
Dar e Tomar B6
Fala Espelhada #2 B20
Quem Está Batendo? #2 B33
Caminhada Cega no Espaço B51
Cego B52
Explorar e Intensificar C6
Debate em Contraponto #3 C12
Sussurro de Cena C16
Construindo uma História com Subtons de Emoção C30
Eco C33
Efeitos Sonoros Vocais C34

Série de Blablação

Blablação: Introdução A85
Blablação: Vender A86
Blablação: Incidente Passado A87
Blablação: Português A88
Blablação: Ensinar B10
Onde: Blablação B11
Blablação: Língua Estrangeira #1 B14
Blablação: Língua Estrangeira #2 B15
Blablação: Intérprete #1 B17
Blablação: Intérprete #2 B15

Fluência Verbal e Qualidades Tonais

Blablação: Língua Estrangeira #1 B14
Blablação: Língua Estrangeira #2 B15
Diálogo Cantado B47

Resposta ao Som

Quem Está Batendo? #2 B33

Extensão do Som

Diálogo Cantado B47
Aquecimento: Sussurro de Cena C15

Exploração do Som

Eco C33

14 Tocar – Ser Tocado

Sentindo o Eu com o Eu A2
Caminhada no Espaço #1 A6
Caminhada no Espaço #2 A7
Caminhada no Espaço #3: Esqueleto A8
Sentindo o Eu com o Eu (Repetição A2) A19
Jogo de Identificação de Objetos A29
Tocar–Ser Tocado A32
Substância do Espaço A33
Moldando o Espaço A34

Transformação de Objetos A35
Caligrafia Cega A83
Espelho com Penetração #2 B19
Onde sem Mãos B50
Caminhada Cega no Espaço B51
Cego B52
Explorar e Intensificar C6
Contato C17
Cego Avançado C43

15 Os Sentidos

Jogos Sensoriais

Sentindo o Eu com o Eu A2
Ouvindo o Ambiente A3
Extensão da Audição A4
Caminhada no Espaço #1 A6
Caminhada no Espaço #2 A7
Caminhada no Espaço #3: Esqueleto A8
Quem Iniciou o Movimento? A13
Três Mudanças A14
Espelho A15
Quem é o Espelho? A16
Siga o Seguidor #1 A17
Caça-Gavião A18
Sentindo o Eu com o Eu (Repetição A2) A19
Extensão da Visão A20
Penetrando Objetos A21
Jogo de Identificação de Objetos A29
Não Movimento: Aquecimento A30
Não Movimento: Caminhada A31
Tocar – Ser Tocado A32
Substância do Espaço A33
Moldando o Espaço A34
Transformação de Objetos A35
Espelho com Penetração #1 A51
Fala Espelhada #1 A52
Visão Periférica A53
Aquecimento Básico A54
Câmera Lenta – Pegar e Congelar A56
Relatando um Incidente Acrescentando Colorido A58
Corrida de Índios A65

Jogo de Observação A69
Eu Vou para a Lua A70
Vogais e Consoantes A73
Dar e Tomar: Aquecimento A74
Dar e Tomar: Leitura A75
Construindo uma História A76
Construindo uma História para Leitura A77
Construindo uma História: Congelar a Palavra do Meio A79
Caligrafia Cega A83
Quanto Você Lembra? A90
Conversação em Três Vias A91
Batendo A94
Quem Está Batendo? #1 A95
Iluminando A97
Dar e Tomar B6
Fala Espelhada #2 B20
Quem Está Batendo? #2 B33
Onde sem Mãos B50
Caminhada Cega no Espaço B51
Cego B52
Explorar e Intensificar C6
Debate em Contraponto #3 C12
Sussurro de Cena C16
Contato C17
Construindo uma História com Subtons de Emoção C30
Eco C33
Efeitos Sonoros Vocais C34
Dublagem C39
Cego Avançado C43
Convergir e Re-dividir C47

16 Observação

Jogos de Olhar-Ver

Quem Iniciou o Movimento? A13
Três Mudanças A14
Espelho A15
Quem é o Espelho? A16
Siga o Seguidor #1 A17
Caça-Gavião A18
Extensão da Visão A20
Penetrando Objetos A21

Siga o Seguidor #2 A49
Espelho com Penetração #1 A51
Fala Espelhada #1 A52
Visão Periférica A53
Aquecimento Básico A54
Corrida de Índios A65
Jogo de Observação A69
Dar e Tomar: Aquecimento A74
Fala Espelhada #2 B20

Explorar e Intensificar C6

Jogos de Memória-Observação

Relatando um Incidente Acrescentando Colorido A58

Vendo um Esporte: Lembrança A59
Corrida de Índios A65
Jogo de Observação A69
Eu Vou para a Lua A70
Vendo o Mundo A71

17 Tempo Presente/ Aqui, Agora!

Sentindo o Eu com o Eu A2
Caminhada no Espaço #1 A6
Caminhada no Espaço #2 A7
Caminhada no Espaço #3: Esqueleto A8
Espelho A15
Quem é o Espelho? A16
Siga o Seguidor #1 A17
Não Movimento: Caminhada A31
Transformação de Objetos A35
Siga o Seguidor #2 A49
Espelho com Penetração #1 A51
Câmera Lenta – Pegar e Congelar A56
Dar e Tomar B6
Blablação: Ensinar B10

Blablação: Intérprete #1 B17
Blablação: Intérprete #2 B18
Espelho com Penetração #2 B19
Fala Espelhada #2 B20
Caminhada Cega no Espaço B51
Debate em Contraponto #1 C10
Debate em Contraponto #2 C11
Debate em Contraponto #3 C12
Efeitos Sonoros Vocais com Onde, Quem, O Quê C35
Dublagem C39
Convergir e Re-dividir C47
Trocando de Lugares C48
Transformação de Relacionamento C53

18 Aquecimentos

Aquecimentos Silenciosos

Sentindo o Eu com o Eu A2
Ouvindo o Ambiente A3
Extensão da Audição A4
Caminhada no Espaço #1 A6
Caminhada no Espaço #2 A7
Caminhada no Espaço #3: Esqueleto A8
Três Mudanças A14
Sentindo o Eu com o Eu (Repetição A2) A19
Extensão da Visão A20
Penetrando Objetos A21
Jogo de Identificação de Objetos A29
Não Movimento: Aquecimento A30
Não Movimento: Caminhada A31
Tocar – Ser Tocado A32
Jogo dos Seis Nomes A50
Visão Periférica A53
Aquecimento Básico A54
Jogo da Observação A69
Eu Vou para a Lua A70

Sílabas Cantadas A72
Fantasma A78
Caligrafia Grande A81
Caligrafia Pequena A82
Caligrafia Cega A83
Jogo de Vocabulário A89
Batendo A94
Iluminando A97
Cego B52

Aquecimentos Ativos

Passa-Passa Gavião A5
Jogo de Bola #1 A9
Jogo de Bola #2 A10
Jogo da Trapaça A11
Cabo de Guerra A12
Quem Iniciou o Movimento? A13
Caça-Gavião A18
Pular Corda A22
Playground #2 A24

Três Mocinhos de Europa A36
Jogo de Bola #1 (Repetição de A9) A40
Corrida de Cordas A43
Ruas e Vielas A44
Ruas e Vielas: Variantes A45
Jogo do Desenho A60
Corrida de Índios A65
Dar e Tomar: Aquecimento A74

Chicotinho Queimado A96
Aquecimento: Sussurro de Cena C15

Aquecimentos Vocais

Aquecimento: Sussurro de Cena C15

Revigoramento

Aquecimento Básico A54

19 Demonstrações

Demonstrações de Direções de Cena

Plantas Baixas e Direções de Cena B7

Demonstrações do Foco

Exposição A1

20 Jogos Repetidos

A2 *Sentindo o Eu Com o Eu*, repetido como A19
A6 *Caminhada no Espaço #1*, repetido como C2
A7 *Caminhanhada no Espaço #2*, repetido como C3
A8 *Caminhada no Espaço #3: Esqueleto*, repetido como C4
A9 *Jogo de Bola #1*, repetido como A40
A12 *Cabo de Guerra*, repetido como B34
A17 *Siga o Seguidor #1*, repetido como C38
A54 *Aquecimento Básico*, repetido como B1 e C1
A60 *Jogo do Desenho*, repetido como B22
A73 *Vogais e Consoantes*, repetido como B46 e C14

A74 *Dar e Tomar: Aquecimento*, repetido como B5
A88 *Blablação: Português*, repetido como B16
A95 *Quem Está Batendo? #1*, repetido como B32
A97 *Iluminando*, repetido como C9
B6 *Dar e Tomar*, repetido como C46
B11 *Onde: Blablação*, repetido como C37
B20 *Fala Espelhada #2*, repetido como C36
B30 *Jogo da Palavra #1: Charadas*, repetido como C5
B47 *Diálogo Cantado*, repetido como C13
B51 *Caminhada Cega no Espaço*, repetido como C42

21 Listagem Numérica dos Jogos

A1 *Exposição*
A2 *Sentindo o Eu com o Eu*
A3 *Ouvindo o Ambiente*
A4 *Extensão da Audição*
A5 *Passa-Passa Gavião*
A6 *Caminhada no Espaço #1*

A7 *Caminhada no Espaço #2*
A8 *Caminhada no Espaço #3: Esqueleto*
A9 *Jogo de Bola #1*
A10 *Jogo de Bola #2*
A11 *Jogo da Trapaça*
A12 *Cabo de Guerra*

A13 Quem Iniciou o Movimento?
A14 Três Mudanças
A15 Espelho
A16 Quem é o Espelho?
A17 Siga o Seguidor #1
A18 Caça-Gavião
A19 Sentindo o Eu com o Eu
A20 Extensão da Visão
A21 Penetrando Objetos
A22 Pular Corda
A23 Playground #1
A24 Playground #2
A25 Parte do Todo #1: Objeto
A26 Parte do Todo #2
A27 Envolvimento com Objetos Grandes
A28 Preso
A29 Jogo de Identificação de Objetos
A30 Não Movimento: Aquecimento
A31 Não Movimento: Caminhada
A32 Tocar – Ser Tocado
A33 Substância do Espaço
A34 Moldando o Espaço
A35 Transformação de Objetos
A36 Três Mocinhos de Europa
A37 O Que Estou Comendo? Cheirando? Ouvindo?
A38 É Mais Pesado Quando Está Cheio
A39 Dificuldade com Objetos Pequenos
A40 Jogo de Bola #1
A41 Fisicalizando um Objeto
A42 Envolvimento em Duplas
A43 Corrida de Cordas
A44 Ruas e Vielas
A45 Ruas e Vielas: Variantes
A46 O Objeto Move os Jogadores
A47 Acrescentar uma Parte
A48 Envolvimento em Três Partes ou Mais
A49 Siga o Seguidor #2
A50 Jogo dos Seis Nomes
A51 Espelho com Penetração #1
A 52 Fala Espelhada #1
A53 Visão Periférica
A54 Aquecimento Básico
A55 Pegador – Pegador com Explosão
A56 Câmera Lenta – Pegar e Congelar
A57 Conversação com Envolvimento
A58 Relatando um Incidente Acrescentando Colorido
A59 Vendo um Esporte: Lembrança

A60 Jogo do Desenho
A61 Que Idade Tenho?
A62 Que Idade Tenho? Repetição
A63 Que Horas São? #1
A64 Exercício do Tempo #1
A65 Corrida de Índios
A66 O Que Faço para Viver
A67 Parte do Todo #3: Profissão
A68 Parte do Todo #4
A69 Jogo de Observação
A70 Eu Vou para a Lua
A71 Vendo o Mundo
A72 Sílabas Cantadas
A73 Vogais e Consoantes
A74 Dar e Tomar: Aquecimento
A75 Dar e Tomar: Leitura
A76 Construindo uma História
A77 Construindo uma História para Leitura
A78 Fantasma
A79 Construindo uma História: Congelar a Palavra do Meio
A80 Construindo uma História a Partir de Seleção Randômica de Palavras
A81 Caligrafia Grande
A82 Caligrafia Pequena
A83 Caligrafia Cega
A84 Encontrando Objetos no Ambiente Imediato
A85 Blablação: Introdução
A86 Blablação: Vender
A87 Blablação: Incidente Passado
A88 Blablação: Português
A89 Jogo do Vocabulário
A90 Quanto Você Lembra?
A91 Conversação em Três Vias
A92 Escrever em Três Vias
A93 Desenhar em Três Vias
A94 Batendo
A95 Quem Está Batendo? #1
A96 Chicotinho Queimado
A97 Iluminando
A98 Quem Sou Eu?

B1 Aquecimento Básico
B2 Demonstração do Onde
B3 Onde #1: Construindo um Ambiente/Cenário
B4 Onde #2: Construindo um Ambiente/Cenário

B5 *Dar e Tomar: Aquecimento*
B6 *Dar e Tomar*
B7 *Plantas Baixas e Direções de Cena*
B8 *Exercício do Onde*
B9 *Jogo do Onde*
B10 *Blablação: Ensinar*
B11 *Onde: Blablação*
B12 *Baú Cheio de Chapéus*
B13 *Afundando o Barco – Compartilhando o Quadro de Cena*
B14 *Blablação: Língua Estrangeira #1*
B15 *Blablação: Língua Estrangeira #2*
B16 *Blablação: Português*
B17 *Blablação: Intérprete #1*
B18 *Blablação: Intérprete #2*
B19 *Espelho com Penetração #2*
B20 *Fala Espelhada #2*
B21 *Jogo do Quem*
B22 *Jogo do Desenho*
B23 *Seleção Rápida para o Onde #1*
B24 *Seleção Rápida para o Onde #2*
B25 *Onde Através de Três Objetos*
B26 *Trocando os Ondes*
B27 *Que Horas São? #2*
B28 *Exercício do Tempo #2*
B29 *Mostrando o Onde sem Objetos*
B30 *Jogo da Palavra #1: Charadas*
B31 *Jogo da Palavra #2*
B32 *Quem Está Batendo? #1*
B33 *Quem Está Batendo? #2*
B34 *Cabo de Guerra*
B35 *Mostrando Quem Através de um Objeto*
B36 *Bonecos #1*
B37 *Bonecos #2*
B38 *Automação*
B39 *Envolvimento com o Ambiente Imediato*
B40 *Exploração de Ambiente Amplo*
B41 *Onde com Ajuda*
B42 *Onde com Obstáculos*
B43 *Onde com Ajuda – Obstáculo*
B44 *Onde Especializado*
B45 *Movimento Rítmico*
B46 *Vogais e Consoantes*
B47 *Diálogo Cantado*
B48 *Começo e Fim com Objetos*
B49 *Onde com Atividade Não Relacionada*
B50 *Onde Sem Mãos*
B51 *Caminhada Cega no Espaço*
B52 *Cego*

C1 *Aquecimento Básico*
C2 *Caminhada no Espaço #1*
C3 *Caminhada no Espaço #2*
C4 *Caminhada no Espaço #3: Esqueleto*
C5 *Jogo da Palavra #1: Charadas*
C6 *Explorar e Intensificar*
C7 *O Que Está Além: Onde*
C8 *O Que Está Além: Atividade*
C9 *Iluminando*
C10 *Debate em Contraponto #1*
C11 *Debate em Contraponto #2*
C12 *Debate em Contraponto #3*
C13 *Diálogo Cantado*
C14 *Vogais e Consoantes*
C15 *Aquecimento: Sussurro de Cena*
C16 *Sussurro de Cena*
C17 *Contato*
C18 *Pés e Pernas #1*
C19 *Pés e Pernas #2*
C20 *Exercício para as Costas #1*
C21 *Exercício para as Costas #2*
C22 *Mãos*
C23 *Partes do Corpo – Cena Completa*
C24 *Irritação Física #1*
C25 *Irritação Física #2*
C26 *Hábitos ou Tiques Nervosos*
C27 *Sustente! #1*
C28 *Sustente! #2*
C29 *Músculo Tenso*
C30 *Construindo uma História com Subtons de Emoção*
C31 *Modificando a Emoção*
C32 *Onde com Adereços de Cena*
C33 *Eco*
C34 *Efeitos Sonoros Vocais*
C35 *Efeitos Sonoros Vocais com Onde, Quem, O Quê*
C36 *Fala Espelhada #2*
C37 *Onde: Blablação*
C38 *Siga o Seguidor #1*
C39 *Dublagem*
C40 *Verbalização do Onde – Parte I*
C41 *Verbalização do Onde – Parte II*
C42 *Caminhada Cega no Espaço*

C43 *Cego Avançado*
C44 *Deixando um Objeto em Cena*
C45 *Enviando Alguém à Cena*
C46 *Dar e Tomar*
C47 *Convergir e Re-dividir*
C48 *Trocando de Lugares*
C49 *O Que Está Além: Evento Presente*
C50 *O Que Está Além: Acontecimento Passado ou Futuro*
C51 *Saídas e Entradas*
C52 *Tensão Silenciosa*
C53 *Transformação de Relacionamento*
C54 *A Plateia Dirige*

22 Listagem Alfabética de Jogos

Acrescentar uma Parte A47
Afundando o Barco – Compartilhando o Quadro de Cena B13
A Plateia Dirige C54
Aquecimento: Sussurro de Cena C15
Aquecimento Básico A54, B1 e C1
Automação B38

Batendo A94
Baú Cheio de Chapéus B12
Blablação: Ensinar B10
Blablação: Incidente Passado A87
Blablação: Intérprete #1 B17
Blablação: Intérprete #2 B18
Blablação: Introdução A85
Blablação: Língua Estrangeira #1 B14
Blablação: Língua Estrangeira #2 B15
Blablação: Português A88 e B16
Blablação: Vender A86
Bonecos #1 B36
Bonecos #2 B37

Cabo de Guerra A12 e B34
Caça-Gavião A18
Caligrafia Cega A83
Caligrafia Grande A81
Caligrafia Pequena A82
Câmera Lenta – Pegar e Congelar A56
Caminhada Cega no Espaço B51 e C42
Caminhada no Espaço #1 A6 e C2
Caminhada no Espaço #2 A7 e C3
Caminhada no Espaço #3: Esqueleto A8 e C4
Cego B52
Cego Avançado C43
Começo e Fim com Objetos B48
Construindo uma História A76
Construindo uma História a Partir de Seleção Randômica de Palavras A80
Construindo uma História com Subtons de Emoção C30
Construindo uma História: Congelar a Palavra do Meio A79
Construindo uma História para Leitura A77
Contato C17
Conversação com Envolvimento A57
Conversação em Três Vias A91
Convergir e Re-dividir C47

Dar e Tomar B6 e C46
Dar e Tomar: Aquecimento A74 e B5
Dar e Tomar: Leitura A75
Debate em Contraponto #1 C10
Debate em Contraponto #2 C11
Debate em Contraponto #3 C12
Deixando um Objeto em Cena C44
Demonstração do Onde B2
Desenhar em Três Vias A93
Diálogo Cantado B47 e C13
Dificuldade com Objetos Pequenos A39
Dublagem C39

É Mais Pesado Quando Está Cheio A38
Eco C33
Efeitos Sonoros Vocais C34
Efeitos Sonoros Vocais com Onde, Quem, O Quê C35
Encontrando Objetos no Ambiente Imediato A84
Enviando Alguém à Cena C45
Envolvimento em Duplas A42
Envolvimento com Objetos Grandes A27
Envolvimento com o Ambiente Imediato B39
Envolvimento em Três Partes ou Mais A48
Escrever em Três Vias A92
Espelho A15

Espelho com Penetração #1 A51
Espelho com Penetração #2 B19
Está Além: Evento Presente C49
Exercício do Tempo #1 A64
Exercício do Tempo #2 B28
Exercício para as Costas #1 C20
Exercício para as Costas #2 C21
Exercício do Onde B8
Exposição A1
Exploração de Ambiente Amplo B40
Explorar e Intensificar C6
Extensão da Audição A4
Extensão da Visão A20

Fala Espelhada #1 A52
Fala Espelhada #2 B20 e C36
Fantasma A78
Fisicalizando um Objeto A41

Hábitos ou Tiques Nervosos C26

Iluminando A97 e C9
Irritação Física #1 C24
Irritação Física #2 C25

Jogo da Palavra #1: Charadas B30 e C5
Jogo da Palavra #2 B31
Jogo da Trapaça A11
Jogo de Bola #1 A9 e A40
Jogo de Bola #2 A10
Jogo de Identificação de Objetos A29
Jogo de Observação A69
Jogo do Desenho A60 e B22
Jogo do Onde B9
Jogo do Quem B21
Jogo do Vocabulário A89
Jogo dos Seis Nomes A50

Mãos C22
Modificando a Emoção C31
Moldando o Espaço A34
Mostrando o Onde Sem Objetos B29
Mostrando o Quem Através de um Objeto B35
Movimento Rítmico B45
Músculo Tenso C29

Não Movimento: Aquecimento A30

Não Movimento: Caminhada A31

O Que Está Além: Acontecendo Passado ou Futuro C50
O Que Está Além: Atividade C8
O Que Está Além: Evento Presente C49
O Que Está Além: Onde C7
O Que Estou Comendo? Cheirando? Ouvindo? A37
O Que Faço para Viver A66
O Objeto Move os Jogadores A46
Onde #1: Construindo um Ambiente/ Cenário B3
Onde #2: Construindo um Ambinte/ Cenário B4
Onde Através de Três Objetos B25
Onde: Blablação B11 e C37
Onde com Adereços de Cena C32
Onde com Ajuda B41
Onde Com Ajuda – Obstáculo B43
Onde com Atividade Não Relacionada B49
Onde com Obstáculos B42
Onde Especializado B44
Onde sem Mãos B50
Ouvindo o Ambiente A3

Parte do Todo #1: Objeto A25
Parte do Todo #2 A26
Parte do Todo #3: Profissão A67
Parte do Todo #4 A68
Partes do Corpo – Cena Completa C23
Pegador – Pegador com Explosão A55
Penetrando Objetos A21
Pés e Pernas #1 C18
Pés e Pernas #2 C19
Plantas Baixas e Direções de Cena B7
Playground #1 A23
Playground #2 A24
Preso A28
Pular Corda A22

Quanto Você Lembra? A90
Que Horas São? #1 A63
Que Horas São? #2 B27
Que Idade Tenho? A61
Que Idade Tenho? Repetir A62
Quem É o Espelho? A16
Quem Está Batendo? #1 A95 e B32

Quem Está Batendo? #2 B33
Quem Iniciou o Movimento? A13
Quem Sou Eu? A98

*Relatando um Incidente Acrescentando
   Colorido* A58
Ruas e Vielas A44
Ruas e Vielas: Variantes A45

Saídas e Entradas C51
Seleção Randômica de Palavras A80
Seleção Rápida para o Onde #1 B23
Seleção Rápida para o Onde #2 B24
Sentindo o Eu com o Eu A2 e A19
Sustente! #1 C27
Sustente! #2 C28
Siga o Seguidor #1 A17 e C38
Sílabas Cantadas A72

Substância do Espaço A33
Sussurro de Cena C16

Tensão Silenciosa C52
Tocar – Ser Tocado A32
Transformação de Relacionamento C53
Transformação do Objeto A35
Três Mudanças A14
Trocando de Lugares C48
Trocando os Ondes B26

Vendo o Mundo A71
Vendo um Esporte: Lembrança A59
Verbalização do Onde – Parte I C40
Verbalização do Onde – Parte II C41
Visão Periférica A53
Vogais e Consoantes A73, B46 e C14

Este livro foi impresso na cidade de Guarulhos,
nas oficinas da EGB, em janeiro de 2020,
para a Editora Perspectiva.

EXPOSIÇÃO   A1

PREPARAÇÃO
Jogadores na plateia.

PARTE I
FOCO
Sem FOCO; jogadores em pé não fazem nada.

DESCRIÇÃO
Divida o grupo em dois times. Time 1 permanece em pé, em linha reta, olhando para a plateia que permanece sentada (Time 2). O Time 1 deve permanecer em pé sem fazer nada.

INSTRUÇÃO
Não façam nada! Nós vamos olhar para vocês! Isso é tudo! (Caso um jogador individual começar a fazer algo, não chame os jogadores individualmente pelos nomes; fale com todos os jogadores) *Vocês não fazem nada! Nós olhamos para vocês!*

AVALIAÇÃO
(Sem período de avaliação até que tanto o Time 1 quanto o Time 2 tenham jogado as Partes I e II)

NOTAS
1. O objetivo da Parte I é manter os jogadores em pé, *desfocados*. Permaneça na Parte I do jogo até que todos os jogadores que estão em pé estejam visivelmente desconfortáveis. Alguns indivíduos irão rir e ficar mudando de posição de um pé para outro; outros irão simplesmente congelar ou tentar aparentar indiferença.
2. Se os membros do time na plateia começarem a rir, ignore o riso e enfatize a orientação: *Nós olhamos para vocês!*

PARTE II
FOCO
Fazer algo conforme a instrução (contar cadeiras).

DESCRIÇÃO
Quando os jogadores do Time 1 mostrarem sinais de desconforto, o instrutor dá uma tarefa para ser feita, tal como contar o número de tábuas do assoalho ou de tacos no chão, ou então de cadeiras no recinto. Os jogadores devem

ser orientados para continuar contando até que os sinais de desconforto desapareçam e os jogadores demonstrem alívio e relaxamento corporal.

INSTRUÇÃO
Contem todas as (cadeiras) da sala! Vocês estão fazendo a coisa mais importante de sua vida! Continuem contando! Contem novamente! (Quando os sinais de desconforto tiverem desaparecido, troque os times) Obrigado, Time 1, vocês podem sentar. Time 2, fiquem em pé formando uma fileira de frente para a sala, olhando para o Time 1. Apenas fiquem em pé! Não façam nada! (Continue a dar a instrução da Parte I e depois passe para a Parte II com o Time 2 conforme acima descrito antes do período de avaliação com o grupo todo.)

AVALIAÇÃO
Como você se sentiu quando estava de frente para nós no início? (Evite respostas emocionais – Aluno: Eu me senti desconfortável. Professor: Não sei o que quer dizer com desconfortável. Como estavam suas mãos? etc.) Como estava seu estômago? Seu pescoço? Plateia, como pareciam os jogadores quando estavam em pé sem fazer nada? Quantos de vocês sentiram um embrulho no estômago quando estavam de frente para nós no início? E quando estavam contando ou fazendo o que pedi como se sentiram? O que aconteceu com as palmas das mãos suadas, o pescoço duro e o estômago embrulhado?

NOTAS
1. A resposta do grupo logo será O desconforto corporal desapareceu. Por quê? Eu tinha alguma coisa para fazer. Explique que essa experiência é uma compreensão do FOCO e que em todos os Jogos Teatrais será dado um FOCO para os jogadores – alguma coisa para fazer.
2. Deixe que cada jogador experimente de maneira pessoal e orgânica a descoberta do poder do FOCO, ou alguma-coisa-para-fazer.
3. Como o Time 2 observou a transformação do Time 1 quando foi dada aos participantes a instrução de algo para fazer, alguns começarão a contar por conta própria para evitar o desconforto. Dê continuamente a instrução Não faça nada! durante a Parte I.
4. Para mais informações sobre o FOCO, consulte o Manual.

ÁREAS DE EXPERIÊNCIA
Demonstração do FOCO

SENTINDO O EU COM O EU — A2

PREPARAÇÃO
Orientador: Leia Comentário sobre *Caminhada no Espaço* (Manual, p. 41) Grupo todo.

FOCO
Sentir o contato com a parte do corpo indicada.

DESCRIÇÃO
Os jogadores permanecem silenciosamente sentados em suas carteiras e fisicamente sentem aquilo que está em contato com seus corpos, conforme a instrução.

INSTRUÇÃO
Sinta os pés nas meias! Sinta as meias nos pés! Sinta os pés nos sapatos! Sinta os sapatos nos pés! Sinta as meias nas pernas! Sinta as pernas nas meias! Sinta a calça ou saia nas pernas! Sinta as pernas nas calças! Sinta a roupa de baixo perto do seu corpo! Sinta o corpo perto da roupa de baixo! Sinta a blusa ou camisa com seu peito e sinta o seu peito dentro da blusa ou camisa! Sinta o anel no dedo! Sinta o dedo no anel! Sinta o cabelo na cabeça e as sobrancelhas na testa! Sinta a língua na boca! Sinta as orelhas! Vá para dentro e tente sentir o que está dentro da cabeça com a cabeça! Sinta o espaço à sua volta! Agora deixe que o espaço sinta você!

AVALIAÇÃO
Houve alguma diferença entre sentir o anel no dedo e sentir o dedo no anel?

NOTAS
1. *Sentindo o Eu com o Eu* (A2) pode ser usado sozinho ou com *Caminhada no Espaço* (A6, A7 e A8).
2. Dê a instrução *Fique de olhos abertos!* se necessário. Este exercício deve trazer os jogadores e o coordenador para dentro da sala (o ambiente escolar). Olhos fechados podem ser uma defesa.

ÁREAS DE EXPERIÊNCIA
Percepção Corporal
Caminhada no Espaço
Tocar – Ser Tocado
Aquecimento Silencioso
Jogo Sensorial

© 2001 Perspectiva

Movimento Físico e Expressão
Tempo Presente/Aqui, Agora!

OUVINDO O AMBIENTE — A3

PREPARAÇÃO
Grupo todo.

FOCO
Ouvir o maior número de sons possível no ambiente imediato.

DESCRIÇÃO
O grupo todo permanece sentado, silenciosamente, de olhos fechados, por um minuto ou mais, ouvindo os sons do ambiente imediato. Os jogadores prestam atenção para os diferentes sons que há no ambiente.

INSTRUÇÃO
Ouça todos os sons à sua volta – até os mais imperceptíveis! Preste atenção!
Ouça o maior número de sons possível!

AVALIAÇÃO
Quais sons Você ouviu? (Peça para os jogadores identificarem tantos sons quanto possível). Quantos ouviram aquele som? Quais sons ainda não foram mencionados?

NOTAS
1. Dê esse exercício como *tarefa de casa*, a ser feita por alguns minutos por dia, ao caminhar, em casa, com a família etc.

ÁREAS DE EXPERIÊNCIA
Jogo de Ouvir-Escutar
Aquecimento Silencioso
Jogo Sensorial

© 2001 Perspectiva

EXTENSÃO DA AUDIÇÃO   A4

PREPARAÇÃO
Aquecimento: *Ouvindo o Ambiente* (A3)
Grupo todo.

FOCO
Ouvir sons (sem atitudes em relação a eles).

DESCRIÇÃO
Os jogadores ouvem os sons no ambiente e deixam que os sons sejam ouvidos.

INSTRUÇÃO
Envie sua audição para o ambiente acima, abaixo, atráz, perto e longe de você! Seu ouvido é uma extensão física de você! Sua antena! Seu instrumento! Ouça os sons no espaço! Capte os sons que aí encontra! Deixe seu ouvido captar os sons! Deixe que os sons sejam ouvidos!

AVALIAÇÃO
Discuta a função dos ouvidos como corpo físico e a audição como antena física que vai além do corpo físico.

NOTAS
1. Esse exercício pode ser realizado sentado em carteiras; caminhando durante os jogos de espaço e a qualquer hora do dia.
2. Se feito com regularidade, esse exercício pode trazer maior textura para o som.
3. Veja Atitudes (Manual, p. 52)

ÁREAS DE EXPERIÊNCIA
Jogo de Ouvir-Escutar
Aquecimento Silencioso
Jogo Sensorial

PASSA-PASSA GAVIÃO* A5

PREPARAÇÃO
Coordenador: Joga ou canta a música até que todos os jogadores a aprendam.
Grupo todo.

VERSOS
Passa, passa três vezes
O último há de ficar
Tem mulher e filhos
Que não pode sustentar
Qual deles será?
O da frente ou o de trás?
O da frente corre mais
O de trás há de ficar!

DESCRIÇÃO
Dois jogadores ficam de frente um para o outro, erguendo ambos os braços acima de suas cabeças. Com os dedos entrelaçados formam um *túnel*. Os outros jogadores formam uma fileira indiana e passam, um depois do outro, dentro do *túnel*. Todos entoam o refrão acima. Ao final do refrão (que é repetido a cada vez com maior velocidade), a dupla que forma o *túnel* captura, com as mãos entrelaçadas, um dos jogadores na fileira. O jogador capturado pode escolher entre duas frutas: *Pera ou maçã?* A cada uma das frutas corresponde um dos jogadores na dupla e o jogador capturado se posiciona atrás desse parceiro. O jogo termina quando o último jogador da fileira for capturado. Conta-se quantos jogadores da fileira ficaram atrás de cada jogador na dupla e vence o jogo aquele que possui maior número.

INSTRUÇÃO
Nenhuma.

AVALIAÇÃO
Nenhuma.

ÁREAS DE EXPERIÊNCIA
Jogo Tradicional
Aquecimento Ativo

---

* O jogo tradicional americano foi substituído por esse jogo tradicional brasileiro. (N. da T.)

© 2001 Perspectiva

CAMINHADA NO ESPAÇO #1 — A6

PREPARAÇÃO
Coordenador: Leia Comentário sobre *Caminhada no Espaço* (Manual, p. 41). Você pode querer evitar esses jogos (A6, A7, A8) até que se sinta mais confortável e em contato com essa abordagem do espaço.
Aquecimento: *Sentindo o Eu com o Eu* (A2)
Grupo todo.

FOCO
Sentir o espaço com o corpo todo.

DESCRIÇÃO
Os jogadores caminham e investigam fisicamente o espaço como se fosse uma substância desconhecida.

INSTRUÇÃO
(Dê algum tempo entre cada frase de instrução para que os jogadores possam passar pela experiência).
Caminhe por aí e sinta o espaço à sua volta! Investigue-o como uma substância desconhecida e não lhe dê um nome! Sinta o espaço com as costas! Com o pescoço! Sinta o espaço com o corpo e deixe que suas mãos formem um todo com seu corpo! Sinta o espaço dentro da boca! Na parte exterior de seu corpo! Sinta a forma de seu corpo quando se move pelo espaço! Agora deixe que o espaço sinta Você! O seu rosto! Os seus braços! O seu corpo todo! Mantenha os olhos abertos! Espere! Não force! Você atravessa o espaço e deixa que o espaço o atravesse!

AVALIAÇÃO
Alguém teve a sensação de sentir o espaço ou de deixar que o espaço o sentisse? (Não insista na avaliação das caminhadas no espaço.)

NOTAS
1. Como em todas as caminhadas no espaço, o coordenador-instrutor caminha com o grupo enquanto dá instruções para o exercício. Utilize as características físicas de seus jogadores (boca cerrada, ombros curvados etc.) como guia para dar as instruções para as caminhadas no espaço. Por exemplo, se um dos jogadores tem uma expressão rígida no olhar, você pode dizer: *Coloque espaço onde estão os seus olhos! Deixe que a sua visão passe pelos seus olhos!* Quando especificar a área de tensão

de um dos jogadores, não deixe que ele o perceba. O que ajudar a um deles, ajuda a todos.
2. Uma introdução simples para a substância do espaço é perguntar para os jogadores o que existe entre você e eles. Os jogadores irão responder: *Ar, Atmosfera, Espaço*. Qualquer que seja a forma como os jogadores a denominam, peça para que considerem aquilo que está entre, ao redor, acima e abaixo deles como sendo *substância do espaço* para o objetivo deste exercício.

ÁREAS DE EXPERIÊNCIA
Caminhada no Espaço
Tocar – Ser Tocado
Aquecimento Silencioso
Jogo Sensorial
Movimento Físico e Expressão
Tempo Presente/Aqui, Agora!

CAMINHADA NO ESPAÇO #2 — A7

PREPARAÇÃO
Aquecimento: *Caminhada no Espaço #1* (A6)
Grupo todo.

FOCO
Sustentar a si mesmo ou deixar que a substância do espaço o sustente, de acordo com a instrução.

DESCRIÇÃO
Os jogadores caminham pela sala e sustentam a si mesmos ou permitem que o espaço os sustente, de acordo com a instrução.

INSTRUÇÃO
Você atravessa o espaço e deixa que o espaço atravesse você! Enquanto caminha, entre dentro de seu corpo e sinta as tensões! Sinta seus ombros! Sinta a coluna de cima a baixo! Sinta o seu interior a partir do interior! Observe! Anote! Você é seu único suporte! Você sustenta o seu rosto! Seus dedos dos pés! Seu esqueleto todo! Se você não se sustentasse, você se despedaçaria em mil partes! Agora mude! Caminhe pelo espaço e deixe que o espaço o sustente! O seu corpo entenderá! Perceba o que o seu corpo está sentindo! Coloque espaço onde estão seus olhos! Deixe que o espaço sustente seus olhos! Deixe que o espaço sustente seu rosto! Seus ombros! Agora mude! Agora é você quem se sustenta novamente! (Troque sempre a instrução entre ser suporte de si mesmo e ser sustentado pelo espaço até que os jogadores experimentem a diferença.)

AVALIAÇÃO
Havia uma diferença entre sustentar a si mesmo e deixar que o espaço o sustente?

NOTAS
1. Como em *Caminhadas no Espaço #1* (A6), o professor/coordenador caminha com o grupo enquanto dá as instruções para o exercício. Dê um espaço de tempo entre as instruções para que os jogadores experimentem.
2. Deixar que o espaço sustente não significa perder o controle ou andar aos trancos. O jogador deve permitir que o corpo encontre o seu alinhamento correto. *Permita que o seu corpo encontre o alinhamento correto!* é uma instrução útil neste exercício.

ÁREAS DE EXPERIÊNCIA
Caminhada no Espaço
Tocar – Ser Tocado
Aquecimento Silencioso
Jogo Sensorial
Movimento Físico e Expressão
Tempo Presente/Aqui, Agora!

CAMINHADA NO ESPAÇO #3: ESQUELETO — A8

PREPARAÇÃO
Aquecimentos: *Caminhada no Espaço # 1 e #2* (A6 e A7).
Grupo todo.

FOCO
O movimento físico do esqueleto no espaço.

DESCRIÇÃO
Os jogadores caminham pelo espaço, focalizando o movimento do esqueleto nos ossos e nas articulações.

INSTRUÇÃO
Você passa pelo espaço e deixa que o espaço passe por você! Sinta o seu esqueleto se movimentando no espaço! Evite ver uma foto de seu esqueleto! Sinta o movimento de cada articulação! Deixe que suas articulações se movimentem livremente! Sinta o movimento de sua coluna! De seus ossos pélvicos! De suas pernas! Deixe que sua cabeça repouse sobre o seu próprio pedestal! Sinta o seu crânio com o seu crânio! Agora ponha espaço onde estão suas bochechas! Em torno dos ossos do seu braço! Entre cada disco de sua espinha dorsal! Ponha espaço onde está o seu estômago! Sinta sua própria forma uma vez mais! O contorno exterior de todo o seu corpo no espaço! Sinta onde termina o espaço e começa o seu corpo! Você caminha pelo espaço e deixa que o espaço atravesse você! Observe seu esqueleto movimentando-se no espaço! Fechem os olhos! Você está em um novo espaço. Agora, abra os olhos! Veja o novo lugar em que está! (Repita isto duas ou três vezes.) Seu próximo passo é para dentro de um lugar desconhecido! Agora você está entrando em um lugar desconhecido!

AVALIAÇÃO
Você sentiu o seu próprio esqueleto movimentando-se no espaço?

NOTAS
1. Crianças pequenas, que podem ficar desconcertadas com a palavra *esqueleto*, podem ser conscientizadas de que o esqueleto é a estrutura básica do corpo de qualquer pessoa. Esse exercício irá ajudar.
2. Quando o espaço corporal é ligado com o espaço exterior nesse exercício, alguns jogadores poderão experimentar ansiedade. Caso haja

ansiedade, traga os jogadores de volta para a forma de seu próprio corpo rapidamente.

ÁREAS DE EXPERIÊNCIA
Percepção Corporal
Exploração do Ambiente
Caminhada no Espaço
Tocar – Ser Tocado
Aquecimento Silencioso
Jogo Sensorial
Movimento Físico e Expressão
Tempo Presente/Aqui, Agora!

JOGO DE BOLA #1   A9

PREPARAÇÃO
Coordenador: antes de apresentar o jogo, leia o Comentário sobre *Objeto no Espaço* (Manual, p.42)
Jogadores na plateia.

FOCO
Manter a bola no espaço e não na cabeça.

DESCRIÇÃO
Divida o grupo em dois grandes times. Um time é a plateia. Depois inverta as posições. Se estiver trabalhando individualmente dentro de cada time, cada jogador começa a jogar a bola contra uma parede. As bolas são todas imaginárias, feitas de substância do espaço. Quando os jogadores estiverem todos em movimento, a instrução deverá mudar a velocidade com a qual as bolas são jogadas.

INSTRUÇÃO
(Modifique a velocidade da fala para combinar com a instrução: por exemplo, ao dar a instrução para que a bola se movimente em câmera lenta, fale em câmera lenta.) A bola está se movendo muuuuito, muuuuuuuuuito lentamente! *Pegue a bola em câmera muito lenta! Agora a bola se move normalmente! Use o corpo todo para jogar a bola! Mantenha o seu olho na bola! Agora muito rápido! Jogue a bola o mais rápido que você puder! Para trás e para frente tão rápido quanto puder! Normal de novo. Agora novamente em câmera muuuuuiiiiito leeeentaaaaaaaaa! Dê o tempo para que a bola percorra o espaço! Veja o caminho que a bola percorre no espaço! Muito bem, agora em ritmo normal novamente!*

AVALIAÇÃO
Jogadores, a bola estava no espaço ou em suas cabeças? Plateia, vocês concordam com os jogadores? A bola estava nas suas cabeças ou no espaço? Jogadores, vocês viram o caminho que a bola percorreu no espaço? Plateia, vocês concordam?

NOTAS
1. O jogador sabe quando a bola está no espaço ou na sua cabeça. Quando ela está no espaço ela *aparece* tanto para o jogador como para a plateia.
2. A pergunta *A bola estava no espaço ou nas suas cabeças?* feita para os jogadores da plateia é importante porque ela coloca a responsabilidade

© 2001 Perspectiva

na plateia de observar a realidade do objeto no espaço. A plateia é tão responsável por manter o FOCO quanto o time que está jogando.
3. Após a avaliação do primeiro time, faça o próximo time jogar. O segundo time se beneficiou da avaliação do primeiro time?
4. Dê a instrução com energia durante o jogo, enfatizando o uso do corpo todo para manter a bola em movimento. Os jogadores devem terminar o jogo com todos os efeitos físicos de um jogo de bola (quentes, sem fôlego etc.)
5. As palavras usadas pelo coordenador-instrutor na apresentação deste jogo devem ser cuidadosamente escolhidas. Não se deve pedir que os jogadores façam de conta ou que imaginem. Os jogadores são simplesmente orientados a manter a bola no espaço e não em suas cabeças.
6. Quando a bola *aparece* ela pode ser vista como se uma bola real estivesse sendo usada. Todos saberão quando isto acontece.
7. Para maiores informações sobre "Fora da Mente! No Espaço!" veja o Manual, p. 57.

ÁREAS DE EXPERIÊNCIA
Parte do Todo: Interação
Objeto no Espaço: Tornando Visível o Invisível
Jogo de Playground
Aquecimento Ativo
Comunicação Não Verbal
Movimento Físico e Expressão

JOGO DE BOLA #2   A10

PREPARAÇÃO
Coordenador-instrutor: Leia Comentário sobre *Objeto no Espaço* (Manual, p. 42), onde há notas importantes sobre apresentação, instrução e avaliação.
Jogadores na plateia.

FOCO
Manter a bola no espaço e fora da cabeça.

DESCRIÇÃO
Divida o grupo em dois grandes times. Um time torna-se jogador enquanto o outro é a plateia. Depois inverta as posições. O time de jogadores entra em acordo sobre o tamanho da bola. Em pé no círculo, os jogadores jogam a bola de um para o outro. Uma vez que o jogo esteja em movimento, o coordenador dá instruções variando o peso da bola.

INSTRUÇÃO
A bola está ficando leve! Cem vezes mais leve! Agora é normal novamente! Mantenha a bola no espaço e tire-a de sua cabeça! Agora é cem vezes mais pesada! Dê tempo e espaço para a bola! Use seu corpo todo para jogar a bola! A bola é normal novamente! Veja a bola!

AVALIAÇÃO
Plateia, a bola estava no espaço ou na cabeça dos jogadores? Os jogadores mostraram o peso da bola? Jogadores, vocês concordam com a plateia? A bola estava no espaço? Ou dentro de suas cabeças? Jogadores na plateia, a bola estava no espaço? Ou estava dentro de suas cabeças?

NOTAS
1. Quando a bola se torna tão leve quanto possível, os corpos parecem tornar-se mais leves e movimentam-se em câmara lenta ou tornam-se mais pesados com a bola mais pesada. Não traga esse ponto para a atenção dos jogadores, pois alguns jogadores podem interpretar a leveza ou peso para agradar o coordenador em lugar de manter o FOCO que espontaneamente produz o resultado que estamos almejando.
2. Para mais informações, consulte o Manual.

ÁREAS DE EXPERIÊNCIA
Parte do Todo: Interação
Objeto no Espaço: Tornando Visível o Invisível
Jogo de Playground
Aquecimento Ativo
Comunicação Não Verbal
Movimento Físico e Expressão

JOGO DA TRAPAÇA

A11

PREPARAÇÃO
Coordenador: Leia Comentário sobre *Objeto no Espaço* (Manual, p. 42)
Aquecimento: *Jogo de Bola #2* (A10)
Jogadores na plateia.

FOCO
Manter a bola no espaço e fora da cabeça.

DESCRIÇÃO
Faça a contagem em grupos grandes (dez jogadores ou mais). Cada grupo entra em acordo sobre o tipo de bola no espaço. Os jogadores em pé no círculo procuram acertar um jogador que está no centro com a bola. Se o jogador no centro for atingido, ele troca de lugar com o jogador que arremessou a bola. Não vale acertar o jogador do centro acima da cintura (veja Nota 2, abaixo).

INSTRUÇÃO
Joguem com o corpo todo! Veja a bola! Não vale acertar acima da cintura! Jogue e pegue com o corpo todo! Veja a bola no espaço – fora da cabeça! (Quando o jogador do centro é atingido) *Troque de lugar com o jogador que arremessou a bola! Pegue com o corpo todo! Veja a bola no espaço – fora da cabeça!*

AVALIAÇÃO
Jogadores, a bola estava no espaço ou dentro de suas cabeças? Plateia, a bola estava no espaço ou dentro da cabeça dos jogadores? Dentro da cabeça de vocês? Esse último time tirou proveito das avaliações prévias dos outros times? Jogadores, vocês concordam? Todos os jogadores jogavam com a mesma bola?

NOTAS
1. Lembre-se: se os jogadores não saírem desse jogo com os mesmos sintomas (excitação, calor físico, faces avermelhadas, fora de fôlego) que teriam se jogassem com uma bola real, estavam fazendo de conta.
2. A regra *acertar acima da cintura* é divertida para os jogadores, já que não existe bola real. A regra é obedecida da mesma forma.

ÁREAS DE EXPERIÊNCIA
Parte do Todo: Interação
Objeto no Espaço: Tornando Visível o Invisível
Jogo de Playground

© 2001 Perspectiva

Aquecimento Ativo
Comunicação Não Verbal
Movimento Físico e Expressão

CABO DE GUERRA — A12

PREPARAÇÃO
Introdutório: *Jogo de Bola* #2 (A10)
Jogadores na plateia.

FOCO
Manter a corda no espaço como um elo de ligação entre os jogadores.

DESCRIÇÃO
Divida em times de dois. Um time por vez, cada jogador tenta puxar o outro fazendo-o atravessar a linha do centro, exatamente como no jogo do cabo de guerra. Aqui, contudo, a corda não é visível, mas feita de substância do espaço.

INSTRUÇÃO
Veja a corda no espaço! Tire da cabeça! Veja essa corda que está entre vocês! Use o corpo todo para puxar! As costas! Os pés! Vejam a mesma corda! Puxem! Puxem! (Com muita energia) *Puxem! Puxem!*

AVALIAÇÃO
Plateia, os jogadores viram a mesma corda? A corda uniu os jogadores? A corda estava no espaço ou na cabeça dos jogadores? Jogadores, a corda estava no espaço ou em suas cabeças? Os jogadores concordam com a plateia? A plateia concorda com os jogadores?

NOTAS
1. Jogue os jogos com a corda no espaço e a bola no espaço com seu grupo até que o fenômeno dos objetos no espaço, fora da cabeça, tenha sido experimentado por todos e seja entendido pelo seu grupo.
2. À medida que seu grupo se familiariza com esse jogo em pares, acrescente mais e mais jogadores em ambos os extremos da corda.

ÁREAS DE EXPERIÊNCIA
Parte do Todo: Interação
Objeto no Espaço: Tornando Visível o Invisível
Jogo de Playground
Aquecimento Ativo

QUEM INICIOU O MOVIMENTO? — A13

PREPARAÇÃO
Grupo todo.

FOCO
Tentar ocultar do jogador do centro quem inicia o movimento.

DESCRIÇÃO
Os jogadores permanecem em círculo. Um jogador sai da sala enquanto os outros escolhem alguém para ser o líder, que inicia os movimentos. O jogador que saiu é chamado de volta, vai para o centro do círculo e tenta descobrir o iniciador dos movimentos (mexendo as mãos, batendo os pés, balançando a cabeça etc.). O líder pode mudar de movimentos a qualquer momento, mesmo quando o jogador do centro estiver olhando para ele. Quando o jogador do centro descobrir o iniciador, dois outros jogadores são escolhidos para assumir seus lugares.

INSTRUÇÃO
(Apenas se o líder não trocar de movimento com frequência suficiente)
Iniciador, troque de movimento quando tiver chance! Jogadores, prestem atenção na mudança, não deixem o iniciador sozinho!

AVALIAÇÃO
Nenhuma.

NOTAS
1. Esse jogo tradicional é um aquecimento excelente para os jogos de *Espelho* (A15, A16 e A17) na medida em que encoraja os jogadores a olharem uns para os outros.
2. Imediatamente após esse jogo, divida o grupo em times de dois para *Três Mudanças* (A14) que é o próximo passo de aquecimento para os jogos de *Espelho*.

ÁREAS DE EXPERIÊNCIA
Jogo Tradicional
Jogo de Olhar-Ver
Aquecimento Ativo
Jogo Sensorial

TRÊS MUDANÇAS   A14

PREPARAÇÃO
Utilize esse jogo depois de *Quem Iniciou o Movimento?* (A13) e antes de *Espelho* (A15) como sessão de oficina.
Grupo todo.

FOCO
No outro jogador, para ver onde foram feitas mudanças.

DESCRIÇÃO
Divida o grupo em pares. Todos os pares jogam simultâneamente. Os parceiros se observam cuidadosamente, notando o vestido, o cabelo, os acessórios etc. Então, eles viram de costas um para o outro e cada um faz três mudanças na sua aparência física: eles dividem o cabelo, desamarram o laço do sapato, mudam o relógio de lado etc. Quando estiverem prontos, os parceiros voltam a se olhar e cada um tenta identificar quais mudanças o outro fez.

INSTRUÇÃO
Não é necessária.

AVALIAÇÃO
Não é necessária.

NOTAS
1. Este jogo pode ser jogado com grande excitação por algum tempo quando há troca de parceiros e ao serem pedidas até quatro ou mais mudanças.
2. Troque os parceiros seguidamente e peça cinco, seis, sete e até mesmo oito mudanças, orientando-os para que observem também as costas dos parceiros.

ÁREAS DE EXPERIÊNCIA
Jogo Tradicional
Jogo de Olhar-Ver
Aquecimento Silencioso
Jogo Sensorial

ESPELHO   A15

PREPARAÇÃO
Coordenador: leia Comentário sobre *o Espelho* (Manual, p. 43)
Introdutórios: *Quem Iniciou o Movimento?* (A13) e *Três Mudanças* (A14).
Jogadores na plateia.

FOCO
Refletir perfeitamente o gerador dos movimentos.

DESCRIÇÃO
Divida o grupo em times de dois. Um jogador fica sendo A, o outro B. Todos os times jogam simultâneamente. A fica de frente para B. A reflete todos os movimentos iniciados por B, dos pés à cabeça, incluindo expressões faciais. Após algum tempo inverta as posições de maneira que B reflita.

INSTRUÇÃO
B inicia! A espelha! Movimentos grandes, com o corpo todo! Espelhe só o que você vê! Mantenham o espelho entre vocês! Espelhe tudo – da cabeça ao dedão do pé! Mudem! Agora A inicia e B é o espelho! Saiba quando inicia! Saiba quando é o espelho! Mudança! Mudança! (Dê a instrução *Mudança!* de novo e de novo para manter o jogo em andamento).

AVALIAÇÃO
Há uma diferença entre espelho e imitação? Você sabe quando era você que iniciava? Quando era espelho?

NOTAS
1. Cuidado com as suposições. Por exemplo, se B faz um movimento conhecido, o jogador A antecipa e assume o próximo movimento ou ele fica com B e o reflete?
2. Observe o espelho verdadeiro. Se B usar a mão direita, A usa a mão direita ou a esquerda? Não chame a atenção dos jogadores para esse fato de maneira cerebral. O jogo *Quem é o Espelho?* (a seguir) trará uma compreensão mais orgânica do espelho.
3. A mudança do gerador dos movimentos (A para B e B para A) deve ser feita sem interromper o fluxo de movimentos entre os jogadores.
4. Veja Período de Tempo (Manual, p. 64)

ÁREAS DE EXPERIÊNCIA
Jogo de Olhar-Ver
Parte do Todo: Ligação
Espelho/Siga o Seguidor
Comunicação Não Verbal
Jogo Sensorial
Tempo Presente/Aqui, Agora!

QUEM É O ESPELHO? A16

PREPARAÇÃO
Coordenador: Leia Comentário sobre o *Espelho* (Manual, p. 43)
Introdutório: *Espelho* (A15)
Jogadores na plateia.

FOCO
Esconder da plateia qual jogador é o espelho.

DESCRIÇÃO
Times de dois. Antes de começar, os jogadores decidem entre si quem será o gerador do movimento e quem será o espelho. Este jogo é realizado da mesma forma que o jogo anterior, exceto que o instrutor não dá a ordem: *Mudança!* Um jogador inicia os movimentos, o outro reflete e ambos tentam ocultar quem é o espelho. Quando os dois jogadores estiverem fazendo movimentos, o coordenador diz o nome de um deles. Os jogadores que estão na plateia levantam o braço se o jogador mencionado pelo coordenador parece ser o espelho. Depois o coordenador deve mencionar o outro jogador para que a plateia levante o braço, caso ele aparente ser o espelho. Os dois continuam jogando enquanto a plateia vota até que se obtenha a unanimidade nos votos da plateia.

INSTRUÇÃO
(Peça para levantarem as mãos para votar qual jogador é o espelho).

AVALIAÇÃO
Inerente ao jogo.

NOTAS
1. Todos os jogadores devem passar pela experiência de tentar confundir a plateia, o que intensifica o FOCO na medida em que leva a uma compreensão orgânica ao refletir.

ÁREAS DE EXPERIÊNCIA
Reconhecimento Espontâneo ao Refletir
Jogo de Olhar-Ver
Espelho/Siga o Seguidor
Comunicação Não Verbal
Jogo Sensorial

SIGA O SEGUIDOR #1

PREPARAÇÃO
Coordenador: Leia Comentário sobre o *Espelho* (Manual, p. 43)
Aquecimento: *Espelho* (A15) e *Quem é o Espelho?* (A16)
Jogadores na plateia.

FOCO
Seguir o seguidor.

DESCRIÇÃO
Times de dois. Um jogador é o espelho, o outro o gerador dos movimentos. O diretor inicia o jogo de espelho normal e então diz *Mudança!* para que os jogadores invertam as posições. Essa ordem é dada a intervalos. Quando os jogadores estiverem iniciando e refletindo com movimentos corporais amplos, o diretor dá a instrução *Os dois espelham! Os dois iniciam!*, Os jogadores então espelham um ao outro sem iniciar. Isso é capcioso – os jogadores não devem iniciar, mas devem seguir o iniciador. Ambos são ao mesmo tempo o iniciador e o espelho (ou seguidor). Os jogadores espelham a si mesmos, sendo espelhados.

INSTRUÇÃO
Espelhe! Saiba quando inicia! Mudança! Espelhe só o que você vê, não o que pensa que vê! Mudança! (O instrutor pode entrar na área de jogo para checar as iniciativas dos jogadores.) *Saiba quando inicia! Faça movimentos corporais amplos! Amplie! Siga o seguidor! Espelhe apenas o que vê! Não o que pensa estar vendo! Espelhe! Mantenham o espelho entre vocês! Não inicie! Siga o iniciador! Siga o seguidor!*

AVALIAÇÃO
(Durante o jogo, há um jogador que se move):
Você iniciou este movimento? Ou você espelhou o que viu? Plateia, vocês concordam com o jogador?

NOTAS
1. Peça para os jogadores espelharem e iniciarem apenas quando estiverem fazendo movimentos corporais amplos.
2. Esse exercício pode confundir de início, mas permaneça jogando. Quando o jogador espelha o outro, haverá naturalmente variações corporais devido a diferentes estruturas corporais. Assim, os jogadores espelham a si mesmos sendo espelhados.

© 2001 Perspectiva

ÁREAS DE EXPERIÊNCIA
Jogo de Olhar-Ver
Parte do Todo: Ligação
Espelho/Siga o Seguidor
Comunicação Não Verbal
Jogo Sensorial
Tempo Presente/Aqui, Agora!

CAÇA-GAVIÃO* A18

PREPARAÇÃO
Grupo todo.

FOCO
Nenhum.

DESCRIÇÃO
Sorteia-se quem será o *gavião*. Os outros jogadores formam uma fila indiana, de maneira que cada um segure com ambas as mãos o corpo do parceiro que está à sua frente, na altura da cintura. O *gavião* fica a uma certa distância da fila. Os jogadores que estão na fila iniciam o jogo através da chamada *Caça, gavião!*. O jogador-gavião então diz *Tô com fome!*. A seguir, cada um dos jogadores na fila responde apenas *Quer isso?* exibindo para o *gavião* uma parte do corpo (pé, dedo, orelha, nádegas etc.), sem tirar as mãos da cintura do jogador que está à sua frente. O gavião diz *Não!* ou *Sim!*. Quando for dito *Sim!*, a fila se move rapidamente para qualquer direção, não permitindo que o *gavião* alcance o jogador escolhido. Quando o *gavião* alcançar o jogador, invertem-se os papéis: aquele que foi pego vira *gavião* e aquele que era *gavião* entra na fila.

AVALIAÇÃO
Nenhuma.

ÁREAS DE EXPERIÊNCIA
Jogo Tradicional
Aquecimento Ativo
Jogo Sensorial

---

* O jogo tradicional americano foi substituído por um jogo tradicional brasileiro. (N. da T.)

SENTINDO O EU COM O EU — A19

PREPARAÇÃO
Coordenador: leia Comentário de *Caminhada no Espaço* (Manual, p. 41)
Grupo todo.

FOCO
Percepção física com a parte do corpo indicada.

DESCRIÇÃO
Os jogadores permanecem silenciosamente sentados em suas carteiras e percebem fisicamente o que está em contato com seu corpo, conforme a instrução.

INSTRUÇÃO
Sinta os pés nas meias! Sinta as meias nos pés! Sinta os pés nos sapatos! Sinta os sapatos nos pés! Sinta as meias nas pernas! Sinta as pernas nas meias! Sinta a calça ou a saia nas pernas! Sinta as pernas nas calças! Sinta a roupa de baixo perto do seu corpo! Sinta o seu corpo perto da roupa de baixo! Sinta a blusa ou camisa com seu peito e sinta o seu peito dentro da blusa ou camisa! Sinta o anel no dedo! Sinta o dedo no anel! Sinta o cabelo na cabeça e as sobrancelhas na testa! Sinta a língua na boca! Sinta as orelhas! Vá para dentro de si mesmo e perceba o que está dentro da cabeça com a cabeça! Sinta o espaço à sua volta! Agora deixe que o espaço sinta você!

AVALIAÇÃO
Houve alguma diferença entre sentir o anel no dedo e sentir o dedo no anel?

NOTAS
1. *Sentindo o Eu com o Eu* pode ser usado sozinho ou com *Caminhada no Espaço* (A6, A7 e A8).
2. Dê a instrução *Fique de olhos abertos!* se necessário. Este exercício deve trazer os jogadores e o professor para a sala (o ambiente escolar). Olhos fechados podem ser uma defesa.

ÁREAS DE EXPERIÊNCIA
Percepção Corporal
Caminhada no Espaço
Tocar – Ser Tocado
Aquecimento Silencioso
Jogo Sensorial
Movimento Físico e Expressão
Tempo Presente/Aqui, Agora!

EXTENSÃO DA VISÃO   A20

PREPARAÇÃO
Aquecimento: *Caça-Gavião* (A18)
Introdutório: *Sentindo o Eu com o Eu* (A19)
Grupo todo.

FOCO
Ver, como extensão física dos olhos.

DESCRIÇÃO
Os jogadores enviam sua visão para observar objetos e permitir que os objetos sejam vistos.

INSTRUÇÃO
Envie sua visão para o ambiente! Sua visão é uma extensão física de você mesmo! Deixe que sua visão seja ativa! Envie sua visão para o meio da sala! À sua volta! Permita que um objeto entre em seu campo de visão e seja visto! Tome seu tempo para ver esse objeto! Quando vir um objeto, deixe que esse objeto veja você! Mude de objetos!

AVALIAÇÃO
Qual é a diferença entre ver um objeto e deixar que o objeto seja visto?

NOTAS
1. Os olhos são parte do corpo físico e a visão é uma antena física (extensão) que alcança além do corpo – o ambiente.
2. Para mais informação, veja o Manual.

ÁREAS DE EXPERIÊNCIA
Jogo de Olhar-Ver
Aquecimento Silencioso
Jogo Sensorial

PENETRANDO OBJETOS — A21

PREPARAÇÃO
Introdutório: *Extensão da Visão* (A20)
Grupo todo.

FOCO
Penetrar um objeto com a visão.

DESCRIÇÃO
Os jogadores enviam sua visão como um instrumento para atravessar um objeto sólido e retornar.

INSTRUÇÃO
Envie sua visão como uma extensão de seus olhos! Deixe que a visão atravesse objetos sólidos! Envie-a através dos sólidos e deixe que retorne! Você não está tentando ver! Você está em repouso! Sua visão está tentando penetrar o objeto! Penetre o objeto com sua visão!

AVALIAÇÃO
Jogadores, houve uma nova dimensão acrescentada à visão através desse exercício?

NOTAS
1. Peça para os jogadores enviarem sua visão através de uma série de vidraças (atravessando um vidro, voltando através de outro) para clarificar esse exercício.

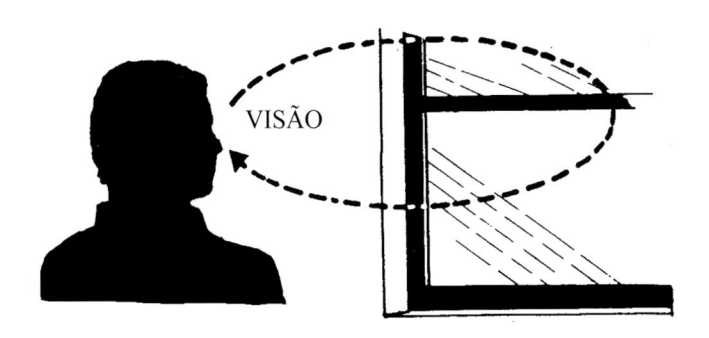

ÁREAS DE EXPERIÊNCIA
Jogo de Olhar-Ver
Aquecimento Silencioso
Jogo Sensorial
PREPARAÇÃO

PULAR CORDA A22

PREPARAÇÃO
Introdutórios: *Jogo de Bola #2* (A10) e *Cabo de Guerra* (A12).
Jogadores na plateia.

FOCO
Manter a corda no espaço – fora da cabeça.

DESCRIÇÃO
Divida o grupo em times de quatro ou mais ou permita agrupamento randomico. Cada time irá jogar seu próprio jogo de pular corda, sendo que alguns jogadores giram a corda enquanto os outros jogadores pulam. Jogue até que todos tenham tido a oportunidade de girar a corda.

INSTRUÇÃO
Permaneçam com a mesma corda! Usem o corpo todo para jogar o jogo!

AVALIAÇÃO
Os jogadores mantiveram a corda no espaço ou ela estava em suas cabeças?

NOTAS
1. Da mesma forma como no jogo tradicional de pular corda, o jogador que pisar na corda deve trocar de lugar com um dos jogadores que está girando a corda.
2. Variantes de pular corda: Foguinho; Alturas da Corda; Corda Dupla etc.
3. Pular corda é apreciado por jogadores de todas as faixas etárias.

ÁREAS DE EXPERIÊNCIA
Parte do Todo: Interação
Objeto no Espaço: Tornando Visível o Invisível
Jogo de Playground
Aquecimento Ativo
Comunicação Não Verbal
Movimento Físico e Expressão

PLAYGROUND #1 — A23

PREPARAÇÃO
Introdutórios: *Jogo de Bola #1* (A9) e *Jogo de Bola #2* (A10).
Grupo todo ou com jogadores na plateia.

FOCO
Manter objetos no espaço – fora da cabeça.

DESCRIÇÃO
O grupo todo é dividido em grupos de diferentes tamanhos e cada time escolhe um jogo de playground que exige equipamento ou objetos para jogar (bolinhas de gude, peteca, bola, corda ou jogos de bola). Todos os times distribuídos no espaço da sala jogam os diferentes jogos simultaneamente como em um playground. Todos os jogos devem ser jogados com objetos da substância do espaço.

INSTRUÇÃO
(Vá de grupo em grupo e junte-se a eles se sua presença acrescentar prazer ao jogo.)
Mantenha seu objeto no espaço! Use seu corpo todo para arremessar a bola! Intensifique esse movimento! Objetos no espaço – fora da cabeça! Mais energia! Intensifique!

AVALIAÇÃO
O objeto estava na sua cabeça? No espaço?

NOTAS
1. Quando os jogadores estiverem começando a captar a ideia de jogar com objetos da substância do espaço, toda a área de jogo ficará cheia de excitação, energia e prazer. *Playground #1* deve ser usado muitas vezes.
2. *Playground #1* e *Playground #2* são ideais para recesso escolar ou períodos de educação física no playground.

ÁREAS DE EXPERIÊNCIA
Parte do Todo: Interação
Objeto no Espaço: Tornando Visível o Invisível
Jogo de Playground
Comunicação Não Verbal
Movimento Físico e Expressão

© 2001 Perspectiva

PLAYGROUND #2

PREPARAÇÃO
Introdutórios: *Jogo de Bola #1* e *Jogo de Bola #2* (A9 e A10).
Grupo todo ou jogadores na plateia.

FOCO
Manter o objeto no espaço e fora da cabeça.

DESCRIÇÃO
O grupo todo é dividido em times que jogam um dos seguintes jogos com o objeto da substância do espaço: futebol, basquete, voleibol etc. Todas as regras do jogo escolhido devem ser obedecidas à medida que os jogadores mantêm o objeto no espaço, fora da cabeça.

INSTRUÇÃO
Mantenha (a bola, a corda, o bastão) no espaço! Fora da cabeça! Dê à bola seu tempo e espaço! Jogue com o corpo todo! Intensifique!

AVALIAÇÃO
Plateia, o objeto estava no espaço ou na cabeça dos jogadores? Às vezes, todo o tempo ou de vez em quando? Jogadores, vocês concordam?

NOTAS
1. A autora viu até quatro partidas de beisebol sendo jogadas com objetos no espaço.
2. Os jogos de playground acima serão beneficiados com a avaliação dos jogadores na plateia. Os jogadores na plateia podem dar instruções para os jogadores em cena: *Olhe para a bola!*

ÁREAS DE EXPERIÊNCIA
Parte do Todo: Interação
Objeto no Espaço: Tornando Visível o Invisível
Jogo de Playground
Aquecimento Ativo
Comunicação Não Verbal
Movimento Físico e Expressão

PARTE DO TODO #1: OBJETO

PREPARAÇÃO
Coordenador: Leia o Comentário sobre *Parte do Todo* (Manual, p. 39)
Jogadores na plateia.

FOCO
Tornar-se parte de um objeto maior.

DESCRIÇÃO
Um jogador entra na área de jogo e torna-se parte de um grande objeto ou organismo (animal, vegetal ou mineral). Logo que a natureza do objeto se tornar clara para outro jogador, ele entra no jogo como outra parte do todo sugerido. O jogo continua até que todos os participantes estejam trabalhando juntos para formar o objeto completo. Os jogadores podem assumir qualquer movimento, som ou posição para ajudar a completar o todo. Exemplos incluem máquinas, células do corpo, relógios, mecanismos abstratos, constelações, animais.

INSTRUÇÃO
Use o corpo todo para fazer a sua parte! Entre no jogo! Arrisque-se! Torne-se uma outra parte do objeto!

AVALIAÇÃO
A voz e o corpo eram uma coisa só? O que acharam que seria o objeto antes de entrar no jogo?

NOTAS
1. Este jogo é útil como aquecimento ou para finalizar uma sessão, pois gera espontaneidade e energia. Os jogadores muitas vezes desviam da ideia original do primeiro jogador o que resulta em abstração fantasiosa.
2. O coordenador deve utilizar a instrução para ajudar os jogadores a entrar no jogo e para ajudar aqueles que têm medo de estarem errados a respeito do objeto que está sendo formado. Outros se apressam em entrar no jogo sem a percepção do todo.
3. Este jogo teatral também é largamente utilizado com o nome de *Máquina*. Os imitadores pegaram o exemplo do trem apresentado no jogo *Parte de um Todo* (*Improvisação para o Teatro*, p. 66) e limitaram a dinâmica deste jogo a uma área restrita. Na verdade, *Parte do Todo* pode ser muitas coisas.

© 2001 Perspectiva

ÁREAS DE EXPERIÊNCIA
Parte do Todo: Interdependência

PARTE DO TODO #2 — A26

PREPARAÇÃO
Introdutório: *Parte do Todo #1* (A25).
Jogadores na plateia.

FOCO
Mostrar uma atividade fazendo parte dela.

DESCRIÇÃO
Grandes grupos de dez a quinze jogadores. Os jogadores entram em acordo sobre quem será o primeiro jogador, que secretamente escolhe uma atividade e inicia. Quando a natureza da atividade tornar-se aparente, outros jogadores entram, um por vez, e tomam parte. Um exemplo é plantar um jardim: o primeiro jogador amontoa folhagens formando pilhas; o segundo jogador entra carpindo; o terceiro fertilizando etc.

INSTRUÇÃO
Mostre! Não conte! Evite diálogo! Tomem o seu tempo para observar o que está acontecendo! Arrisque-se! Tome parte na atividade! Torne-se parte do todo! (Caso os jogadores estejam mimicando o diálogo.) *Compartilhe sua voz!*

AVALIAÇÃO
Qual era a atividade do grupo? Jogadores, vocês formaram parte do todo? Havia outras atividades possíveis? Os objetos estavam no espaço? Plateia, vocês concordam com os jogadores?

NOTAS
1. Essa interação em grupo deve criar fluência e energia. Repita o jogo até que isso aconteça ou termine-o se não acontecer.
2. Os jogadores não devem saber com antecedência o que o primeiro jogador irá fazer.
3. Jogadores relutantes em tomar parte com medo de estarem errados sobre a natureza da atividade podem ser confortados durante o período de avaliação ao descobrir que outros jogadores também tinham ideias diferentes.
4. Mesmo que a área de jogo seja caótica, com todos se movimentando e falando ao mesmo tempo, evite tentar atingir uma cena ordenada. Prazer e excitação inicial no jogo é essencial para o crescimento social do grupo. *Dar e Tomar* (B6) que será, apresentado mais tarde, ajudará a esclarecer o caos no trabalho com grupos grandes.

© 2001 Perspectiva

ÁREAS DE EXPERIÊNCIA
Parte do Todo: Interdependência
Teatro: Orientação Inicial para O Quê (Atividade)

ENVOLVIMENTO COM OBJETOS GRANDES — A27

PREPARAÇÃO
Aquecimento: *Caminhada no Espaço #1* (A6).
Jogadores na plateia.

FOCO
Envolvimento físico com um objeto grande no espaço.

DESCRIÇÃO
Jogador individual ou grupo maior de jogadores trabalhando individualmente. Cada jogador seleciona e envolve-se com um objeto grande que causa complicação, emaranhado: exemplos incluem uma teia de aranha; cobra grande; galhos de árvore numa floresta; polvo; para-quedas; planta carnívora etc.

INSTRUÇÃO
Dê vida ao objeto! Use seu corpo todo! Permita que o objeto ocupe o espaço! Explore o objeto! Manifestar emoções é contar! Mostre! Não conte! Sinta o objeto com suas costas!

AVALIAÇÃO
O FOCO era completo ou incompleto? Os jogadores mostraram ou contaram o objeto para nós? O objeto estava na cabeça dos jogadores ou no espaço? Jogadores, vocês concordam?

NOTAS
1. Certifique-se de que o FOCO do jogador está no objeto e não em respostas emocionais ao envolvimento. Essa é uma diferença importante que aparece continuamente no trabalho.

ÁREAS DE EXPERIÊNCIA
Comunicação Não Verbal
Teatro: Orientação Inicial para o Onde (Cenário e/ou Ambiente)
Objeto no Espaço: Tornando Visível o Invisível

PRESO A28

PREPARAÇÃO
Introdutório: *Envolvimento com Objetos Grandes* (A27)
Jogadores na plateia.

FOCO
Escapar de um ambiente imediato (o Onde).

DESCRIÇÃO
Um jogador individual escolhe um ambiente imediato (fechado) do qual ele ou ela tentam escapar. Exemplos incluem uma cela de prisão; armadilha de raposa; numa árvore; num elevador etc.

INSTRUÇÃO
Dê vida ao objeto! Veja o objeto no espaço e tire-o da cabeça! Mostre! Não conte! FOCO no ambiente imediato!

AVALIAÇÃO
Onde o jogador estava? O jogador mostrou para nós de onde tentava escapar ou ele/ela contaram para nós através de emoções (fazendo caretas, usando diálogo, grunhidos)?

NOTAS
1. Lembrete: dar exemplos raramente é útil já que pode limitar as escolhas dos jogadores.
2. Quando o objeto ou ambiente do jogador tornar-se visível, utilize o nome do objeto ao dar a instrução por exemplo *Sinta as barras!* caso o jogador esteja dentro de uma cela de prisão.

ÁREAS DE EXPERIÊNCIA
Comunicação Não Verbal
Teatro: Orientação Inicial para o Onde (Cenário e/ou Ambiente)
Objeto no Espaço: Tornando Visível o Invisível

JOGO DE IDENTIFICAÇÃO DE OBJETOS A29

PREPARAÇÃO
Coordenador: Reúna número idêntico de objetos ao número de jogadores. Jogadores na plateia.

FOCO
Identificar um objeto através do tato.

DESCRIÇÃO
Os jogadores ficam em pé no círculo. Um deles é chamado para o centro, onde fica com as mãos para trás, de olhos fechados. O coordenador põe um objeto real na mão do jogador. Usando apenas o sentido do tato, o jogador deve identificar o objeto. Quando o jogador identificar o objeto, pode olhar para ele. Então outro jogador é chamado para o centro e recebe um novo objeto para identificar.

INSTRUÇÃO
Para que serve? Qual é a sua cor?

AVALIAÇÃO
Não há necessidade.

NOTAS
1. Faça as perguntas sugeridas na instrução apenas se o jogador estiver perdido ao descrever o objeto.
2. Escolha objetos que são reconhecíveis embora não usados todo dia carta de baralho; apontador de lápis; pentes; borracha; maçã etc.)
3. Fazer perguntas sobre a cor do objeto diverte os jogadores e em muitos casos as respostas são corretas.
4. Variante: os jogadores podem ser chamados para a frente da sala e permanecer em pé, de costas para os jogadores na plateia, que estão sentados em suas carteiras.
5. Para mais informações, consulte o Manual.

ÁREAS DE EXPERIÊNCIA
Jogo Tradicional
Tocar – Ser Tocado
Aquecimento Silencioso
Jogo Sensorial

NÃO MOVIMENTO: AQUECIMENTO A30

PREPARAÇÃO
Coordenador: leia Comentário de *Não Movimento – Câmara Lenta* (Manual, p. 44)
Grupo todo.

FOCO
Não movimento dentro do movimento.

DESCRIÇÃO
Parte 1: Os jogadores erguem e abaixam os braços quebrando a fluência do movimento numa série de quadros, como em um filme.
Parte 2: Quando forem instruídos, os jogadores erguem e abaixam os braços em velocidade normal, mas focalizando os períodos (sensação) de *não movimento* dentro da fluência total do movimento.

INSTRUÇÃO
Parte 1: *Levante os braços numa sequência de paradas! Focalize a sensação de não movimento ao levantar os braços! Foque em não fazer nada! Abaixe os braços em não movimento! Fique de fora!*
Parte 2: *Levante os braços em velocidade normal, focalizando o não movimento! Acelere a velocidade, focalizando o não movimento! Levante e abaixe! Velocidade normal com não movimento! Fique de fora!*

AVALIAÇÃO
Quantos sentiram o não movimento? Tiveram a sensação de que os braços se movimentavam por si mesmos?

NOTAS
1. Executado adequadamente, este exercício dá uma sensação e uma compreensão física de estar fora do caminho. Ao focalizar o não movimento as mãos, as pernas etc. movimentam-se sem esforço, sem vontade consciente. Você está em repouso através do não movimento – sem atitudes sobre a ação.

ÁREAS DE EXPERIÊNCIA
Exploração do Movimento Corporal
Caminhada no Espaço
Aquecimento Silencioso
Jogo Sensorial
Movimento Físico e Expressão

© 2001 Perspectiva

NÃO MOVIMENTO: CAMINHADA — A31

PREPARAÇÃO
Aquecimento e/ou introdutório: *Não Movimento: Aquecimento* (A30)
Veja Comentário sobre *Não Movimento – Câmera Lenta* (Manual, p. 44)
Grupo todo.

FOCO
Não movimento dentro do movimento.

DESCRIÇÃO
Os jogadores (grupo todo se possível) caminham pela sala, área de jogo ou qualquer espaço grande focalizando o não movimento.

INSTRUÇÃO
Caminhe pela sala em não movimento! Focalize os períodos de não movimento! Não faça nada! Deixe que seu corpo caminhe pela sala! Permaneça em não movimento! Ao caminhar pela sala, deixe que a sua visão perceba toda a sala e todos os objetos à sua volta! Continue! Veja seus parceiros em não movimento! Deixe que seu corpo leve você e veja a paisagem à sua volta!

AVALIAÇÃO
Jogadores, vocês estão começando a ter a sensação de si mesmos não fazendo nada? De como o corpo se move por si mesmo?

NOTAS
1. Todos os exercícios com visão, audição e tato podem ser acrescentados a esta caminhada pelo espaço, se o tempo e a disposição o permitirem. A instrução *Não movimento!* pode ser utilizada para correr, escalar etc.
2. *Não movimento!* utilizada como instrução mantém o jogador calmo e livre. Esta perda de preocupação alivia os temores, a ansiedade etc. e permite que uma mente clara e limpa faça surgir algo novo.

ÁREAS DE EXPERIÊNCIA
Exploração do Movimento Corporal
Caminhada no Espaço
Aquecimento Silencioso
Jogo Sensorial
Movimento Físico e Expressão
Tempo Presente/Aqui, Agora!

TOCAR – SER TOCADO A32

PREPARAÇÃO
Introdutório: *Sentindo o Eu com o Eu* (A19).
Grupo todo.

FOCO
Tocar um objeto e deixar que o objeto toque o jogador.

DESCRIÇÃO
Os jogadores são instruídos a tocar um objeto e quando o objeto é percebido, permitir que o objeto os toque.

INSTRUÇÃO
Toque alguma coisa! Em você mesmo ou na sala! Perceba-o! Quando achar que está percebendo realmente, deixe que ele o perceba! Não pondere! Não analise! Perceba o objeto e depois deixe que ele o perceba! Toque sua face! E deixe que sua face toque você! Observe a diferença! Agora toque o objeto e deixe que o objeto toque você ao mesmo tempo!

AVALIAÇÃO
Discuta a diferença entre tocar e ser tocado. Permita que os jogadores falem livremente sobre essa experiência.

NOTAS
O professor deveria fazer esse exercício junto com os alunos enquanto está dando a instrução.

ÁREAS DE EXPERIÊNCIA
Tocar – Ser Tocado
Aquecimento Silencioso
Jogo Sensorial

SUBSTÂNCIA DO ESPAÇO   A33

PREPARAÇÃO
Aquecimento: *Caminhada no Espaço #1* (A6)
Introdutórios: *Jogo de Bola #1* e *Jogo de Bola #2* (A9 e A10).
Coordenador: leia o Comentário sobre *Objeto no Espaço* (Manual, p. 42)
Jogadores na plateia.

FOCO
Na substância do espaço entre as palmas das mãos dos jogadores.

DESCRIÇÃO
Parte I: Divida o grupo em dois times – jogadores e plateia. Trabalhando com o primeiro time (cada jogador trabalha individualmente), peça para que movimentem as mãos para cima e para baixo, aproximando-as e separando-as e de todas as maneiras.
Os jogadores devem focalizar na substância do espaço entre as palmas das mãos.

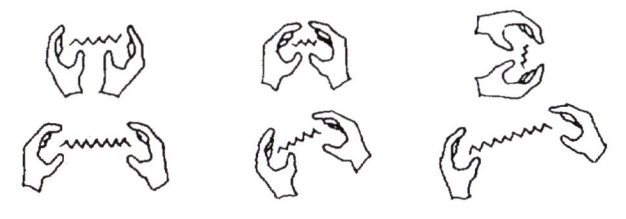

Parte II: Os times de dois jogadores permanecem um de frente para o outro, a três ou quatro passos de distância. Os jogadores devem olhar para as palmas das mãos do parceiro. Os jogadores devem movimentar as mãos para cima e para baixo, aproximando-as e afastando-as. Deve-se manter o foco na substância do espaço entre as quatro palmas de suas mãos.

INSTRUÇÃO
Parte I: *Movimente as mãos para frente e para trás! Para qualquer direção! Mantenha as palmas das mãos uma de frente para a outra! Focalize a substância do espaço entre as palmas de sua mão! Deixe as palmas das mãos irem para onde quiserem! Sinta a substância do espaço entre as palmas! Movimente a substância do espaço entre as palmas das mãos! Brinque com ela! Deixe que ela se torne mais espessa!*

Parte II: *Vire-se e fique de frente para um parceiro! Duas palmas voltadas para duas palmas! Sinta a substância do espaço entre as quatro palmas!*

© 2001 Perspectiva

Brinque com a substância do espaço! Movimente-a ao seu redor! Intensifique! Utilize o corpo todo! Focalize o espaço entre as palmas de suas mãos e deixe que ele se torne mais espesso!

AVALIAÇÃO
Os jogadores deixaram que o FOCO na substância do espaço trabalhasse por eles? Jogadores na plateia, a substância do espaço estava na cabeça dos jogadores ou no espaço? Jogadores, vocês concordam? A substância do espaço começou a ficar mais espessa?

NOTAS
1. Este exercício proporciona rapidamente uma experiência com a substância do espaço. Contudo, os jogadores devem aos poucos deixar que o FOCO nas palmas das mãos se dissolva parcialmente para que se sintam livres para manipular, brincar a interagir com essa substância.
2. Os jogadores que fazem a vez da plateia irão se beneficiar ao assistir a esse jogo. Contudo, pode-se jogar com os dois times simultâneamente se o tempo for escasso.
3. Deixe que o primeiro time passe pelas Parte I e Parte II antes de trocar as posições.

ÁREAS DE EXPERIÊNCIA
Tocar – Ser Tocado
Objeto no Espaço: Tornando Visível o Invisível
Comunicação Não Verbal
Jogo Sensorial

MOLDANDO O ESPAÇO — A34

PREPARAÇÃO
Aquecimentos: *Caminhada no Espaço #1, #2 e #3* (A6, A7 e A8).
Introdutório: *Substância do Espaço* (A33).
Jogadores na plateia.

FOCO
Permitir que a substância do espaço tome forma como objeto.

DESCRIÇÃO
Parte I: Grupo todo, cada jogador trabalha individualmente. O jogador focaliza e joga com a substância do espaço, movimentando-a com as mãos, braços e o corpo todo. Sem forçar nada, o jogador permite que a substância do espaço assuma uma forma como objeto.

Parte II: Times de dois (muitos times podem jogar simultaneamente). Ambos os jogadores focalizam e jogam com a substância do espaço entre eles. Movimentando a substância do espaço com envolvimento corporal da cabeça aos dedões do pé, os jogadores permanecem abertos até que um objeto no espaço apareça/tome forma.

Parte III: Times de três, quatro, cinco ou tantos quanto possível. Os jogadores formam um círculo e focalizam a substância do espaço dentro do anel formado por seus corpos. Jogando com envolvimento da cabeça aos pés com a substância do espaço, os jogadores permanecem abertos até que um objeto no espaço entre eles apareça/tome forma.

INSTRUÇÃO
Parte I: *Jogue com a substância do espaço! Movimente-a com seu corpo todo! Intensifique! Corpo todo! Explore e intensifique! Deixe que o espaço se torne mais denso! Se um objeto começar a se formar, acompanhe-o! Sinta seu peso! Sua textura! Intensifique-o! Mantenha-o no espaço! Tire da cabeça! Deixe acontecer! Focalize o objeto no espaço! Perceba o objeto! Use toda energia corporal! Explore e intensifique!* (Dê instrução sobre as características/qualidades específicas do objeto se ele começar a aparecer).

Instruções adicionais para as Partes II e III: *Permaneça com o objeto! Mantenham o objeto entre vocês! Não se apressem! Deixem acontecer! Siga o seguidor! Mantenham o objeto entre vocês! No espaço! Fora da cabeça!*

© 2001 Perspectiva

(Dê instruções sobre textura, peso, outras qualidades do objeto caso um objeto comece a tomar forma a partir da substância do espaço.)

AVALIAÇÃO
Jogadores na plateia, vocês conseguiram ver um objeto? O objeto estava no espaço ou na cabeça dos jogadores? Jogadores, vocês concordam? Vocês forçaram um objeto ou deixaram que um objeto assumisse forma? Ele estava no espaço ou dentro de suas cabeças?

NOTAS
1. Os jogadores não devem estar de pé rígidos, movendo as mãos sem objetivo pelo ar. O objeto só pode tomar forma quando os jogadores estiverem envolvidos com a substância do espaço da cabeça aos dedões do pé e movendo/fluindo com energia física no problema.
2. Ajude os jogadores a distinguir entre deixar que um objeto assuma forma e imposição à substância do espaço. Esse exercício não pede invenção. O objeto no espaço assumirá forma entre os jogadores se isso acontecer e quando um jogador não manipular os outros fazendo-os aceitar o seu objeto.
3. A plateia pode beneficiar desta série de exercícios. No entanto, caso o tempo seja limitado, o grupo todo pode jogar ao mesmo tempo. Inicie com a Parte I pedindo que os jogadores trabalhem individualmente. Para a Parte II, peça que os jogadores escolham um parceiro. Para a Parte III, simplesmente peça para que dois ou três times de duplas se reúnam formando um círculo e continue a dar as instruções.

ÁREAS DE EXPERIÊNCIA
Tocar – Ser Tocado
Objeto no Espaço: Tornando Visível o Invisível
Espelho/Siga o Seguidor
Comunicação Não Verbal
Jogo Sensorial

TRANSFORMAÇÃO DE OBJETOS — A35

PREPARAÇÃO
Introdutórios: *Substância do Espaço* (A33) e *Moldando o Espaço* (A34)
Coordenador: Veja Comentário sobre *Transformação* (Manual, p. 46)
Jogadores na plateia.

FOCO
Usar movimento e energia física com o corpo todo para criar mudança/transformação no objeto no espaço.

DESCRIÇÃO
Um grupo grande de dez ou mais jogadores ficam em pé no círculo. O primeiro jogador, focalizando a substância do espaço entre as palmas das mãos, movimentando a substância do espaço com movimentos da cabeça aos dedões do pé, permite que um objeto assuma forma e depois o passa para o próximo jogador. O segundo jogador manipula e joga com esse objeto, permitindo que a substância do espaço assuma uma nova forma e depois passa para o próximo jogador. Os jogadores não devem modificar o objeto que receberam. Quando o objeto se transforma por si mesmo, a transformação será visível. Caso não haja transformação, os jogadores simplesmente passam o objeto que receberam para o próximo jogador. Por exemplo, se um jogador recebeu um ioiô, ele pode ser transformado em um pássaro ou em um acordeão, dependendo como a energia estiver sendo intensificada e utilizada no jogo. Os objetos devem ser passados no círculo de um a um entre os jogadores.

INSTRUÇÃO
Mantenha o objeto no espaço! Use o corpo todo para jogar com o objeto! Não planeje a modificação! Jogue com o objeto! Sinta a energia surgir a partir do seu corpo até o objeto! Na substância do espaço! Você fica fora! Deixe seu corpo todo responder! Intensifique! Intensifique! Passe-o para diante (depois da transformação)!

AVALIAÇÃO
Jogadores, os objetos se transformaram? Ou vocês modificaram o objeto? Vocês tiveram a sensação de que os objetos se transformavam por si mesmos?

NOTAS
1. Percebe-se um alto nível de excitação quando um objeto se transforma por si mesmo. Quando um jogador tem essa experiência, é preciso dizer

que é exatamente isso o que o FOCO fará pelos jogadores, isto é, deixar algo acontecer.
2. Os jogadores não devem associar outro objeto com o objeto que receberam e nem devem impor uma situação ou história. Jogando o objeto que receberam no espaço e fora da cabeça, a transformação acontecerá.
3. Movimento com o corpo todo promove a energia física necessária para a transformação. Dê instruções solicitando resposta física total.

ÁREAS DE EXPERIÊNCIA
Tocar – Ser Tocado
Objeto no Espaço: Tornando Visível o Invisível
Comunicação Não Verbal
Jogo Sensorial
Tempo Presente/Aqui, Agora!

TRÊS MOCINHOS DE EUROPA*　　　　　　　　　　　　A36

PREPARAÇÃO
Grupo todo.

FOCO
Nenhum.

DESCRIÇÃO
Os jogadores dividem-se em dois times de tamanho igual e formam duas fileiras paralelas. O primeiro time entra em acordo sobre uma profissão ou ocupação a ser mostrada e então se dirige ao outro time através do seguinte diálogo:
Primeiro time: Somos três mocinhos que viemos da Europa.
Segundo time: O que vieram fazer?
Primeiro time: Muitas coisas bonitas.
Segundo time: Então faz para a gente ver!
O primeiro time aproxima-se do segundo o mais próximo que ousar e então mostra a sua profissão ou ocupação dentro da área de atuação, delimitada como pique (vide gráfico abaixo) dos times A e B. O time A atua diante do pique de B e os jogadores estão salvos ao voltar (jogo de pegador) para o seu pique. Cada jogador atua individualmente. O segundo time procura identificar o que está sendo mostrado e quando alguém identifica corretamente, o primeiro time corre para o seu pique enquanto o segundo time procura pegar o maior número de jogadores que puder. Todos os que foram pegos entram para o time dos pegadores. O segundo time escolhe uma profissão e o diálogo é repetido seguido da atuação, como antes. Ambos os lados tem o mesmo número de partidas e aquele que tiver o número maior de jogadores ao final é vencedor.

```
    ┌ ← ─ ─ ─ ─ ─ │ ─ ─ ─ ─ ─          │
A   │   ─ ─ ─ ─ ─ │ ─ ─ → A    B
    │       B  ← ─ ┼ ─ ─ ─ ─            │
    │   ─ ─ ─ ─ ─ │ ─ ─ ─ ─ ─ →
```

NOTAS
1. Variantes desse jogo podem ser jogados com animais, flores, árvores e objetos em lugar de profissões.

---

* O jogo tradicional americano foi substituído por esse jogo tradicional brasileiro. (N. da T.)

ÁREAS DE EXPERIÊNCIA
Jogo Tradicional: Jogo Dramático
Objeto no Espaço: Tornando Visível o Invisível
Aquecimento Ativo
Comunicação Não Verbal

O QUE ESTOU COMENDO? CHEIRANDO? OUVINDO?   A37

PREPARAÇÃO
Introdutório: *Três Mocinhos de Europa* (A36)
Jogadores na plateia.

FOCO
Comunicar e mostrar – não contar.

DESCRIÇÃO
Divida o grupo em dois times iguais. Cada time entra em acordo secretamente sobre alguma coisa para comer (ou cheirar, ouvir, sentir, olhar etc.) Então joga-se o jogo *Três Mocinhos de Europa*, sendo que os jogadores devem comunicar o que estão comendo etc. em lugar de uma profissão. Se não for possível jogar com pegador, o primeiro time fica de frente para o time de jogadores na plateia e cada jogador em cena comunica, da sua maneira, o que está comendo, bebendo, ouvindo etc. Em lugar de pedir que adivinhem para que os jogadores saiam correndo, os jogadores na plateia se reunem e entram em acordo grupal sobre o que estava sendo comunicado. O coordenador pode transformar esse jogo fazendo contagem de pontos.

INSTRUÇÃO
Mostre! Não conte! Comunique! Fique aberto para a comunicação! Mostre, não conte!

AVALIAÇÃO
Os jogadores mostraram ou contaram? Jogadores, vocês concordam com os jogadores na plateia?

NOTAS
1. Não deve haver diálogo entre os jogadores. Os jogadores jogam individualmente, agrupados.
2. Mesmo sem diálogo, os jogadores podem contar fazendo movimentos físicos óbvios. Os jogadores mostram quando estão focalizados naquilo que deve ser comunicado.
3. Sublinhe que quando o FOCO está completo, os jogadores na plateia podem ver o que está sendo comido, bebido etc.

ÁREAS DE EXPERIÊNCIA
Comunicação Não Verbal
Teatro: O Quê (Atividade)
Mostrar, Não Contar

É MAIS PESADO QUANDO ESTÁ CHEIO — A38

PREPARAÇÃO
Introdutório: *Jogo de Bola #2* (A10) e *Playground #1* (A23)
Jogadores na plateia.

FOCO
Manter o peso dos objetos no espaço e fora da cabeça.

DESCRIÇÃO
Faça a contagem em times de dez jogadores. Os times entram em acordo sobre uma atividade na qual recipientes devem ser enchidos, esvaziados e enchidos novamente. Dois ou três membros de um time podem carregar objetos em conjunto. Alguns exemplos são colher maçãs; enchendo o cofre com um tesouro; carregar água.

INSTRUÇÃO
Sinta o peso nas suas pernas! Com as costas! Não apenas nos braços! Sinta o peso com o corpo todo!

AVALIAÇÃO
Os jogadores mostraram a diferença de peso (resposta corporal) ou contaram (piada)? Jogadores, vocês concordam com a plateia? Porque é necessário o jogador saber que *é mais pesado quando está cheio*?

NOTAS
1. Variante: manipulando objetos de diferentes pesos, como escavar a areia; levantando pesos.
2. Veja, *Improvisação para o Teatro*, pp. 262-263 a respeito desse jogo com crianças de seis a oito anos.

ÁREAS DE EXPERIÊNCIA
Comunicação Não Verbal
Teatro: O Quê (Atividade)
Mostrar, Não Contar
Objeto no Espaço: Tornando Visível o Invisível

DIFICULDADE COM OBJETOS PEQUENOS — A39

PREPARAÇÃO
Aquecimento: *Moldando o Espaço* (A34).
Jogadores na plateia.

FOCO
Em ter dificuldade com objetos pequenos.

DESCRIÇÃO
Um jogador individual fica envolvido com um objeto pequeno ou peça de roupa que apresenta algum problema. Alguns exemplos incluem abrir uma garrafa; um zíper enguiçado; uma gaveta emperrada; botas apertadas.

INSTRUÇÃO
Mantenha o objeto no espaço e fora da cabeça! Compartilhe com a plateia! Explore o objeto! Intensifique a dificuldade!

AVALIAÇÃO
Qual era o objeto?

NOTAS
1. Quando os jogadores estiverem prontos, dois ou mais podem participar deste exercício por vez.
2. Resistência ao FOCO será revelada quando um jogador intelectualiza (faz dramaturgia) com o problema. Em lugar de ter uma dificuldade física com o objeto, ele pode, por exemplo, mostrar um buraco no sapato e colocar uma nota de dinheiro para tapar o buraco, o que é uma piada e total negação do exercício.

ÁREAS DE EXPERIÊNCIA
Comunicação Não Verbal
Teatro: O Quê (Atividade)
Mostrar, Não Contar
Objeto no Espaço: Tornando Visível o Invisível

JOGO DA BOLA #1 A40

PREPARAÇÃO
Coordenador: antes de apresentar o jogo, leia Comentário sobre *Objeto no Espaço* (Manual, p. 42)
Jogadores na plateia.

FOCO
Manter a bola no espaço e fora da cabeça.

DESCRIÇÃO
Divida o grupo em dois grandes times. Um time é a plateia. Depois inverta as posições. Se estiver trabalhando individualmente dentro de cada time, cada jogador começa a jogar a bola contra uma parede. As bolas são todas imaginárias, feitas de substância do espaço. Quando os jogadores estiverem todos em movimento, o instrutor deverá mudar a velocidade com a qual as bolas são jogadas.

INSTRUÇÕES
(Modifique a velocidade da fala para combinar com a instrução: por exemplo, ao dar a instrução que a bola se move em câmera lenta, fale em câmara lenta). *A bola está se movendo muuuuuiiito, muuuuuuuuuuuuuito lentamente! Pegue a bola em câmera muito lenta! Agora a bola se move normalmente! Use o corpo todo para jogar a bola! Mantenha o seu olho na bola! Troca! Agora muito rápido! Jogue e pegue a bola o mais rápido que você puder! Para trás e para frente tão rápido quanto puder! Normal de novo! Agora novamente muuuuuuuuuuuuuiito leeeentameeeente! Em câmera leeeeeenta! Veja o caminho que a bola percorre no espaço! Deixe que ela tome o seu tempo para percorrer o espaço! Agora normal novamente!*

AVALIAÇÃO
Jogadores, a bola estava no espaço ou em suas cabeças? Plateia, vocês concordam com os jogadores? A bola estava nas suas cabeças ou no espaço? Jogadores, vocês viram o caminho que a bola percorreu no espaço? Plateia, vocês concordam?

NOTAS
1. O jogador sabe quando a bola estava no espaço ou na cabeça. Quando ela está no espaço, ela aparece tanto para o jogador como para a plateia.
2. A questão para os jogadores na plateia *A bola estava no espaço ou nas suas cabeças?* é importante na medida em que confere a responsabilidade da

plateia em observar a emergência que pode ocorrer. Em outras palavras, os jogadores na plateia são tão responsáveis pelo jogo e por manter o FOCO (bola no espaço, fora da cabeça) quanto o time que está jogando.
3. Depois da avaliação do primeiro time, peça para o próximo time jogar. O segundo time beneficiou-se com a avaliação do primeiro time?
4. Dê instruções com energia durante o jogo, enfatizando a utilização do corpo todo para manter a bola em movimento. Os jogadores devem deixar o jogo com todos os efeitos físicos de um jogo real de pegador (calor, respiração ofegante etc.)
5. As palavras utilizadas pelo instrutor na primeira apresentação desse jogo devem ser cuidadosamente escolhidas. Os jogadores não devem fazer de conta, imaginar para tornar a bola real. Os jogadores são simplesmente instruídos a manter a bola no espaço e fora da cabeça.
6. Quando a bola aparece, ela pode ser vista como uma ligação física que é tão real como se uma bola de verdade estivesse sendo usada. Todos saberão quando isso acontece.
7. Para mais informações sobre "Fora da Mente! No Espaço!" veja o Manual, p. 57.

ÁREAS DE EXPERIÊNCIA
Parte do Todo: Interação
Objeto no Espaço: Tornando Visível o Invisível
Jogo de Playground
Aquecimento Ativo
Comunicação Não Verbal
Movimento Físico e Expressão

FISICALIZANDO UM OBJETO   A41

PREPARAÇÃO
Introdutórios: *Jogo de Bola* #1 (A40) e *Transformação de Objetos* (A35)
Jogadores na plateia.

FOCO
Vida e movimento do objeto.

DESCRIÇÃO
Jogador individual. Cada jogador seleciona um objeto vivo ou que possa ser colocado em movimento. Por exemplo: gato, peixe, inseto, ioiô, pipa, bola de boliche etc. Ao manipular o objeto, o jogador deve comunicar para os jogadores na plateia a vida e/ou movimento desse objeto.

INSTRUÇÃO
O que o objeto está fazendo? Veja o objeto no espaço! Fora da cabeça! Deixe seu corpo todo mostrar a vida do objeto! Mostre com os pés! Com os ombros! O cotovelo!

AVALIAÇÃO
Os jogadores mostraram ou contaram? O objeto estava no espaço ou em suas cabeças? Jogadores, vocês concordam?

NOTAS
1. Esteja atento para não dizer aos jogadores *como* dar vida ao objeto durante as instruções. No entanto, se o objeto é uma bola de boliche, a plateia deve entender o que está acontecendo na medida em que o objeto sai das mãos do jogador.
2. A instrução pode pedir tempo para finalizar a apresentação do jogador.
3. Os jogadores na plateia não devem adivinhar mas sim prestar atenção à comunicação.

ÁREAS DE EXPERIÊNCIA
Comunicação Não Verbal
Teatro: O Quê (Atividade)
Mostrar, Não Contar
Objeto no Espaço: Tornando Visível o Invisível

ENVOLVIMENTO EM DUPLAS   A42

PREPARAÇÃO
Introdutório: *Cabo de Guerra* (A12).
Jogadores na plateia.

FOCO
No objeto entre os jogadores.

DESCRIÇÃO
Times de dois jogadores entram em acordo sobre um objeto entre eles e iniciam uma atividade determinada pelo objeto, como estender um lenço, empurrar um carro enguiçado.

INSTRUÇÃO
Vejam o objeto entre vocês! Mantenham o objeto no espaço! Fisicalize o objeto! Mostre! Não conte! Usem o corpo todo!

AVALIAÇÃO
Qual era o objeto? Os jogadores mostraram ou contaram? Os jogadores trabalharam juntos? Esse time tirou proveito das avaliações anteriores? Jogadores, vocês concordam?

NOTAS
1. É natural que os jogadores queiram planejar a ação anteriormente, o que impede a espontaneidade e resulta em ações desajeitadas ou medo. Para evitar dramaturgia, peça que cada time escreva o nome de seu objeto em uma tira de papel e a coloque em um recipiente. Cada time pega sua tira antes da sua vez de jogar.
2. Os jogadores não devem construir uma história em torno do objeto e por isso deveria haver pouca necessidade de diálogos. Sugira que o objeto seja do tipo que normalmente exija uma resposta tátil.

ÁREAS DE EXPERIÊNCIA
Parte do Todo: Interação
Objeto no Espaço: Tornando Visível o Invisível
Teatro: O Quê (Atividade)
Comunicação Não Verbal.

© 2001 Perspectiva

CORRIDA DE CORDAS A43

PREPARAÇÃO
Grupo todo ou jogadores na plateia.

FOCO
Nenhum.

DESCRIÇÃO
Dois times formam duas linhas de frente uma para a outra. Dois anéis de corda de tamanho igual são feitos de corda com tamanho suficiente para envolver a cintura do jogador mais gordo. A um sinal, o primeiro jogador de cada time passa pelo anel, primeiro com a cabeça ou com os pés, conforme preferir, mas sem auxílio de outro jogador. O próximo jogador pega o anel fazendo o mesmo e assim por diante. A linha que terminar primeiro vence.

ÁREAS DE EXPERIÊNCIA
Jogo Tradicional
Aquecimento Ativo

RUAS E VIELAS   A44

PREPARAÇÃO
Coordenador: Caso o espaço da sala de aula ou níveis de barulho sejam restritos, esse jogo deveria ser feito no pátio ou na quadra.
Grupo todo.

DESCRIÇÃO
Quatorze ou mais jogadores. Eleja um polícia e um ladrão. Todos os outros jogadores formam fileiras ficando em pé em linhas iguais com os braços estendidos para os lados na altura dos ombros. A um sinal do coordenador, todos se viram para a direita a um quarto de circunferência, bloqueando a passagem do polícia ou do ladrão. Quando o ladrão for pego, permita que os jogadores escolham seu posicionamento. Quando o sinal dado é *Ruas!* todos os jogadores ficam de frente para o instrutor e quando é dado o sinal *Vielas!*, todos ficam de frente ao quarto de circunferência. O ladrão e polícia não podem pegar ou atravessar o bloqueio formado pelos braços ou cortar uma rua ou ruela. Peça para os jogadores formarem a posição de Ruas (veja o diagrama) e praticar a mudança entre Ruas e Vielas algumas vezes antes de iniciar a perseguição do polícia e ladrão.

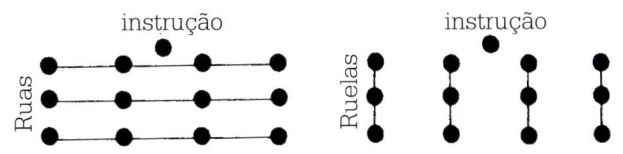

NOTAS
1. O sucesso do jogo depende do alerta do instrutor ao enunciar as mudanças no momento em que o polícia está na iminência de pegar o ladrão ou o ladrão esteja por demais seguro em relação ao polícia. O instrutor envolve-se com a caça e com o destino do ladrão, o que cria um estado de crise. Atuar em crises (salvar ou não salvar) é estimulante para a pessoa como um todo e aumenta o estado de alerta e as capacidades de aprendizagem.
2. Esse jogo tradicional é especialmente útil para treinar os alunos como instrutores. De início, escolha alunos-instrutores que têm uma atitude de alerta natural para o ambiente, pois o jogo deve ser mantido em movimento para evitar queda de energia ou fadiga. Com o tempo, todos os jogadores devem assumir o papel de instrutores para aprender a lidar com a crise momentânea que o jogo apresenta para o instrutor.
3. Veja a próxima ficha que traz variantes para jogar esse jogo.

© 2001 Perspectiva

ÁREAS DE EXPERIÊNCIA
Jogo Tradicional
Aquecimento Ativo

RUAS E VIELAS: VARIANTES — A45

Em Câmera Lenta
Jogar como no jogo regular, pedindo para o polícia e o ladrão se movimentarem em câmera lenta e as fileiras mudarem de Ruas para Ruelas e vice-versa em câmera lenta.

Com Personagens (especialmente útil para alunos de teatro)
Indique papéis para o fugitivo e o perseguidor: um batedor de carteira correndo de um policial ou sua vítima; uma bruxa; um duende; uma princesa fugindo do rei etc.

Fileiras Trocando Sem dar Instruções
Indique papéis da mesma forma como Com Personagens, acima. As fileiras trocam de Ruas para Vielas, ajudando ou impedindo sem qualquer instrução. Essa variante traz grande excitação na medida em que o grupo de jogadores (as fileiras) salvam o fugitivo ou permitem que seja pego por decisão própria, através de comunicação não verbal. A sala pode ficar preenchida de vibrações intensas quando as fileiras são descerradas sobre o fugitivo. Também o inverso é verdadeiro. Quando o fugitivo é salvo, a sala vibra com alegria. Essa variante não deve ser usada até que todos os jogadores tenham passado pela experiência do jogo e estejam alertas uns para com os outros.

ÁREAS DE EXPERIÊNCIA
Jogo Tradicional
Aquecimento Ativo

O OBJETO MOVE OS JOGADORES — A46

PREPARAÇÃO
Jogadores na plateia.

FOCO
No objeto que movimenta os jogadores.

DESCRIÇÃO
Qualquer número de jogadores entram em acordo sobre um objeto, como barco a vela; roda gigante; elefante etc., que deve movê-los a todos simultaneamente.

INSTRUÇÃO
Sinta o objeto! Deixe que o objeto os coloque em movimento! Vocês estão todos juntos! Mantenha o objeto no espaço, fora da cabeça! Perceba o objeto movendo você! (Repita todas as instruções, se necessário.) Intensifique! Deixe que o objeto movimente você!

AVALIAÇÃO
Plateia, os jogadores permitiram que o objeto os colocasse em movimento? Eles iniciaram o movimento? Os jogadores se movimentaram a partir da observação dos outros jogadores? Jogadores, vocês transformaram esse jogo em um jogo de espelho (refletindo os movimentos dos outros) ou vocês permaneceram com o FOCO?

NOTAS
1. Quando o FOCO é mantido no objeto em movimento, os jogadores percebem o objeto entre eles e os jogadores na plateia irão reconhecê-lo.
2. Jogadores que ainda não estão prontos para deixar que o FOCO trabalhe por eles poderão ficar observando seus parceiros para saber quando se movimentar. Continue dando a instrução *Deixe que o objeto movimente você!* mais e mais como um auxílio para quebrar essa dependência.
3. Muitas vezes os jogadores só *deixam acontecer* permitindo que o objeto os mova com constante instrução. Todos os times devem jogar o jogo até que essa experiência seja compartilhada por todos.

ÁREAS DE EXPERIÊNCIA
Comunicação Não Verbal.
Teatro: O Quê (Atividade)
Objeto no Espaço: Tornando Visível o Invisível
Parte do Todo: Interdependência

ACRESCENTAR UMA PARTE — A47

PREPARAÇÃO
Introdutório: *Parte do Todo #1: Objeto* (A25).
Jogadores na plateia.

FOCO
Usar parte de um objeto no espaço – fora da cabeça.

DESCRIÇÃO
De oito a dez jogadores por time. O primeiro jogador usa ou estabelece contato com parte de um objeto grande que apenas ele tem em mente e sai da área de jogo. Um a um, os jogadores usam ou entram em contato com outras partes do objeto até que o objeto todo seja deixado no espaço. Por exemplo, o primeiro jogador senta-se e utiliza uma direção, o segundo liga o para-brisas, o terceiro abre a porta do carro e assim por diante.

INSTRUÇÃO
Deixe-nos ver o que você está vendo! Deixe que o objeto ocupe seu lugar no espaço! Permaneça com o mesmo objeto! Outros jogadores veem o todo pelas partes deixadas em cena! Não planeje a sua parte! Utilize o que foi deixado pelos outros e deixe sua parte aparecer!

AVALIAÇÃO
Plateia, qual era o objeto? As partes acrescentadas estavam no espaço ou na cabeça dos jogadores? Jogadores, vocês concordam? Primeiro jogador, era esse o objeto que você tinha em mente?

NOTAS
1. Esse jogo é semelhante a *Parte do Todo* (A25), mas os jogadores não se tornam parte do objeto com seu corpo. Eles deixam partes de um objeto maior no espaço da área de jogo.
2. Os jogadores não devem construir parte do objeto com instrumentos, mas sim utilizar essa parte. O para-brisa, no exemplo acima, pode ser acrescentado através dos movimentos dos olhos. O FOCO nesse jogo é em fazer aparecer – quando o invisível se torna visível.

ÁREAS DE EXPERIÊNCIA
Parte do Todo: Interdependência
Teatro: Orientação Inicial para o Onde (Cenário e/ou Ambiente)
Objeto no Espaço: Tornando Visível o Invisível
Comunicação Não Verbal

ENVOLVIMENTO EM TRÊS PARTES OU MAIS — A48

PREPARAÇÃO
Introdutório: *Envolvimento em Duplas* (A42).
Jogadores na plateia.

FOCO
Manter o objeto no espaço, entre os jogadores.

DESCRIÇÃO
Times de três ou mais jogadores. Os jogadores entram em acordo sobre um objeto que não possa ser usado sem envolver a todos. Os jogadores participam de uma ação conjunta na qual todos movem o mesmo objeto. Por exemplo: puxando uma rede de pesca; carregando uma canoa; empurrando um carro enguiçado.

INSTRUÇÃO
Trabalhem juntos! Vocês precisam uns dos outros para solucionar o problema! Vejam o objeto no espaço! Vejam o objeto entre vocês!

AVALIAÇÃO
Os jogadores trabalharam juntos? Ou um deles não era necessário para a tarefa? Jogadores, vocês precisaram uns dos outros para mover o objeto? Plateia, vocês concordam? Esse time tirou proveito das avaliações dos times precedentes?

NOTAS
1. O jogo teatral *Envolvimento em Duplas* fará com que, tal qual no *Cabo de Guerra* (A12), os jogadores fiquem quase automáticamente envolvidos uns com os outros através do objeto. O presente jogo pode tender a confundir os jogadores, ou seja, um dos jogadores dirige os outros dois movimentando o objeto em lugar de deixar que todos os três fiquem diretamente envolvidos.

ÁREAS DE EXPERIÊNCIA
Parte do Todo: Interdependência
Teatro: Orientação Inicial para O Quê (Atividade)
Objeto no Espaço: Tornando Visível o Invisível
Comunicação Não Verbal

SIGA O SEGUIDOR #2 — A49

PREPARAÇÃO
Introdutórios: *Espelho* (A15) e *Siga o Seguidor #1* (A17).
Veja Comentário sobre o *Espelho* (Manual, p. 43).
Jogadores na plateia.

FOCO
Em refletir exatamente os movimentos do iniciador.

DESCRIÇÃO
Forme times de quatro jogadores. Dois jogadores iniciam o movimento; eles são chamados de subtime A. Os outros dois refletem; eles são chamados de subtime B. Esse jogo inicia exatamente da mesma forma como o *Espelho* (A15), exceto que uma pessoa é acrescentada em ambos os lados. Por exemplo: um barbeiro fazendo a barba de um freguês; os outros dois jogadores refletem seus movimentos. Depois de um tempo, troque os papéis. Quando os jogadores estiverem se movimentando livremente, as trocas não precisam ser instruídas e os jogadores seguem o seguidor.

INSTRUÇÃO
Subtime B inicia! Subtime A reflete! Reflita apenas o que você está vendo! Não o que você pensa que está vendo! Reflita exatamente, da cabeça aos pés! Seja um espelho exato! Troca! O espelho está entre vocês! Troca! Agora B reflete e A inicia! Siga o seguidor!

AVALIAÇÃO
Jogadores, vocês sabiam quando estavam iniciando e quando estavam refletindo? Plateia, eles seguiram o seguidor?

NOTAS
1. Com o tempo, muitos jogadores podem seguir o seguidor simultaneamente, como no jogo teatral *Moldando o Espaço* (A34).

ÁREAS DE EXPERIÊNCIA
Jogo de Olhar-Ver
Parte do Todo: Ligação
Espelho/Siga o Seguidor
Comunicação Não Verbal
Tempo Presente/Aqui, Agora!

JOGO DOS SEIS NOMES — A50

PREPARAÇÃO
Grupo todo. O coordenador pode assumir a posição do jogador no centro.

FOCO
Em nomear rapidamente seis objetos com a mesma letra no início.

DESCRIÇÃO
Todos os jogadores, menos um, que fica em pé no centro, estão sentados em círculo. O jogador no centro fecha os olhos enquanto os outros passam um pequeno objeto de um para o outro. Quando o jogador no centro bate palmas, o jogador que foi pego com o objeto na mão deve permanecer com esse até que o jogador no centro aponte para ele e lhe dê uma letra do alfabeto. (Não deve ser feito nenhum esforço para esconder o objeto do jogador no centro.) Então o jogador que está com o objeto deve nomear seis objetos que iniciam com a letra sugerida pelo jogador no centro enquanto o objeto dá a volta no círculo, passando de mão em mão. Caso o jogador não consiga nomear seis objetos enquanto o objeto dá a volta no círculo, ele troca de lugar com aquele que está no centro. Se o círculo for pequeno, o objeto pode dar duas ou três voltas.

NOTAS
1. Esse jogo tradicional é útil como aquecimento e pode ser facilmente adaptado para necessidades curriculares: diga o nome de seis cidades na França; seis advérbios etc.
2. Para crianças pequenas que não conhecem o alfabeto, peça para os jogadores nomearem objetos de uma determinada categoria: seis animais, seis frutas etc.
3. Para mais informações, consulte o Manual.

ÁREAS DE EXPERIÊNCIA
Jogo Tradicional
Aquecimento Silencioso
Comunicação: Familiaridade e Flexibilidade com Palavras
Jogo para Leitura

ESPELHO COM PENETRAÇÃO #1 — A51

PREPARAÇÃO
Introdutório: *Espelho* (A15).
Jogadores na plateia.

FOCO
Reestruturar seu rosto de dentro para fora para parecer-se com o outro.

DESCRIÇÃO
Os jogadores formam pares ou escolhem parceiros que tenham rostos estruturalmente diferentes dos seus. Cada time de dois jogadores estabelece um relacionamento simples (marido/ mulher etc.) e escolhem um tópico para discussão ou argumentação. Os jogadores sentam-se um de frente para o outro, e iniciam a conversa. Quando o coordenador chamar o nome de um dos jogadores, este assume a estrutura facial de seu parceiro enquanto continua a discussão. Quando chamados, os jogadores não devem refletir o movimento e a expressão da face do parceiro como nos exercícios de espelho anteriores, mas devem procurar reestruturar a sua face para parecer com a do parceiro. Quando o nome do parceiro é chamado, o primeiro jogador volta à sua própria estrutura facial. Os jogadores devem continuar a discussão sem interrupção, enquanto o coordenador muda o *espelho* frequentemente.

INSTRUÇÃO
Reconstrua o seu nariz como o do parceiro! Maxilar! Testa! Mudem o espelho! Focalize o lábio superior do parceiro! Mantenha a discussão! Modifique a linha do seu queixo! Seu maxilar! Mudem o espelho! Exagere os ossos faciais! Continue conversando! Modele a sua face para parecer como a de seu parceiro! De dentro para fora! Compartilhe a sua voz!

AVALIAÇÃO
Você penetrou na estrutura facial ou simplesmente refletiu a expressão e o movimento? Jogadores na plateia, vocês concordam?

NOTAS
1. Os jogadores são lançados em um relacionamento explícito de conversação. Contudo, os dois parceiros devem estar tão ocupados com a penetração e em reestruturar o seu rosto que o problema do diálogo pode ser resolvido facilmente.

2. No início, os jogadores mostrarão pouca modificação física no rosto. Este jogo tem valor apesar deste aparente resultado modesto, pois força o jogador a olhar e ver.
3. Os jogadores devem penetrar nos rostos um do outro para remodelar o seu próprio para parecer com o do outro. Devem ser evitadas expressões superficiais. Para diminuir a apreensão, instrua os jogadores a *Exagerar a estrutura facial do outro!*.

ÁREAS DE EXPERIÊNCIA
Jogo de Olhar-Ver
Espelho/Siga o Seguidor
Objeto no Espaço: Tornando Visível o Invisível
Comunicação: Familiaridade e Flexibilidade com Palavras
Comunicação: Falando-Diálogo
Comunicação Não Verbal
Jogo para Leitura
Jogo Sensorial
Tempo Presente/Aqui, Agora!

FALA ESPELHADA #1 — A52

PREPARAÇÃO
Introdutórios: *Espelho* (A15) e *Siga o Seguidor #1* (A17).
Jogadores na plateia.

FOCO
Refletir/espelhar as palavras do iniciador em voz alta.

DESCRIÇÃO
Times de dois jogadores. Os jogadores permanecem um de frente para o outro e escolhem um tema para conversar.

Parte I: Um dos jogadores é o iniciador e inicia a conversa em voz alta. O outro jogador reflete e espelha em voz alta as palavras do iniciador. Quando é dada a instrução *Troca!*, os jogadores mudam de posição. Aquele que refletia se torna o iniciador do discurso e fala em voz alta. As trocas devem ser feitas sem interrupção da fluência das palavras.

Parte II: Depois de algum tempo não será mais necessário que o coordenador dê as instruções para as trocas. Os jogadores irão *seguir o seguidor* no discurso, pensando e dizendo as mesmas palavras simultaneamente, sem esforço consciente.

INSTRUÇÃO
Parte I: *Pronuncie silenciosamente as palavras ditas pelo iniciador! Sem pausa! Sem espaço de tempo! Observe seu corpo ao espelhar a fala do parceiro! Troque o espelho! Mantenha a fluência das palavras! Troque o espelho! Perceba seu corpo ao refletir a fala de seu parceiro! Troca! Sinta suas pernas! Suas mãos! Seus ombros! Troca!*

Parte II: *Continue falando! Fique na sua! Mantenha o mesmo nível de atenção corporal! Sinta seus pés! Atenção corporal total ao outro ao conversar! Ouça com seus ombros! Suas mãos! Seus dedos do pé! Compartilhe sua voz!*

AVALIAÇÃO
Jogadores, quando estavam refletindo a fala, como sentiram seus corpos? (Para a Parte II) A resposta com atenção intensificada no corpo todo fez alguma diferença para vocês? Plateia, vocês concordam? (Para a Parte I) Como os jogadores pareciam quando estavam espelhando a fala? E seus

© 2001 Perspectiva

pés? Suas costas? (Para a Parte II) A resposta com o corpo todo ao conversar fez alguma diferença na conversação mantida pelos jogadores?

NOTAS

1. Todos aprendem de forma não verbal que o ato de ouvir/escutar exige envolvimento físico orgânico total como em um jogo de bola, nadar, e jogar. Esse jogo é muito adequado para a sala de aula.
2. O assunto de conversação entre os jogadores pode ser escolhido pela dupla, sugerido pela plateia ou ir ao encontro de necessidades curriculares. Por exemplo, depois de ver um filme sobre cidades (ou outro tema), discuta o filme e as cidades utilizando a fala espelhada. Observe como os alunos conversam à vontade, com vivacidade e interesse.
3. Times de dois jogadores podem reunir-se em diferentes lugares da sala e todos jogam simultaneamente, enquanto o coordenador dá as instruções para todos os times ao mesmo tempo.

ÁREAS DE EXPERIÊNCIA
Jogo de Ouvir-Escutar
Jogo de Olhar-Ver
Espelho/Siga o Seguidor
Comunicação: Familiaridade e Flexibilidade com Palavras
Comunicação: Falando-Diálogo
Comunicação Não Verbal
Jogo para Leitura
Jogo Sensorial
Tempo Presente/Aqui, Agora!

VISÃO PERIFÉRICA A53

PREPARAÇÃO
Introdutório: *Extensão da Visão* (A20).
Grupo todo.

FOCO
Em expandir a visão.

DESCRIÇÃO
Os jogadores são instruídos a expandir a visão em diferentes direções sem virar suas cabeças, e depois combinar essas extensões.

INSTRUÇÃO
Voltem seus olhos para a esquerda o mais possível! Mais ainda! Ainda mais! Experimente ver atrás de você! Agora virem seus olhos para a direita tão longe quanto puderem! Circule! Volte! Agora olhe para a frente! Olhe para a direita e para a esquerda ao mesmo tempo! Vamos experimentar novamente! Direita! Esquerda! Para a frente/direita/esquerda/ao mesmo tempo! Agora veja acima de sua cabeça! Veja a cabeça por trás! Agora em linha reta para a frente! Agora para baixo, o mais longe que alcançar! Veja embaixo de seus pés! Não imagine! Experimente literalmente fazê-lo! Agora olhe para a frente e para cima e para baixo ao mesmo tempo! Novamente! Agora esquerda! Direita! Finalmente em frente e para cima/baixo/direita/esquerda ao mesmo tempo! Repita!

AVALIAÇÃO
A visão foi estendida? Para alguns? Era como se houvesse uma lente de abertura? Vocês conseguiram ver mais?

NOTAS
1. Os jogadores podem fazer esse exercício sozinhos, caminhando na rua, guiando o carro etc.
2. Alguns jogadores comentaram que jogar esse jogo é como estar no centro de efervescência criativa que promove novas visões.
3. Esse exercício também pode ajudar a corrigir olhares fixos.

ÁREAS DE EXPERIÊNCIA
Jogo de Olhar-Ver
Aquecimento Silencioso
Jogo Sensorial

AQUECIMENTO BÁSICO   A54

PREPARAÇÃO
Introdutórios: *Sentindo o Eu com o Eu* (A19) e *Visão Periférica* (A53). Grupo todo.

FOCO
Em estender a visão.

DESCRIÇÃO
Os jogadores permanecem sentados em silêncio nas carteiras, em não movimento, abertos para receber a instrução.

INSTRUÇÃO
Percebam vocês mesmos sentados em suas carteiras! Percebam o espaço à sua volta! Agora deixem que o espaço perceba vocês! Permaneçam sentado em não movimento! Balancem suas cabeças! Deixem que o peso da cabeça execute o movimento! Não o corpo! Deixem os ombros à vontade! Vocês ficam de fora! Deixem que suas cabeças se movimentem em círculo! Agora deixem que suas cabeças rolem para a esquerda e movimentem seus olhos tão longe para a esquerda quanto for possível! Enviem seu olhar ainda mais para a esquerda! Agora para a direita! Façam com que seus olhos se movimentem o mais longe possível para a direita! A cabeça para a frente sobre o peito! Movimentem os olhos para baixo enrolando a cabeça sobre o peito! Agora deixem os olhos rolarem com a cabeça tão longe para trás quanto possível! Enviem o olhar ainda mais para trás! (Repita cada uma das direções duas ou três vezes).

AVALIAÇÃO
Nenhuma.

NOTAS
1. *Sentindo o Eu com o Eu* (A19) também é um aquecimento básico que pode ser usado a qualquer momento para diminuir fadiga.

ÁREAS DE EXPERIÊNCIA
Aquecimento Silencioso
Revigoramento
Jogo de Olhar-Ver
Jogo Sensorial

© 2001 Perspectiva

PEGADOR – PEGADOR COM EXPLOSÃO — A55

PREPARAÇÃO
Coordenador: estabeleça uma área relativamente pequena no pátio ou sala de aula. Uma área de 3m x 3m é adequada para quinze jogadores. Grupo todo.

FOCO
Nenhum nesse jogo tradicional.

DESCRIÇÃO
Muitos jogadores (metade do grupo joga e a outra metade torna-se plateia). Um jogo regular de pegador é iniciado dentro de limites. O grupo estabelece quem será o pegador. Os jogadores não podem sair dos limites. Quando o nível de energia estiver elevado, o coordenador acrescenta uma outra regra. Quando forem pegos, os jogadores devem tomar o seu tempo para *explodir*. Não há forma preestabelecida para *explodir*.

INSTRUÇÃO
Permaneçam dentro dos limites! Lembrem-se dos limites! (Quando o nível de energia estiver elevado.) Quando forem pegos, tomem o seu tempo para explodir! Antes de perseguir outro jogador, tome o seu tempo para explodir! Exploda da forma como quiser! Caia no chão! Grite! Como quiser!

NOTAS
1. Esse jogo de pegador é um aquecimento natural e introdutor para *Câmera Lenta – Pegador Congelar* (A56). Ainda que você tenha restrições de níveis de tempo e barulho, mesmo um minuto de *Pegador – Pegador com Explosão* é válido.
2. Explosão é uma ação espontânea no momento de ser pego. Os jogadores fazem uma *pausa* momentânea através dessa explosão.

ÁREAS DE EXPERIÊNCIA
Jogo Tradicional
Aquecimento Ativo

CÂMERA LENTA – PEGAR E CONGELAR   A56

PREPARAÇÃO
Coordenador: estabeleça uma área relativamente pequena para jogar (3x3m).
Introdutório: *Pegador – Pegador com Explosão* (A55).
Grupo todo.

FOCO
Movimentar-se em câmera lenta.

DESCRIÇÃO
Muitos jogadores. (Se o tempo permitir, metade do grupo é plateia enquanto a outro metade está jogando). Depois de um curto período de aquecimento com *Pegador – Pegador com Explosão*, um jogo de pegador com congelar é realizado em câmera muito lenta e dentro dos limites. Aponte para o primeiro pegador. Todos os jogadores devem estar correndo, respirando, agachando, olhando, rindo etc. em câmera muito lenta. Quando pegar outro jogador, o pegador deve congelar na posição exata em que estava naquele momento. O novo pegador continua em câmera lenta e congela naquela posição em que estava ao pegar um novo jogador, que se torna pegador. Todos os jogadores que ainda não foram pegos devem ficar dentro dos limites e movimentar-se em câmera lenta por entre e em torno dos jogadores congelados (como em volta de árvores em uma floresta). O jogo continua até que todos estejam congelados.

INSTRUÇÃO
(Dê a instrução em câmera lenta.) *Corra em câmera lenta! Respire em câmera lenta! Abaixe em câmera lenta! Pegue em câmera lenta! Levante seus pés em câmera lenta! Congele em câmera lenta! Permaneça dentro dos limites em câaaameraaaa muuuuuuuiiiiiitooooo leeeenntaaaaa!*

AVALIAÇÃO
Há diferença entre movimentar-se lentamente e movimentar-se em câmera lenta? Plateia, vocês viram uma diferença entre movimentar-se lentamente (iniciar, parar, iniciar, parar) e movimentar-se em câmera lenta (fluência no movimento)?

NOTAS
1. O espaço onde o jogo é realizado deve ser restrito, caso contrário o jogo pode consumir tempo demais. Se o grupo for muito grande, recomenda-se

© 2001 Perspectiva

haver dois pegadores. Ao final, dê a instrução *Pegadores, peguem agora um ao outro!*

ÁREAS DE EXPERIÊNCIA
Exploração do Movimento Corporal
Caminhada no Espaço
Jogo Sensorial
Movimento Físico e Expressão
Tempo Presente/Aqui, Agora!

CONVERSAÇÃO COM ENVOLVIMENTO A57

PREPARAÇÃO
Introdutório: *O Que Estou Comendo? Cheirando? Ouvindo?* (A37) Jogadores na plateia.

FOCO
Continuar uma conversação enquanto come uma refeição.

DESCRIÇÃO
Times com dois ou mais jogadores. Os jogadores estabelecem um tópico de discussão e procedem comendo e bebendo uma refeição farta enquanto sustentam conversação contínua.

INSTRUÇÃO
Sustentem a conversação! Passe o sal! Tome um copo d'água! Vejam os objetos no espaço! Vejam a comida no espaço! Continuem falando! Compartilhem sua voz!

AVALIAÇÃO
O que os jogadores estavam comendo? Jogadores, vocês concordam? Os jogadores mostraram ou contaram? Os jogadores conseguiram comer e manter a conversação ao mesmo tempo? Os objetos apareceram?

NOTAS
1. Esse é um problema duplo no qual os jogadores devem manter os objetos no espaço enquanto sustentam uma conversação. Fazer uma coisa de cada vez é fugir do problema – seja mastigando e engolindo ou ouvindo e falando separadamente.
2. Não deixe que os jogadores criem uma situação a ser representada, o que significa uma fuga do problema a ser solucionado.
3. Engolir é crucial – traz os jogadores para o momento presente. Se os jogadores estiverem fazendo de conta que estão comendo, dê a instrução *Tome o tempo para engolir sua comida!*

ÁREAS DE EXPERIÊNCIA
Comunicação: Falando-Diálogo
Comunicação: Familiaridade e Flexibilidade com Palavras
Jogo para Leitura
Objeto no Espaço: Tornandor Visível o Invisível

© 2001 Perspectiva

RELATANDO UM INCIDENTE ACRESCENTANDO COLORIDO — A58

PREPARAÇÃO
Jogadores na plateia.

FOCO
Ver um incidente em cores na medida em que está sendo contado.

DESCRIÇÃO
Dois jogadores. A conta para B uma história simples (um incidente, limitado a cinco ou seis frases). B conta a mesma história, acrescentando tantas cores quanto possível.

A narra: Eu caminhava pela rua e vi um acidente entre um carro e um caminhão em frente ao edifício escolar...

B reconta: Eu estava caminhando por uma rua cinzenta e vi um acidente entre um carro verde e um caminhão marrom em frente à escola de tijolos vermelhos...

INSTRUÇÃO
Veja seu parceiro! Deixe que seu parceiro o veja! Contato através do olho! Não espere para acrescentar a cor! Veja a cor que você está ouvindo na história! Fale diretamente para o seu parceiro! Compartilhe sua voz!

AVALIAÇÃO
Jogadores, vocês acrescentaram tanto colorido quanto possível? Vocês modificaram a história de qualquer jeito ou acrescentaram àquilo que seu parceiro disse? Plateia, vocês concordam com os jogadores?

NOTAS
1. Ver diretamente o outro deve ser enfatizado para aqueles jogadores que se afastam do contador de história para concentrar-se nas cores.
2. O objetivo do jogo é que o ouvinte veja o incidente através das cores no momento em que está ouvindo.
3. Outras qualidades podem ser acrescidas, além da cor (textura, odores, sons, formas) ou advérbios e adjetivos.
4. Esse exercício pode ser utilizado como aquecimento para *Verbalizando o Onde, Partes I e II* (C40 e C41).
5. Os times podem ser espalhados pela sala e trabalhar simultaneamente.

© 2001 Perspectiva

ÁREAS DE EXPERIÊNCIA
Jogo de Ouvir-Escutar
Comunicação: Familiaridade e Flexibilidade com Palavras
Comunicação: Falando-Narrando
Jogo para Leitura
Jogo de Memória-Observação
Jogo Sensorial

VENDO UM ESPORTE: LEMBRANÇA

PREPARAÇÃO
Jogadores na plateia.

FOCO
Em lembrar as cores, sons, movimentos, personagens etc. de uma experiência passada.

DESCRIÇÃO
Grupo todo. Todos permanecem sentados e lembram de um momento quando presenciaram um evento esportivo.

INSTRUÇÃO
Foco nas cores! Ouçam os sons! Foco nos odores! Veja o movimento! Agora reúna tudo! Foco no que está acima, embaixo, à sua volta! Foco em você mesmo!

AVALIAÇÃO
O passado veio para o presente?

NOTAS
1. Lembranças diretas deveriam ser evitadas na maioria das vezes, já que tendem a ser cerebrais e até mesmo terapêuticas. Esse exercício é simplesmente um meio para que o jogador reconheça a vastidão e o acesso à experiência passada. A experiência presente é o objetivo dos jogos teatrais, mas as lembranças surgirão e serão espontaneamente selecionadas quando necessárias durante o jogo.
2. Tarefa para casa com Ver: peça para os jogadores tomarem alguns momentos de cada dia para focalizar o que está à sua volta, observando cores, sons, o ambiente etc.

ÁREAS DE EXPERIÊNCIA
Teatro: O Quê (Atividade)
Mostrar, Não Contar
Jogo de Memória-Observação

JOGO DO DESENHO   A60

PREPARAÇÃO
Coordenador: compile uma lista de objetos com características simples, porém evidentes (trem, boi, gato, árvore de Natal etc.).
Grupo todo.

FOCO
Comunicar o objeto rapidamente, desenhando-o.

DESCRIÇÃO
Divida o grupo em dois times, fazendo a contagem até dois. Cada time deve ficar a uma distância igual do coordenador, que preparou uma lista de objetos. Cada time envia um jogador até o coordenador, que mostra aos jogadores de cada time a mesma palavra simultaneamente. Caso o grupo seja analfabeto, o coordenador cochicha a palavra para cada jogador. Os jogadores voltam correndo até seus respectivos times e comunicam a palavra desenhando o objeto para que seus parceiros possam identificá-lo. O primeiro time a identificar e falar em voz alta o nome do objeto ganha um ponto. Continue como antes com um novo jogador de cada time a uma nova palavra até que todos os membros dos times tenham tido a oportunidade de desenhar um objeto.

INSTRUÇÃO
Comunique! Continue desenhando! Esse não é um jogo de adivinhação!

NOTAS
1. A capacidade para desenhar não é importante. Esse jogo implica seletividade espontânea que mostra quais alunos são capazes de transmitir rapidamente uma comunicação. Artistas no grupo terão muitas vezes dificuldades.
2. Os desenhos podem ser feitos na lousa com giz ou em folhas grandes de papel com *crayon de lápis de cera*.
3. Variantes para jogadores avançados: use palavras abstratas (alegria, melancolia, triunfo, generosidade, energia etc.).
4. Você notará que pontos e competição se tornarão sem importância diante da excitação provocada pelo jogo.
5. Todas as faixas etárias adoram esse jogo. De tempos em tempos, permita que seus alunos tragam suas próprias listas e conduzam os jogos.
6. Para mais informações, consulte o Manual.

© 2001 Perspectiva

ÁREAS DE EXPERIÊNCIA
Jogo Tradicional
Comunicação: Desenho
Seleção Espontânea
Aquecimento Ativo

QUE IDADE TENHO? — A61

PREPARAÇÃO
Coordenador: Estabeleça um Onde simples, como um ponto de ônibus com um banco (cadeiras) na área de jogo.
Jogadores na plateia.

FOCO
Mostrar a idade escolhida.

DESCRIÇÃO
Cada jogador trabalha sozinho com o problema. Se o tempo for curto, cinco ou seis jogadores podem estar no ponto de ônibus ao mesmo tempo. No entanto, os jogadores não devem interagir. Cada jogador escolhe uma idade (escrevendo em uma tira de papel e entregando para o coordenador antes de iniciar). Os jogadores entram na área de jogo e, ao esperar pelo ônibus, mostram para os jogadores na plateia que idade têm.

INSTRUÇÃO
O ônibus está a meia quadra de distância! Mostre para nós a sua idade! O ônibus está se aproximando! Ele chegou! (Às vezes é bom acrescentar *Ele ficou preso no tráfego!*) se quiser que os jogadores explorem mais possibilidades.

AVALIAÇÃO
Que idade tinha esse jogador? Jogador, você concorda com os jogadores na plateia?

NOTAS
1. Os jogadores terão a tendência de interpretar seus velhos quadros de referência, o que é esperado nesse jogo. Vá diretamente para o jogo *Que Idade Tenho? Repetição* (A62) na mesma aula se possível para que os jogadores possam descobrir a diferença entre *interpretar* e permitir que o FOCO trabalhe por eles.

ÁREAS DE EXPERIÊNCIA
Teatro: Orientação Inicial para o Quem (Personagem e/ou Relacionamento)

QUE IDADE TENHO? REPETIÇÃO — A62

PREPARAÇÃO
Coordenador: Estabeleça um Onde, da mesma forma que no jogo *Que Idade Tenho?*
Aquecimento: *Que Idade Tenho?* (A61)
Jogadores na plateia.

FOCO
Na idade escolhida apenas.

DESCRIÇÃO
Os jogadores devem trabalhar sozinhos com o problema, mas cinco ou seis podem ser agrupados no ponto de ônibus ao mesmo tempo. Os jogadores permanecem sentados ou em pé em silêncio, esperando pelo ônibus, focalizando a idade escolhida. Quando estiverem prontos (focados) aquilo que é necessário para solucionar o problema irá emergir por si mesmo.

INSTRUÇÃO
Sinta a idade com seus pés! Com o lábio superior! Deixe que sua coluna vertebral perceba a idade! Seus olhos! Envie a idade como uma mensagem para o corpo todo! (Quando a idade aparecer) *O ônibus está a uma quadra de distância! O ônibus foi preso no tráfego!*

AVALIAÇÃO
Que idade tinha o jogador? Jogador, você concorda com os jogadores na plateia? A idade estava em sua cabeça? Ou no corpo?

NOTAS
1. É difícil acreditar que o que buscamos é a mente limpa (livre de preocupações). Se o FOCO estiver na idade apenas, todos terão uma experiência única ao ver os jogadores se tornarem mais velhos ou mais jovens diante de nossos olhos!
2. Muitos, naturalmente, irão se prender a qualidades de personagens em vez de deixar acontecer. Observe relaxamento muscular e olhos brilhantes quando novas fontes de energias e compreensão são liberadas.

ÁREAS DE EXPERIÊNCIA
Teatro: Orientação Inicial para o Quem (Personagem e/ou Relacionamento)

QUE HORAS SÃO? #1   A63

PREPARAÇÃO
Jogadores na plateia.

FOCO
Sentir o tempo com o corpo todo, muscular e sinestesicamente.

DESCRIÇÃO
Faça a contagem em dois grandes times. Trabalhando individualmente, dentro do time, os jogadores permanecem sentados ou em pé, focalizando em um tempo ou dia dados para o coordenador. Os jogadores devem se movimentar apenas quando motivados pelo FOCO. Eles não devem introduzir atividades apenas para mostrar o tempo.

INSTRUÇÃO
Sinta o tempo com seus pés! Com sua coluna! Com suas pernas! Sem urgência! Sinta o tempo com seu rosto! Com o corpo todo! Da cabeça aos pés!

AVALIAÇÃO
Há reação corporal ao tempo? É possível comunicar tempo sem qualquer atividade ou objetos? Cada qual sentiu o tempo da sua própria maneira? Havia diferenças? O tempo do relógio é um padrão cultural? Há apenas tempo para dormir, tempo para trabalhar, tempo para comer?

NOTAS
1. Os jogadores não devem interagir nesse exercício.
2. Cada jogador perceberá o tempo de forma diferente. Por exemplo, duas horas da madrugada significará dormir para muitos, mas a coruja do grupo logo ficará desperto.

ÁREAS DE EXPERIÊNCIA
Teatro: Onde (Cenário e/ou Ambiente)

© 2001 Perspectiva

EXERCÍCIO DO TEMPO #1 — A64

PREPARAÇÃO
Jogadores na plateia.

FOCO
No tempo ou clima escolhido.

DESCRIÇÃO
O grupo é subdividido em dois grandes times – time A e time B. Cada time entra em acordo sobre um tipo de tempo ou clima que deve ser comunicado para o outro time que é plateia. Os jogadores, sentados ou em pé na área de jogo, evitam usar suas mãos para mostrar o tempo. Quando prontos, o time deve dar o sinal de *Cortina!*

INSTRUÇÃO
Sinta o tempo entre seus dedos do pé! Com sua coluna vertebral! Com a ponta de seu nariz! Sinta o tempo com o corpo todo! Da cabeça aos pés! Sustente o FOCO no tempo! Não em seus parceiros! Mostre! Não conte! Cada qual sente o tempo da sua maneira! Evite usar as mãos!

AVALIAÇÃO
O tempo envolveu os jogadores? Os jogadores usaram o corpo todo para mostrar o tempo? Jogadores, vocês concordam com os jogadores na plateia? Qual foi o tempo que vocês escolheram? Plateia, os jogadores comunicaram o tempo para nós?

NOTAS
1. Os jogadores trabalham com o FOCO individualmente dentro do time maior. Se alguns jogadores olharem para ver o que seus parceiros estão fazendo, simplesmente dê a instrução para todos *Sustente o FOCO no tempo! Não em seus parceiros!* Aquilo que ajudar um jogador, ajudará a todos.

ÁREAS DE EXPERIÊNCIA
Teatro: Onde (Cenário e/ou Ambiente)

CORRIDA DE ÍNDIOS   A65

PREPARAÇÃO
Grupo todo.

FOCO
Observar e relembrar.

DESCRIÇÃO
Cinco ou mais jogadores são escolhidos para sair da sala e correr para dentro, um atrás do outro formando uma linha, e sair novamente. Todos os outros jogadores observam cuidadosamente. Os jogadores voltam desfazendo a formação. Os jogadores na plateia então refazem a fileira original. Quando os jogadores na plateia concordarem que eles refizeram a fileira original, os corredores fazem as correções necessárias.

INSTRUÇÃO
Nenhuma.

AVALIAÇÃO
Nenhuma.

NOTAS
1. Procure evitar que aqueles jogadores na plateia, que necessitam vencer, queiram determinar as posições dos jogadores antes da hora para lembrarem-se das posições específicas dos corredores. Se necessário, interrompa o jogo, já que esses jogadores irão fazer uso da crise (força, energia) desse simples jogo de observação, transformando-o em um jogo de ficar a salvo.

ÁREAS DE EXPERIÊNCIA
Jogo Tradicional
Jogo de Olhar-Ver
Aquecimento Ativo
Jogo de Memória-Observação
Jogo Sensorial

O QUE FAÇO PARA VIVER   A66

PREPARAÇÃO
Coordenador: estabeleça um cenário simples, formando um ponto de ônibus (cadeiras, um banco etc.)
Jogadores na plateia.

FOCO
Na profissão escolhida.

DESCRIÇÃO
Times de cinco ou mais. Cada jogador escolhe uma profissão, a escreve numa tira de papel e dá para o coordenador. O jogador entra na área de jogo e espera, focando a profissão. Os jogadores não devem observar um ao outro e evitar diálogo.

INSTRUÇÃO
Perceba a ocupação com o corpo todo! Mãos! Pés! Pescoço! (Quando a ocupação começar a aparecer) *O ônibus está chegando!*

AVALIAÇÃO
Quais foram as profissões? Os jogadores mostraram ou contaram? Jogadores, vocês concordam? Só podemos mostrar o que fazemos para viver através da atividade? A estrutura corporal se modifica em algumas profissões (doutor, trabalhador)? O que provoca a mudança é uma atitude? É o ambiente de trabalho?

NOTAS
1. Esse questionamento durante a avaliação deve provocar os primeiros *insights* na fisicalização de um personagem. As perguntas devem ser casuais. Evite insistir. Outros jogos a seguir irão permitir novos *insights* sobre o personagem.
2. Piadas, interpretação e truques são evidências de resistência ao FOCO.
3. Para prevenir o Como, peça que os jogadores permaneçam sentados silenciosamente focalizando na profissão que cada um escolheu – nada mais. Se o FOCO estiver completo, aquilo que é necessário irá emergir.
4. Dê alguns minutos para que os efeitos do FOCO se manifestem.
5. Variante: misture as profissões e transmita-as aleatoriamente para os jogadores antes de entrarem na área de jogo.

ÁREAS DE EXPERIÊNCIA
Teatro: Quem (Personagem e/ou Relacionamento)

© 2001 Perspectiva

PARTE DO TODO #3: PROFISSÃO — A67

PREPARAÇÃO
Introdutórios: *Parte do Todo #1 e #2* (A25 e A26)
Jogadores na plateia.

FOCO
Tornar-se parte de um todo na atividade profissional.

DESCRIÇÃO
Times de cinco ou seis jogadores entram em acordo sobre quem será o primeiro jogador, que secretamente escolhe uma profissão e inicia uma atividade relacionada. Os outros jogadores entram, um de cada vez, como personagens definidos (Quem) e iniciam ou entram com uma atividade relacionada com a profissão. Por exemplo, o primeiro jogador lava suas mãos, fica em pé esperando com as mãos no ar, o segundo escolhe ser uma enfermeira, entra na área de jogo para ajudar o doutor a colocar luvas. Outros jogadores entram como anestesista, paciente, interno etc.

INSTRUÇÃO
Mostre! Não conte! Entre na atividade com personagens definidos! Seja parte do todo! Mostre através da atividade! (Caso surgir diálogo) *Compartilhe sua voz!*

AVALIAÇÃO
Qual era a profissão? Os jogadores mostraram ou contaram? Jogadores, vocês concordam? Antes de entrar sabiam qual era a profissão? Plateia, vocês tinham outra ideia sobre o que estava acontecendo?

NOTAS
1. Os jogadores não devem saber de antemão o que o primeiro jogador irá fazer ou Quem ele é.
2. Se os jogadores se tornarem muito verbais ou se movimentarem sem propósito, o FOCO não está completo. Dê a instrução de tempo *Um minuto!* e faça outro jogo.
3. Embora o Quem esteja sendo introduzido através desse jogo, preste atenção para que o FOCO seja mantido na atividade, caso contrário os jogadores irão *interpretar*.

© 2001 Perspectiva

ÁREAS DE EXPERIÊNCIA
Parte do Todo: Interação
Teatro: O Quê (Atividade)
Teatro: Quem (Personagem e/ou Relacionamento)

PARTE DO TODO #4 — A68

PREPARAÇÃO
Introdutórios: *Parte do Todo #2 e #3* (A26 e A67)
Jogadores na plateia.

FOCO
Comunicar o Quem (relacionamento) através de uma atividade.

DESCRIÇÃO
Faça a contagem em grupos de cinco ou mais. Um jogador inicia uma atividade, sem escolher um personagem. Os outros jogadores escolhem um relacionamento com o jogador em cena e, um por vez, entram na atividade. O primeiro jogador deve aceitar e relacionar-se com todos os jogadores que entram como se os relacionamentos fossem conhecidos. Por exemplo: um homem pendura um quadro; uma mulher entra dizendo que gostaria que o quadro fosse pendurado mais alto. O homem aceita-a como sua esposa e continua pendurando o quadro. Os outros jogadores entram como seus filhos, vizinhos etc. Todos mostram relacionamento através da atividade.

INSTRUÇÃO
Mostre! Não conte! Sustentem as atividades! Sem adivinhações! Não há pressa! Quem você é deve ser descoberto através da atividade! Quando souber Quem você é mostre-nos jogando! (Caso surja diálogo) *Compartilhe sua voz! Outros jogadores, quando entrarem, participem da atividade! Deixe Quem você é ser revelado através da atividade!*

AVALIAÇÃO
Plateia, Quem eram os jogadores? Quais eram os relacionamentos? Os jogadores mostraram através da atividade? Quando vocês entraram na atividade, jogadores, vocês sabiam Quem vocês eram?

NOTAS
1. Esse jogo irá favorecer os primeiros sinais de um evento (cena) a emergir do FOCO (ou primeiros sinais de relacionamento) em lugar de mera atividade simultânea.
2. Evite organizar uma cena. *Dar e Tomar* (B6) e *Afundando o Barco – Compartilhando o Quadro de Cena* (B13) ajudarão a ajustar cenas caóticas.

© 2001 Perspectiva

ÁREAS DE EXPERIÊNCIA
Parte do Todo: Interação
Teatro: Quem (Personagem e/ou Relacionamento)

JOGO DE OBSERVAÇÃO — A69

PREPARAÇÃO
Coordenador: Reuna objetos: bandeja e roupas.
Grupo todo.

DESCRIÇÃO
Qualquer número de jogadores. Uma dúzia ou mais de objetos reais são colocados em uma bandeja, que é colocada no centro do círculo de jogadores. Depois de dez ou quinze segundos, a bandeja é coberta ou removida. Os jogadores escrevem listas individuais nomeando tantos objetos quantos puderem lembrar. As listas são então comparadas com a bandeja com objetos.

INSTRUÇÃO
Nenhuma.

AVALIAÇÃO
Nenhuma.

NOTAS
1. Dependendo da idade do grupo, acrescente ou diminua o número de objetos a serem descritos.

ÁREAS DE EXPERIÊNCIA
Jogo Tradicional
Jogo de Olhar-Ver
Aquecimento Silencioso
Comunicação: Familiaridade e Flexibilidade com Palavras
Jogo de Memória-Observação
Jogo Sensorial
Jogo para Leitura

EU VOU PARA A LUA*

A70

PREPARAÇÃO
Coordenador: permita que cada time passe pelas três parte de uma só vez. Grupo todo.

FOCO
Lembrar de uma série em sequência.

DESCRIÇÃO
Times de dez a doze jogadores formam um círculo.

Parte I (o jogo tradicional *Eu Vou para a Lua*):
O primeiro jogador diz: *Eu vou para a Lua e vou levar um baú* (ou qualquer outro objeto). O segundo jogador diz: *Eu vou para a Lua e vou levar um baú e uma caixa de chapéu.* O terceiro jogador repete a frase até este ponto e acrescenta alguma coisa nova. Cada jogador repete a frase na sequência correta e acrescenta algo. Se um jogador errar a sequência ou esquecer algum item, ele sai do jogo. O jogo prossegue até que reste apenas um jogador.

INSTRUÇÃO
Nenhuma. (Vá direto para a Parte II).

Parte II
A mesma estrutura do jogo acima (com uma nova série de objetos, se for desejado), porém agora cada jogador realiza uma ação com o objeto. O próximo jogador repete as ações do primeiro e acrescenta uma nova. Dessa forma o jogador pode por exemplo vestir sapatos e tocar flauta. Cada jogador repete, na ordem, tudo aquilo que precedeu e acrescenta novas ações.

INSTRUÇÃO
Dê aos objetos o seu lugar no espaço! Mantenha os objetos no espaço – tire-os da cabeça! (Vá direto para a Parte III.)

Parte III
O mesmo time joga novamente da mesma forma como na Parte I, mas com uma nova série de objetos. Dessa vez, no entanto, os jogadores tomam o tempo para ver cada objeto en5quanto estão ouvindo.

* O jogo tradicional americano foi substituído por esse jogo tradicional brasileiro. (N. da T.)

INSTRUÇÃO
(Na medida em que os parceiros acrescentam novos objetos.)
Tome o seu tempo para ver os objetos! Veja os objetos à medida que são acrescentados!

AVALIAÇÃO
Você viu a palavra quando foi pronunciada?

NOTAS
1. Parte I: Muitas vezes, o jogador poderá lembrar-se de todos os objetos ou ações na série, mas inacreditavelmente irá esquecer o último objeto mencionado. Esse jogador terá provavelmente se desligado do último jogador na ordem para planejar previamente o objeto a ser acrescentado.
2. Contudo, quando os objetos são mostrados através de ações, os jogadores raramente esquecem o objeto anterior. Repetir a Parte I enquanto se vê os objetos mencionados facilita lembrar.
3. Para mais informações, consulte o Manual.

ÁREAS DE EXPERIÊNCIA
Jogo Tradicional
Aquecimento Silencioso
Jogo de Ouvir-Escutar
Jogo de Memória-Observação
Jogo Sensorial

VENDO O MUNDO — A71

PREPARAÇÃO
Introdutório: *Vendo um Esporte: Lembrança* (A59)
Jogadores na plateia.

FOCO
De acordo com a Instrução.

DESCRIÇÃO
Um jogador individual fala sobre e descreve uma experiência pessoal como fazer uma viajem, observar um jogo ou visitar alguém. Sem pausa, o jogador acentua o foco de acordo com a Instrução, mas não modifica deliberadamente a narrativa para buscar um novo foco.

INSTRUÇÃO
Focalize as cores na cena! Focalize os sons! Está ventando? O céu está cinzento ou azul? Compartilhe sua voz! Focalize na maneira como se sente no jogo! Veja a si mesmo! Intensifique o colorido! Intensifique os odores! Intensifique todos os estímulos sensoriais!

AVALIAÇÃO
Você sabe em que momento deixou de dar importância às palavras e entrou na experiência? Plateia, vocês concordam?

NOTAS
1. A percepção é despertada no jogador através da Instrução. Observe em que momento o jogador abandona a palavra e se relaciona com a experiência. A voz se tornará natural, o corpo irá relaxar e as palavras irão fluir. Quando o jogador não mais se esconde atrás de palavras, mas focaliza o ambiente, a artificialidade e voz empostada irão desaparecer.
2. Esse exercício não deve ser realizado muitas vezes, pois ele utiliza lembranças e por isso deve ser tratado com cuidado (Veja Cerebral, Manual p. 53).
3. Para o teatro formal, esse exercício é útil para jogadores com falas longas.
4. Quando o tempo for um problema, o grupo todo pode jogar simultaneamente dividindo o grupo em times de dois jogadores, sendo que um deles é o contador de histórias e o outro o ouvinte. Dê a instrução a todos os times ao mesmo tempo. Depois troque os papéis.

ÁREAS DE EXPERIÊNCIA
Percepção da Cabeça aos Pés
Comunicação: Familiaridade e Flexibilidade com Palavras
Comunicação: Falando-Narrando
Comunicação: Escrever
Jogo para Leitura
Jogo de Memória-Observação

SÍLABAS CANTADAS   A72

PREPARAÇÃO
Grupo todo.

FOCO
Nenhum.

DESCRIÇÃO
Os jogadores sentam-se em círculo. Um deles sai da sala enquanto os outros escolhem uma palavra, por exemplo, *jabuticaba*. As sílabas da palavra são distribuídas pelos jogadores no círculo. *Ja* fica com o primeiro grupo de jogadores, *bu* fica com o segundo grupo, *ti* fica com o terceiro grupo e assim por diante, até que todos os grupos tenham uma sílaba determinada. O grupo escolhe então uma melodia familiar (por exemplo: *Parabéns a Você*, ou *Atirei o Pau no Gato* etc.). Os jogadores cantam continuamente a melodia, utilizando apenas a sílaba atribuída ao seu grupo. O jogador que saiu da sala volta para o jogo, caminha de grupo em grupo e procura compor a palavra utilizando tantas tentativas quantas forem necessárias. O jogo pode ser dificultado pedindo-se que os jogadores troquem de lugar depois que as sílabas forem atribuídas, dispersando-se assim os grupos. Todos os grupos devem cantar a sua sílaba a partir da mesma melodia simultaneamente.

INSTRUÇÃO
Nenhuma.

NOTAS
1. Uma professora utilizou nomes próprios a serem subdivididos em sílabas.
2. Depois que o jogador que está fora descobrir a palavra, deixe que todos os jogadores vejam a palavra que foi usada. Escreva-a no quadro-negro para uma resposta mais efetiva: WASH/ING/TON; CONS/TAN/TI/NOPLA.

ÁREAS DE EXPERIÊNCIA
Jogo Tradicional
Aquecimento Silencioso
Jogo de Ouvir-Escutar
Comunicação: Familiaridade e Flexibilidade com Palavras
Silabação
Jogo para Leitura

VOGAIS E CONSOANTES A73

PREPARAÇÃO
Jogadores na plateia.

FOCO
Contatar as vogais ou consoantes de uma palavra ao ser falada.

DESCRIÇÃO
Seis ou oito jogadores ficam em círculo. Cada jogador deve começar uma conversa silenciosa com o jogador do lado oposto (oito jogadores significam quatro conversas simultâneas). Os jogadores devem focalizar as vogais ou as consoantes, conforme a instrução, contidas nas palavras que falam, sem colocar ênfase ou mudar o jeito de falar. Mantendo a voz baixa, os jogadores devem afastar-se uns dos outros abrindo o círculo o quanto o espaço o permitir, e depois aproximar-se conforme a instrução.

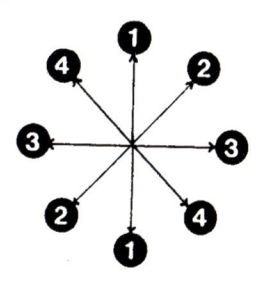

INSTRUÇÃO
Parte I: *Vogais! Entre em contato, sinta, toque as vogais! Deixe que as vogais toquem você! Consoantes! Fale normalmente! Veja, sinta, foco nas consoantes!*

Parte II: *Afastem-se de seus parceiros! Vogais! Consoantes! Falem mais baixo do que antes! Abram o círculo o mais que puderem! Vogais! Consoantes!*

Parte III : *Aproxime-se! Falem mais baixo ainda! Vogais! Consoantes! Fechem os olhos! Continue falando! Vogais! Consoantes! Falem mais baixinho ainda! Voltem para o pequeno círculo! Vogais! Consoantes!*

AVALIAÇÃO
Você teve a sensação de fazer contato físico com a palavra falada? A comunicação foi mantida o tempo todo?

© 2001 Perspectiva

NOTAS
1. Espere até que os jogadores estejam fisicamente atentos aos seus parceiros antes de orientá-los para se distanciarem uns dos outros.
2. Os jogadores podem abaixar suas vozes na medida em que se afastam. As conversas podem acontecer na forma de murmúrio, a uma distância de até vinte metros.
3. A instrução *Feche os olhos!* abre os jogadores para o fato de que eles não estão fazendo leitura labial. O corpo todo, dos pés à cabeça, está envolvido com a palavra falada.

Esse exercício é válido com um roteiro ou leitura oral.

ÁREAS DE EXPERIÊNCIA
Comunicação: Falando-Diálogo
Vogais e Consoantes como Parte de Palavras
Padrões de Fala
Jogo de Ouvir-Escutar
Comunicação: Familiaridade e Flexibilidade com Palavras
Comunicação: Agilidade Verbal
Jogo para Leitura
Jogo Sensorial

DAR E TOMAR: AQUECIMENTO   A74

PREPARAÇÃO
Grupo todo.

FOCO
Movimentar-se sem quebrar as regras do jogo.

DESCRIÇÃO
Os jogadores formam um círculo. Um/qualquer jogador pode iniciar um movimento. Quando um jogador está em movimento, todos os outros jogadores devem parar (não movimento). Qualquer jogador pode movimentar-se a qualquer momento, mas deve parar se outro jogador iniciar o movimento. Sons podem ser considerados como movimento se o grupo estiver de acordo com essa regra suplementar.

INSTRUÇÃO
Interrompa seu movimento – pronto para continuar a fluência de seu movimento quando houver oportunidade! Pare quando outro jogador se movimentar!

AVALIAÇÃO
Nenhuma.

NOTAS
1. *Parar* é aqui utilizado em lugar de *congelar*. *Congelar* é uma parada total enquanto *parar* é esperar para movimentar-se quando for possível.

ÁREAS DE EXPERIÊNCIA
Aquecimento Ativo
Jogo de Olhar-Ver
Jogo Sensorial

DAR E TOMAR: LEITURA — A75

PREPARAÇÃO
Aquecimento: *Dar e Tomar: Aquecimento* (A74)
Coordenador: esse exercício pode ser experimentado com grupos de leitura.
Jogadores na plateia.

FOCO
Tomar a sua vez de ler em voz alta.

DESCRIÇÃO
Os jogadores são divididos em times com habilidades semelhantes de leitura. Lendo simultaneamente a mesma passagem silenciosamente, todos os jogadores no grupo dão a oportunidade de leitura em voz alta a qualquer jogador que tomar a sua vez (de ler em voz alta). Apenas um jogador por vez pode ler em voz alta. Os jogadores tomam a oportunidade para ler em voz alta sempre que possível. Não é permitido pular palavras ou repetir as últimas palavras daquele que leu antes.

INSTRUÇÃO
(Apenas se necessário.) *Dê se alguém tomar! Tome se alguém der! Permaneça com as palavras exatas que estão sendo lidas em voz alta! Apenas um jogador lê em voz alta! Compartilhe sua voz!*

AVALIAÇÃO
A leitura em voz alta se tornou fluente como se apenas uma única pessoa estivesse lendo? Ou ela foi interrompida e reiniciada e repetida?

NOTAS
1. Quando todos os jogadores dão e tomam e alguns jogadores usam a oportunidade de ler em voz alta mesmo no meio da palavra ou frase, esse exercício traz excitação para a leitura em voz alta.

ÁREAS DE EXPERIÊNCIA
Jogo de Ouvir-Escutar
Jogo para Leitura
Jogo Sensorial

CONSTRUINDO UMA HISTÓRIA A76

PREPARAÇÃO
Grupo todo.

FOCO
Atenção cinestésica (física) às palavras na história.

DESCRIÇÃO
Grande grupo sentado em círculo. O coordenador escolhe um jogador que iniciará contando uma história. A história pode ser conhecida ou inventada. Em qualquer momento na história, o coordenador aponta aleatoriamente para outros jogadores que devem imediatamente continuar a partir de onde o último jogador parou, mesmo que seja no meio de uma palavra. Por exemplo, o primeiro jogador: *O vento soprava...*, segundo jogador: *...o chapéu caiu de sua cabeça*. Os jogadores não devem repetir a última palavra previamente enunciada pelo contador.

INSTRUÇÃO
Mantenha a história em andamento! Permaneça com a palavra! Não planeje com antecedência! Em busca de uma história, uma voz! Mantenha as palavras no espaço! Compartilhe sua voz!

AVALIAÇÃO
Os jogadores captaram a ideia para onde a história deveria caminhar ou permaneceram com as palavras na medida em que a história evoluía? Tivemos uma história contada a uma voz? A história se manteve em construção – esteve em processo?

NOTAS
1. Para manter a energia individual em alta e total envolvimento com o processo, o instrutor deve surpreender os jogadores fora de equilíbrio, no meio de um pensamento ou de uma frase. Regra opcional: o jogador que for pego iniciando com as últimas palavras do antecessor sai fora do jogo.
2. O pré-planejamento aliena os jogadores. Aponte isso para aqueles jogadores que não o compreendem. A espontaneidade surge apenas quando os jogadores permanecem com o momento em que a história está sendo contada.
3. Quando há um número grande de jogadores iniciando com *e...* isto é uma indicação de que o instrutor não está surpreendendo os jogadores

e não está dando as dicas para que os jogadores permitam que a história os conduza.
4. Instrução suplementar: instrua os jogadores para que contem a sua parte na história em *câaaameeeeera muuuuitooo leeeentaa*. Depois volte para a velocidade normal, acelerando as mudanças de um jogador para outro. Idealmente a história deveria continuar até que se tenha a impressão de que há apenas uma voz narrando.
5. Permita que aqueles jogadores que têm dificuldade em encontrar palavras falem apenas algumas poucas de início, mas surpreenda esses jogadores voltando para eles novamente para dizerem poucas palavras até que o medo de falhar seja dissipado e o jogador se torne livre para jogar (Veja Manual, p. 39).
6. Para rever os períodos de avaliação, sugerimos que seja feita uma gravação das histórias dos jogadores. Se não houver gravador, encontre alguém para tomar notas rápidas e digite as histórias dos jogadores que poderão ser retomadas em outro momento.
7. Esse jogo conduz a variantes. Além das Notas referidas acima, o fichário contém *Construindo uma História para Leitura* (A77), *Construindo uma História: Congelar a Palavra do Meio* (A79), *Construindo uma História a partir de Seleção Randômica de Palavras* (A80), e *Construindo uma História com Subtons de Emoção* (C30). Espera-se que você encontre suas próprias variantes desse jogo para a sala de aula.

ÁREAS DE EXPERIÊNCIA
Comunicação: Falando-Narrando
Jogo de Ouvir-Escutar
Comunicação: Familiaridade e Flexibilidade com Palavras
Comunicação: Escrever
Jogo para Leitura
Jogo Sensorial

CONSTRUINDO UMA HISTÓRIA PARA LEITURA — A77

PREPARAÇÃO
Grupo todo.

FOCO
Permanecer com as palavras que estão sendo lidas em voz alta.

DESCRIÇÃO
Times com leitores igualmente habilitados ou grupos de leitura regulares. Um time lê a mesma seleção ao mesmo tempo. O instrutor indica um jogador que inicia lendo em voz alta. Todos os jogadores devem acompanhar silenciosamente palavra por palavra, pois o instrutor irá alternar a leitura em voz alta de um jogador para outro randomicamente. Cada novo leitor chamado não deve repetir a última palavra pronunciada pelo leitor prévio ou introduzir quaisquer novas palavras no texto.

INSTRUÇÃO
Compartilhe sua voz!

AVALIAÇÃO
Durante o jogo, o coordenador chama a atenção para palavras repetidas ou estranhas ao texto.

NOTAS
1. As mudanças de um jogador para outro devem ser dadas para manter o desafio do jogo, prazeroso para todos.

ÁREAS DE EXPERIÊNCIA
Jogo de Ouvir-Escutar
Jogo para Leitura
Jogo Sensorial

FANTASMA A78

PREPARAÇÃO
Grupo todo.

FOCO
Construir uma palavra – tentando não terminá-la – não falar um jogador *fantasma*.

DESCRIÇÃO
Nesse jogo tradicional, os jogadores permanecem sentados em círculo. Alguém inicia dando a primeira letra da palavra que tem em mente, sem pronunciá-la. Por exemplo, se a palavra é ...*qual*, ele diz, ...*q*... O próximo jogador pensa em uma palavra que se inicia com a mesma letra ...*q*... (por exemplo *quarto*) e acrescenta a letra ...*u*... à letra do jogador que o antecedeu. O terceiro jogador pode ter em mente a palavra ...*quem*. Nesse caso ele acrescenta a letra ...*e*... às duas letras prévias. Caso o quarto jogador queira completar a palavra acrescentando ...*m*...*(quem)*, ele torna-se um terço de um fantasma. Para evitar tornar-se um fantasma, o jogador procura pensar em outra palavra, mais longa, iniciando com ...*que*, a qual não pode ser completada utilizando apenas uma letra. Por exemplo, ele pode pensar em *queijo* e acrescentar a letra ...*i*. O quinto jogador pode salvar a si mesmo pensando em *queimada*, acrescentando um ...*m*. Se ele tivesse acrescentado uma letra que terminasse a palavra, seria um terço de fantasma.

Caso a palavra o permita, novas letras são acrescentadas, até que um jogador é forçado a terminar a palavra. Nesse caso ele se torna um terço de fantasma. Mas nenhum jogador cai fora da atividade de soletrar até que ele tenha completado três palavras e se torne um fantasma inteiro. Caso um jogador acrescentar uma letra sem ter uma palavra em mente ou soletra errado uma palavra, ele pode ser desafiado por outro jogador. Caso seja julgado em falta, ele torna-se um terço de um fantasma; caso fique sem falta, o desafiante torna-se um terço de um fantasma. Quando uma palavra for completada, o próximo jogador inicia uma nova palavra. O fantasma não soletra mais, mas procura outros jogadores que falem com ele. Caso o fantasma tenha sucesso em deixar que um jogador fale com ele, a vítima torna-se também um fantasma inteiro. O jogo continua até que todos os jogadores menos um sejam fantasmas. Regra opcional: para acrescentar novo desafio, não considere uma palavra completa até que tenha quatro ou mais letras.

© 2001 Perspectiva

ÁREAS DE EXPERIÊNCIA
Jogo Tradicional
Aquecimento Silencioso
Comunicação: Familiaridade e Flexibilidade com Palavras
Jogo para Leitura

CONSTRUINDO UMA HISTÓRIA: CONGELAR A PALAVRA DO MEIO

A79

PREPARAÇÃO
Introdutórios: *Fantasma* (A78) e *Construindo uma História* (A76).
Grupo todo.

FOCO
Continuar uma história a partir do meio da palavra.

DESCRIÇÃO
Cinco ou quinze jogadores jogam cada um por vez no círculo. O primeiro jogador inicia a história e, quando quiser, congela no meio da palavra que está dizendo. O próximo jogador deve continuara a história finalizando a palavra não terminada do jogador que o antecedeu. O jogador não deve concluir a mesma palavra que o jogador antecedente tinha em mente. O novo final deve combinar com o início da palavra para formar uma nova palavra que dê continuidade à história. Uma vez que o gruo tenha se familiarizado com a variante acima, o próximo jogador pode ser apontado randomicamente em lugar de seguir na ordem do círculo.

INSTRUÇÃO
Não planeje com antecedência! Busque uma história, uma voz! Compartilhe sua voz!

AVALIAÇÃO
Os jogadores foram capazes de continuar a história a partir do meio da palavra? Quantas vezes o próximo jogador finalizou a palavra que o jogador que o antecedeu tinha em mente? Ou os jogadores criaram novas palavras a partir do início da palavra do jogador que os antecedeu? As palavras completadas deram continuidade à história?

NOTAS
1. Esse jogo pode ser realizado por dois jogadores, provocando grande prazer.

ÁREAS DE EXPERIÊNCIA
Comunicação: Falando-Narrando
Silabação
Jogo de Ouvir-Escutar
Comunicação: Familiaridade e Flexibilidade com Palavras
Comunicação: Escrever
Jogo para Leitura
Jogo Sensorial

© 2001 Perspectiva

CONSTRUINDO UMA HISTÓRIA A PARTIR DE SELEÇÃO RANDÔMICA DE PALAVRAS

A80

PREPARAÇÃO
Caso seus alunos mantenham coleções individuais de fichas de vocabulário ou caixas de palavras pessoais, utilize essas palavras para jogar. Caso contrário, antes de dividir em times, peça que cada jogador escreva um número apropriado de palavras familiares em fichas ou tiras de papel de 3 x 5 cm sem qualquer tentativa de associação (seleção randômica). Cada jogador reúne suas fichas em uma caixa, envelope ou saco plástico que assim salvas podem ser acrescentadas para uso posterior.
Grupo todo.

FOCO
Construir uma história a partir de muitas palavras diferentes.

DESCRIÇÃO
Todos os times se reunem em áreas diferentes e jogam simultaneamente. Times de três ou mais jogadores entram em acordo quem será o primeiro jogador que espalha sua coleção de fichas de palavras de forma que todos os parceiros possam ver. Trabalhando em conjunto, arranjando e rearranjando as fichas de palavras, os jogadores constróem uma história que inclua todas as palavras. Caso haja necessidade de palavras de ligação, os jogadores as escrevem em novas fichas ou tiras de papel e as colocam no contexto. Quando a primeira história estiver completa, incluindo todas as palavras originais, o primeiro jogador escreve a história em uma folha de papel e reune as fichas originais e as novas em seu envelope. O próximo jogador espalha sua seleção de palavras e o time procede como acima construindo uma história a partir dessas palavras.

INSTRUÇÃO
Nenhuma (o coordenador vai de grupo em grupo ajudando os jogadores a soletrar e escrever novas palavras ou estimulando a organização da história final).

AVALIAÇÃO
Leia as histórias finais em voz alta. Os jogadores utilizaram todas as palavras?

NOTAS
1. Para mais informações, consulte o Manual.

© 2001 Perspectiva

ÁREAS DE EXPERIÊNCIA
Comunicação: Escrever
Palavras como Parte da História como um Todo
Comunicação: Familiaridade e Flexibilidade com Palavras
Jogo para Leitura

CALIGRAFIA GRANDE A81

PREPARAÇÃO
Grupo todo.

FOCO
Escrever as palavras tão grande quanto possível.

DESCRIÇÃO
Utilizando uma lousa, cada jogador, um por um, procura preencher a lousa com uma palavra ou frase de sua preferência.

INSTRUÇÃO
Use o corpo todo para a ação de preencher a lousa! Escreva a palavra tão grande quanto puder! Preencha o espaço todo com sua palavra!

AVALIAÇÃO
O jogador preencheu todo o espaço? Ou poderia ter usado mais a lousa?

NOTAS
1. Não se preocupe com a correção ao soletrar nesse exercício. O que está sendo pedido é que os jogadores preencham um espaço o maior possível com a palavra ou frase.

ÁREAS DE EXPERIÊNCIA
Aquecimento Silencioso
Comunicação: Familiaridade e Flexibilidade com Palavras
Comunicação: Escrever
Jogo para Leitura
Jogo com Caligrafia

CALIGRAFIA PEQUENA A82

PREPARAÇÃO
Coordenador: um lápis com ponta fina é necessário para esse exercício.
Aquecimento: *Não Movimento: Caminhada* (A31).
Grupo todo.

FOCO
Escrever palavras ou frases tão pequeno quanto possível.

DESCRIÇÃO
O grupo todo trabalha individualmente em carteiras, cada jogador tem um pedaço de papel e um lápis com ponta fina. Mantendo a mão em não movimento, os jogadores pensam e escrevem palavras e frases favoritas tão pequeno quanto possível.

INSTRUÇÃO
Escreva pequeno! Você está fora disso! Pequeno! Muito pequenino! Deixe que seu corpo faça o trabalho! Mantenha a mão em não movimento total e veja o que consegue! Pense nas palavras e frases que está escrevendo!

AVALIAÇÃO
Os jogadores mostram os papéis uns para os outros e veem se suas palavras, escritas muito muito pequenas, podem ser lidas pelos outros.

NOTAS
1. Novamente, não se preocupe com a atividade de soletrar corretamente e/ou estilo de caligrafia. Os jogadores simplesmente procuram escrever as palavras tão pequeno quanto possível.
2. Os alunos tem muito prazer com esse exercício. Experimente-o por alguns minutos vez por outra! Caso os alunos fiquem frustrados, deixe o exercício imediatamente!
3. Esse exercício segue o mesmo princípio como deixar balançar um pêndulo (uma bola ou uma corda) sem qualquer movimento evidente. O jogador pensa no movimento enquanto mantém a mão inerte e a bola começa a se mover para frente e para trás e em torno.

ÁREAS DE EXPERIÊNCIA
Aquecimento Silencioso
Comunicação: Familiaridade e Flexibilidade com Palavras
Comunicação: Escrever
Jogo para Leitura
Jogo com Caligrafia

CALIGRAFIA CEGA A83

PREPARAÇÃO
Grupo todo.

FOCO
Escrever palavras ou frases sem olhar.

DESCRIÇÃO
O grupo todo sentado em carteiras, ou um por um na lousa, de olhos fechados e escrevendo as palavras ou frases, sem olhar.

INSTRUÇÃO
Escrevam normalmente! Façam cruzes em seus ... t ! Olhos fechados! Façam pontos nos seus ... i ! Quando terminarem, abram os olhos e vejam o que escreveram! Mais uma vez! Fechem os olhos e deixem que sua mão escreva as palavras! Cruzem os ... t e façam pontos nos...i!

AVALIAÇÃO
Os jogadores cruzaram todos os ...t e fizeram pontos nos ...i? É possível ler cada palavra e frase? Jogador, você consegue ler suas próprias palavras e frases?

NOTAS
1. Soletrar e estilo não são tão importantes quanto a habilidade de ler as palavras e frases.

ÁREAS DE EXPERIÊNCIA
Tocar – Ser Tocado
Aquecimento Silencioso
Comunicação: Familiaridade e Flexibilidade com Palavras
Comunicação: Escrever
Jogo para Leitura
Jogo Sensorial
Jogo com Caligrafia

ENCONTRANDO OBJETOS NO AMBIENTE IMEDIATO

A84

PREPARAÇÃO
Introdutório: *Transformação de Objetos* (A35)
Jogadores na plateia.

FOCO
Receber objetos no ambiente.

DESCRIÇÃO
Três ou mais jogadores entram em acordo sobre um relacionamento simples e uma discussão que envolve todos, como, por exemplo, uma encontro de negócios ou uma reunião familiar. A discussão pode acontecer em volta de uma mesa feita de substância do espaço. Durante o decorrer do encontro, cada jogador encontra e manipula tantos objetos quanto possível. Os jogadores não planejam com antecedência quais serão esses objetos.

INSTRUÇÃO
Tome o seu tempo! Deixe que os objetos apareçam! Mantenha a discussão em andamento! Compartilhe sua voz! Mantenham contato uns com os outros! Os objetos são encontrados no espaço!

AVALIAÇÃO
Os objetos apareceram ou foram inventados? Os jogadores viram os objetos uns dos outros e os utilizaram? Os jogadores se referiram aos objetos ou entraram em contato com eles? Jogadores, os objetos surgiram através de associação ou vocês permitiram que aparecessem?

NOTAS
1. Esse é um problema bipolar. A ocupação em cena, o encontro, deve ser contínuo enquanto a preocupação, o FOCO, deve ser trabalhado o tempo todo. Alguns jogadores irão manter o encontro em andamento e negligenciar o FOCO. Dê instruções de acordo.
2. Quando esse problema estiver resolvido, para excitação de todos, aparecerão objetos infindáveis: fiapos de tecido são encontrados no casaco do vizinho; poeira paira no ar e lápis aparecem atrás das orelhas. Todos os jogadores devem ter a oportunidade para descobrir isso por si mesmos.

© 2001 Perspectiva

ÁREAS DE EXPERIÊNCIA
Teatro: Onde (Cenário e/ou Ambiente)
Objeto no Espaço: Tornando Visível o Invisível
Comunicação: Familiaridade e Flexibilidade com Palavras
Comunicação: Falando-Diálogo
Comunicação Não Verbal

BLABLAÇÃO: INTRODUÇÃO — A85

PREPARAÇÃO
Coordenador: antes de apresentar à sua classe, pratique a Blablação com a família e amigos.
Grupo todo.

FOCO
Falar em Blablação.

DESCRIÇÃO
Blablação é a substituição de formas de sons que tornam as palavras reconhecíveis. A Blablação é a expressão vocal acompanhando uma ação, não a tradução de uma frase em Português. Peça para o grupo todo virar-se para seus vizinhos e manter uma conversação como se estivessem falando uma língua desconhecida. Os jogadores devem conversar como se estivesse fazendo sentido perfeito.

INSTRUÇÃO
Use tantos sons diferentes quanto possível! Exagerem o movimento da boca! Experimentem movimentos de mascar chiclete! Variem o tom! Mantenha o ritmo da fala usual! Deixe a Blablação fluir!

AVALIAÇÃO
Havia uma variedade na Blablação? A Blablação fluiu?

NOTAS
1. Mantenha a conversação, até que todos tenham participado.
2. Peça para que aqueles que ficaram presos a um som monótono *dadada*, com poucos movimentos labiais, para conversarem com aqueles que são mais fluentes em Blablação.
3. Enquanto a maior parte do grupo ficará deliciada com sua capacidade de falar com os outros em Blablação, alguns poucos ficarão presos à fala em função da comunicação e parecerão quase paralisados, tanto física quanto vocalmente. Trate disso apenas casualmente e, em jogos teatrais com Blablação subsequentes, a fluência do som e a expressão corporal se tornarão unas.

ÁREAS DE EXPERIÊNCIA
Série de Blablação
Comunicação: Sem Palavras
Comunicação Não Verbal

© 2001 Perspectiva

BLABLAÇÃO: VENDER   A86

PREPARAÇÃO
Introdutório: *Blablação: Introdução (A85)*
Jogadores na plateia.

FOCO
Comunicar para uma plateia.

DESCRIÇÃO
Jogador individual, falando em Blablação, vende ou demonstra alguma coisa para a plateia. Dê um ou dois minutos para cada jogador.

INSTRUÇÃO
Venda diretamente para nós! Olhe para nós! Venda para nós! Compartilhe a sua Blablação! Agora anuncie! Anuncie para nós!

AVALIAÇÃO
O que estava sendo vendido ou demonstrado? Houve variedade na Bla-blação? Os jogadores nos viram na plateia ou olhavam fixamente para nós? Houve uma diferença entre vender e anunciar?

NOTAS
1. Insista no contato direto. Se os jogadores fitam fixamente a plateia ou olham por sobre as cabeças, peça para anunciarem a sua mercadoria até que a plateia seja realmente vista. Anunciar, tal como é feito nas feiras livres, requer contato direto com os outros.
2. Tanto a plateia como o jogador percebem a diferença quando o olhar fixo se transforma em ver. Quando isso acontece, aparece no trabalho uma profundidade maior, uma certa quietude.
3. Permita que um jogador cronometre o tempo e informe quando o tempo de jogo está na metade e quando o jogo está no final.

ÁREAS DE EXPERIÊNCIA
Teatro: O Quê (Atividade)
Mostrar, Não Contar
Objeto no Espaço: Tornando Visível o Invisível
Série de Blablação
Comunicação: Sem Palavras
Comunicação Não Verbal

BLABLAÇÃO: INCIDENTE PASSADO — A87

PREPARAÇÃO
Jogadores na plateia.

FOCO
Comunicar sem estrutura de palavras.

DESCRIÇÃO
Dois jogadores, de preferência sentados em uma mesa. Usando a Blablação, A conta para B um incidente passado, como uma luta ou uma ida ao dentista. B conta então para A algo que aconteceu, também usando a Blablação.

INSTRUÇÃO
Comunique-se com seu parceiro! Não espere uma interpretação! Não assuma que sabe o que está sendo dito!

AVALIAÇÃO
Pergunte para A o que B disse. Depois pergunte para B o que foi contado por A. (Nenhum dos jogadores deve *assumir* o que o outro relatou já que as suposições de B não ajudarão A na necessária clareza de comunicação). Pergunte aos observadores o que foi comunicado.

NOTAS
1. Para evitar discussão preliminar, os dois jogadores devem ser escolhidos randomicamente antes de entrar na área de jogo.
2. Quando esse jogo é feito pela primeira vez, os jogadores irão interpretar (contar) o incidente de forma óbvia. Ao relatar uma ida ao dentista, eles seguram o queixo, gemem, mostram seus dentes etc. Mais tarde a integração entre som e expressão física se tornará mais sutil. Estarão aptos a mostrar, não contar.

ÁREAS DE EXPERIÊNCIA
Comunicação: Sem Palavras
Teatro: O Quê (Atividade)
Mostrar, Não contar
Série de Blablação
Comunicação Não Verbal

BLABLAÇÃO: PORTUGUÊS — A88

PREPARAÇÃO
Introdutórios: *Blablação: Vender* (A86) e *Blablação: Incidente Passado* (A87) Jogadores na plateia.

FOCO
Comunicação.

DESCRIÇÃO
Times de dois ou três jogadores e um instrutor. Para uma demonstração introdutória, o coordenador pode ser o instrutor. Os jogadores escolhem ou aceitam um assunto para conversar. Quando a conversa se tornar fluente em português, dê a instrução Blablação! e os jogadores devem mudar para a Blablação até que sejam instruídos a retomar a conversa em português. A conversa deve fluir normalmente e avançar no que se refere ao sentido.

INSTRUÇÃO
Blablação! Português! Blablação! Português! (e assim por diante).

AVALIAÇÃO
A conversa fluiu e teve continuidade? A comunicação foi sempre mantida? Jogadores, vocês concordam?

NOTAS
1. *Blablação: Português* é ideal para desenvolver a habilidade para dar e receber instrução para todas as faixas etárias. Quando o jogo estiver entendido, divida o grupo em times de três. Muitos times, cada qual com seu instrutor, podem jogar simultaneamente. Dê ao menos vinte minutos para jogar e indique a mudança de instrutor de forma que todos os membros do time tenham a oportunidade de ocupar a posição de instrutor.
2. Com relação à instrução, se a Blablação se tornar penosa para qualquer jogador, mude imediatamente para o Português durante algum tempo. Isto ajuda o jogador que está resistindo ao problema.
3. O momento de mudança deve acontecer quando os jogadores estiverem desatentos, no meio de um pensamento ou de uma frase. No momento de desequilíbrio, a fonte de novos *insights* pode ser aberta. Aquilo que estava oculto vem resgatá-lo.

© 2001 Perspectiva

ÁREAS DE EXPERIÊNCIA
Comunicação: Falando-Diálogo
Teatro: O Quê (Atividade)
Mostrar, Não Contar
Série de Blablação
Comunicação Não Verbal

JOGO DO VOCABULÁRIO   A89

PREPARAÇÃO
Grupo todo.

FOCO
Nenhum.

DESCRIÇÃO
O grupo todo sentado em carteiras, cada aluno com uma folha de papel e um lápis. O grupo entra em acordo sobre cinco ou seis letras que cada um escreve no topo da página, de forma que cada letra encabece uma coluna. os jogadores também entram em acordo sobre as classificações de objetos para o jogo e escrevem esses em uma coluna à esquerda da página (veja abaixo).

	S	P	A	C	R
Flores	Sesalpina	Petúnia	Azaleia	Cravo	Rosa
Frutas					
Vegetais					
Pássaros					
Peixes					
Mamíferos					

Os jogadores irão preencher tantos espaços quanto possível, sendo que cada palavra deve começar com as letras no topo da página para cada classificação dada na coluna à esquerda. É possível estabelecer um limite de tempo apropriado. Quando uma pessoa lê sua primeira palavra, todas as que tiverem a mesma palavra devem riscá-la. Outros jogadores anunciam suas primeiras palavras e quando houver duas semelhantes, ambas são riscadas. Esse processo continua até que todas as palavras duplicadas sejam eliminadas. O jogador que tiver o número maior de palavras remanescentes vence o jogo.

INSTRUÇÃO
Nenhuma.

AVALIAÇÃO
Nenhuma.

NOTAS
1. Outras classificações podem ser usadas para diferentes temas na sala de aula (Nomes próprios, verbos, advérbios; lagos; cidades na América Latina, cidades etc.)

ÁREAS DE EXPERIÊNCIA
Jogo Tradicional
Aquecimento Silencioso
Comunicação: Familiaridade e Flexibilidade com Palavras
Jogo para Leitura

QUANTO VOCÊ LEMBRA?   A90

PREPARAÇÃO
Jogadores na plateia.

FOCO
Ler e ouvir ao mesmo tempo.

DESCRIÇÃO
Faça a contagem em times de dois jogadores – um leitor e um falante. O leitor começa a ler silenciosamente alguma história ou artigo de um livro ou revista, enquanto o falante relata algum incidente ou experiência passada diretamente para o leitor. O leitor deve colocar o FOCO em estar aberto tanto para o que está lendo como para aquilo que o falante está lhe contando. Antes de trocar os papéis, o leitor conta para o falante o que leu e ouviu.

INSTRUÇÃO
Nenhuma.

AVALIAÇÃO
O leitor consegue se lembrar de tudo o que seu parceiro disse? O leitor consegue lembrar-se mais daquilo que leu ou daquilo que seu parceiro estava falando?

NOTAS
1. Esse exercício pode ser feito com pares trabalhando simultanea ou individualmente.
2. Para jogadores inexperientes, sugere-se que o assunto da leitura seja mantido leve e razoavelmente fácil. Pode se tornar mais difícil e técnico na medida em que os jogadores adquiram confiança e habilidade.
3. Para mais informações, veja o Manual.

ÁREAS DE EXPERIÊNCIA
Jogo Tradicional
Jogo com Estímulos Múltiplos
Jogo de Ouvir-Escutar
Jogo para Leitura
Jogo Sensorial

CONVERSAÇÃO EM TRÊS VIAS — A91

PREPARAÇÃO
Introdutório: *Quanto Você Lembra?* (A90)
Jogadores na plateia.

FOCO
Manter simultaneamente duas conversas separados – falar com um jogador enquanto ouve o outro.

DESCRIÇÃO
Três jogadores sentados. Um jogador (A) é o centro, os outros (B e C) sentam-se a cada lado de A

	lado	centro	lado
	B	A	B

Os jogadores de cada lado (B e C) escolhem um tema e envolvem o jogador do centro em uma conversa como se o jogador do outro lado não existisse. O jogador do centro deve conversar sobre ambos os lados, sendo fluente em ambas as conversas (respondendo e iniciando quando necessário), sem excluir nenhum dos dois jogadores dos dois lados. Com efeito, o jogador do centro mantém uma conversa sobre dois assuntos. Os jogadores dos dois lados conversam apenas com o jogador do centro (A). Não deve ser feita nenhuma tentativa para ouvir ou entrar na conversação com o jogador do outro lado. Faça rodízio até que cada jogador tenha sido o jogador do centro. Para manter o desafio, perguntas simles como *O que você acha de…?* ou *Você gosta de…?* devem ser evitadas.

INSTRUÇÃO
Fale e ouça ao mesmo tempo! Continue falando! Jogue o jogo! Deixe que as conversações prossigam livremente! Compartilhe sua voz! Tome o seu tempo! Não faça perguntas! Não dê informações! Não se volte para um parceiro até que esteja realmente se dirigindo a ele! Fale e ouça ao mesmo tempo!

AVALIAÇÃO
Os jogadores evitaram fazer perguntas? O jogador A parou de ouvir um dos jogadores enquanto estava falando com o outro? Os jogadores dos lados entraram na conversa um do outro? O jogador do centro também deu início à conversa? Os jogadores atingiram o âmago de suas conversações separadas?

NOTAS
1. Faça rodízio com os jogadores, dando a instrução *Próximo!* Novos jogadores, um de cada vez, levantam-se e sentam-se em um dos lados, empurrando o jogador que ali estava para o centro, o do centro para o lado oposto e o jogador que estava no lado oposto para fora do jogo.
2. Quando o tempo é limitado, divida o grupo em jogadores e jogadores na plateia. Então subdivida os jogadores em times de três. Todos os times se espalham e ocupam o espaço na área de jogo para jogar *Conversa em Três* simultaneamente, sendo que os jogadores na plateia reunem-se em torno de cada grupo para observar e fazer avaliações. Na metade do período, troque os grupos.
3. Perguntas simples sobre opiniões pessoais e informação são desencorajadas, já que elas criam um espaço de tempo para o jogador do centro, o que gera duas conversações separadas em lugar de duas conversações a serem mantidas simultaneamente.
4. *Conversação com Envolvimento* (*Improvisação para o Teatro*, p. 69) oferece uma variante de *Conversação em Três Vias*, na qual os jogadores (do centro e dos lados) acrescentam Onde, Quem e O Quê às regras acima descritas, jogando a partir dessa estrutura.

ÁREAS DE EXPERIÊNCIA
Jogo de Ouvir-Escutar
Jogo com Estímulos Múltiplos
Comunicação: Familiaridade e Flexibilidade com Palavras
Comunicação: Falando-Diálogo
Jogo Sensorial

ESCREVER EM TRÊS VIAS — A92

PREPARAÇÃO
Introdutório: *Vocabulário* (A89)
Grupo todo.

FOCO
Escrever sobre três assuntos diferentes ao mesmo tempo.

DESCRIÇÃO
Grupo todo, sentado em mesas ou carteiras. Cada jogador divide um pedaço grande de papel em três colunas, marcando-as I, II e III, respectivamente, com o nome de um assunto diferente no alto de cada coluna. Quando o instrutor fala o número de determinada coluna, o jogador imediatamente (sem pausa) começa a escrever sobre o assunto daquela coluna. Quando o número de outra coluna é chamado, o jogador para (mesmo no meio da palavra) e imediatamente começa a escrever sobre o assunto daquela coluna. O coordenador deve alternar as colunas randomicamente e quando o jogo tiver terminado o jogador deve possuir um papel com três diferentes ensaios ou histórias, ainda que não necessariamente completas.

INSTRUÇÃO
Um! Três! Dois! Um! Dois! Três! Não faça pausa para terminar a frase! Vá direto para a outra coluna! Continue escrevendo! Não faça força para escrever corretamente as palavras! Não faça força para fazer letra bonita!

AVALIAÇÃO
Nenhuma.

NOTAS
1. *Escrever em Três Vias* deve produzir crises ou momentos de desequilíbrio no qual o organismo só pode responder de imediato e com liberdade.
2. Você verá que esse jogo é ótimo para incorporar necessidades curriculares, escolhendo três tópicos com os quais os alunos estão trabalhando, pedindo para que escrevam sobre esses tópicos.
3. Ao iniciar o trabalho com esse exercício, procure não apressar os alunos, mas também não vá de forma tão lenta a ponto de abrir espaços de tempo através dos quais os medos de escrever e soletrar se tornam censores do conteúdo. Depois de terminado o tempo do jogo, é possível dar um tempo adicional para fazer a edição de ortografia e reescrever com letra caprichada os produtos finais.

4. Variante: as mesmas três colunas em um pedaço de papel grande; três tópicos escolhidos, um para cada coluna. Os jogadores fazem desenhos em uma das colunas, sobre um dos tópicos. A cada vez que aquela coluna é chamada, eles fazem desenhos. As outras duas colunas continuam sendo utilizadas para escrever.
5. Variante: usando apenas duas colunas no papel, dite duas cartas ao mesmo tempo sobre dois assuntos diferentes. Acrescente novos assuntos na medida em que a capacidade dos jogadores aumenta.

ÁREAS DE EXPERIÊNCIA
Jogo com Estímulos Múltiplos
Comunicação: Familiaridade e Flexibilidade com Palavras
Comunicação: Escrever
Jogo para Leitura

DESENHAR EM TRÊS VIAS   A93

PREPARAÇÃO
Grupo todo.

FOCO
Desenhar três imagens diferentes ao mesmo tempo.

DESCRIÇÃO
O grupo todo permanece sentado em mesas e carteiras, sendo que cada jogador tem um lápis para desenhar ou lápis de cera e três folhas de papel, marcadas com I, II e III respectivamente. Cada jogador escolhe três objetos simples a serem desenhados (pessoa, carro, árvore) e define um deles para cada folha de papel. Quando o instrutor chama um número, o jogador imediatamente começa a desenhar o objeto na página do número chamado. Quando outro número é chamado, o jogador para (mesmo que esteja no meio de um traço) e imediatamente começa a desenhar o objeto na página do número chamado. O instrutor deve modificar o número da página para frente e para trás randomicamente. Ao final de um certo tempo, os jogadores devem ter três desenhos diferentes, sendo que eles não estão necessariamente completos.

INSTRUÇÃO
Um! Dois! Um! Três! Não faça pausa! Vá direto à página chamada! Continue desenhando! Dois! Três! Um!

AVALIAÇÃO
Nenhuma.

NOTAS
1. Os assuntos a serem desenhados podem ser tornados mais desafiadores: a) assuntos que exijam mais de um objeto (uma floresta, um supermercado, um pátio de fazenda) ou b) assuntos com tema específico (natureza morta, tempestade, corrida de barco a vela).
2. Da mesma forma como em *Escrever em Três Vias* (A92) passar rapidamente de um assunto para outro evita pensamento ambivalente (espaço de tempo) – *Devo ou não devo?* As hesitações são superadas quando as regras do jogo exigem um manuseio imediato do material.

ÁREAS DE EXPERIÊNCIA
Comunicação: Desenho
Jogo com Estímulos Múltiplos

© 2001 Perspectiva

BATENDO   A94

PREPARAÇÃO
Aquecimento: *Sentindo o Eu com o Eu* (A2)
Introdutório: *Extensão da Audição* (A4)
Grupo todo.

FOCO
Identificar um objeto pelo ouvido

DESCRIÇÃO
Todos os jogadores fecham os olhos enquanto o coordenador bate distintamente três vezes em algum objeto na sala e depois se distancia dele sem fazer ruído. O coordenador avisa os jogadores quando abrir os olhos e pede para um deles nomear o objeto. Se esse jogador errar, outro pode ser escolhido. Caso todos estejam confusos, o coordenador pede para que fechem os olhos novamente e repete as batidas.

INSTRUÇÃO
Nenhuma.

AVALIAÇÃO
Nenhuma.

NOTAS
1. Esse jogo é um jogo tradicional infantil, utilizado aqui como aquecimento para *Quem Está Batendo? #1* (A95)
2. Caso as crianças fiquem espiando, lembre-as que esse é um jogo de ouvir.

ÁREAS DE EXPERIÊNCIA
Jogo Tradicional
Aquecimento Silencioso
Jogo de Ouvir-Escutar
Jogo Sensorial

QUEM ESTÁ BATENDO? #1

PREPARAÇÃO
Jogadores na plateia.

FOCO
Mostrar Onde, Quem, O Quê por meio da batida.

DESCRIÇÃO
Um jogador permanece fora da vista da plateia e bate na porta. O jogador deve comunicar Quem está batendo, por Que está batendo, Onde, a hora do dia, a temperatura etc. Alguns exemplos são um policial de noite; um namorado rejeitado na porta da namorada; um mensageiro do rei; uma criança muito nova em um banheiro.

INSTRUÇÃO
Compartilhe a sua batida! Tente novamente! Intensifique-a! Deixe que o som da batida ocupe o espaço! Ouça/encontre o som no espaço! Ponha toda atenção corporal no som físico!

AVALIAÇÃO
Quem está batendo? Em que porta? A que hora do dia? Por que?

NOTAS
1. Durante a avaliação, o coordenador descobrirá que muitos observadores não sabem as circunstâncias exatas, o Onde, Quem e O Quê da batida. Agora que todos as conhecem, peça para o jogador repetir a batida. Os observadores irão ouvir com maior intencionalidade e perceber a comunicação de forma mais clara agora, quando não necessitam adivinhar.
2. Repetir a batida depois da avaliação mantém os jogadores na plateia como parte do jogo e envolvidos com o que os outros jogadores estão fazendo.
3. Algumas questões durante a avaliação podem permanecer não respondidas mas elas trazem novos *insights* ao serem colocadas para os alunos.

ÁREAS DE EXPERIÊNCIA
Jogo de Ouvir-Escutar
Teatro: Onde, Quem, O Quê
Comunicação Não Verbal
Jogo Sensorial

CHICOTINHO QUEIMADO* A96

PREPARAÇÃO
Grupo todo.

DESCRIÇÃO
Os jogadores sentam-se em círculo, voltados para o centro e iniciam batendo palmas ritmadamente. Sorteia-se um jogador para ser o menininho que dará voltas em torno dos parceiros sentados em círculo. Ele vai abandonar, no chão, atrás de um dos parceiros na roda, um objeto qualquer (geralmente um objeto leve que não faça muito barulho, como um lenço). O menininho age dissimuladamente, não deixando que o parceiro, atrás de quem foi abandonado o objeto, perceba. Quando o objeto é *abandonado* atrás de um dos jogadores na roda, todos os parceiros aceleram o ritmo das palmas. Não vale falar. Só o ritmo acelerado das palmas indica que o objeto já foi *abandonado*. Quando o objeto for percebido, o jogador na roda levanta, pega o objeto e tenta alcançar o menininho antes que esse tenha dado uma volta completa no círculo e tenha se sentado no lugar que antes lhe pertencia. Se o jogador atrás de quem foi *abandonado* o objeto conseguir alcançar o menininho antes que este se sente no lugar que ocupava na roda, devolve-lhe o objeto para que o menininho faça nova tentativa. Caso o menininho não seja alcançado, senta-se no lugar anteriormente ocupado pelo jogador que o perseguia e o jogo continua com o jogador que estava sentado na roda no papel de menininho.

INSTRUÇÕES
Nenhuma.

AVALIAÇÃO
Nenhuma.

ÁREAS DE EXPERIÊNCIA
Jogo Tradicional
Aquecimento Ativo
Comunicação: Agilidade Verbal

---

* O jogo tradicional americano foi substituído por esse jogo tradicional brasileiro. (N. da T.)

© 2001 Perspectiva

ILUMINANDO A97

PREPARAÇÃO
Grupo todo ou jogadores na plateia.

FOCO
Não verbalizar o assunto da conversação.

DESCRIÇÃO
Grupo todo. Dois jogadores entram em acordo sobre um tópico secreto de conversação. Iniciam discutindo o tópico na presença de outros jogadores. Não devem fazer afirmações falsas, embora procurem ocultar o assunto dos outros jogadores. Os outros jogadores não devem fazer perguntas ou adivinhar o tópico em voz alta mas sim participar da conversação quando acreditam conhecer o assunto. O primeiro jogador pode desafiar aqueles que entraram no jogo que, se estiverem corretos, podem permanecer no jogo. Caso esteja incorreto, o jogador deve voltar, estando fora em uma terça parte (como no jogo teatral *Fantasma* (A78)). Os jogadores podem eventualmente participar da conversação por algum tempo sem despertar suspeita ou serem desafiados. O jogo é realizado até que todos os jogadores estejam dentro ou fora.

INSTRUÇÃO
Compartilhe sua voz! Não faça perguntas! Não faça adivinhações!

AVALIAÇÃO
Os jogadores fizeram afirmações falsas? Qual era o assunto?

NOTAS
1. Esse jogo tradicional pode ser utilizado como aquecimento para aqueles exercícios que buscam trazer os jogadores para participar de diálogos: *Debate em Contraponto #1, #2 e #3* (C10, 11 e 12) e *Conversação em Três Vias* (A91).

ÁREAS DE EXPERIÊNCIA
Jogo Tradicional
Aquecimento Silencioso
Jogo de Ouvir-Escutar
Comunicação: Familiaridade e Flexibilidade com Palavras
Comunicação: Falando-Diálogo
Comunicação: Escrever
Jogo para Leitura
Jogo Sensorial

© 2001 Perspectiva

QUEM SOU EU? — A98

PREPARAÇÃO
Introdutório: *Iluminando* (A97)
Jogadores na plateia.

FOCO
Envolvimento com a atividade imediata até que o Quem seja conhecido.

DESCRIÇÃO
Grupo grande ou times numerosos. Um jogador voluntariamente deixa a sala enquanto o grupo decide Quem será esse jogador: por exemplo: líder de sindicato; cozinheiro no Vaticano; diretor de escola etc. – é ideal que seja alguém que é comumente cercado por muita atividade ou vida institucional. Pede-se que o primeiro jogador volte e fique sentado na área de jogo enquanto os outros se relacionam com o Quem e se envolvem com uma atividade apropriada até que o Quem seja conhecido.

INSTRUÇÃO
Não faça adivinhações! Não assuma nada! Relacione-se com aquilo que está acontecendo! Entre em contato com um parceiro! Não faça perguntas! Quem você é ficará claro! Outros jogadores, não deem pistas! Não façam referências ao passado! Mostrem! Não contem! Sem ter pressa! Esperem!

AVALIAÇÃO
O jogador tentou adivinhar o Quem ou esperou até que fosse comunicado através da relação? Jogador, você concorda? Você apressou a descoberta?

NOTAS
1. A parte mais difícil de *Quem Sou Eu?* é evitar que o primeiro jogador que não sabe Quem ele é transforme o jogo em uma adivinhação e que os outros evitem dar pistas. É difícil compreender que o Quem irá emergir quando os jogadores estão abertos (esperando) para aquilo que está acontecendo e envolvidos com a atividade imediata (Aqui, Agora!)
2. Escolher personalidades famosas ou personagens históricas deve ser evitado até que o grupo se familiarize com o exercício.
3. O exercício alcança seu final natural quando o jogador que não sabe Quem ele é mostra através de palavras e ações Quem ele é. Os jogadores podem, no entanto, continuar a cena quando o Quem ficar conhecido – um evangelista pode continuar a exortar o grupo na atividade de convertê-los etc.

ÁREAS DE EXPERIÊNCIA
Teatro: Quem (Personagem e/ou Relacionamento)
Mostrar, Não Contar

AQUECIMENTO BÁSICO   B1

PREPARAÇÃO
Introdutótios: *Sentindo o Eu com o Eu* (A19) e *Visão Periférica* (A53). Grupo todo.

FOCO
Em estender a visão

DESCRIÇÃO
Os jogadores permanecem sentados em silêncio nas carteiras, em não movimento, abertos para receber a instrução.

INSTRUÇÃO
Percebam vocês mesmos sentados em suas carteiras! Percebam o espaço à sua volta! Agora deixem que o espaço perceba vocês! Permaneçam sentado em não movimento! Balancem suas cabeças! Deixem que o peso da cabeça execute o movimento! Não o corpo! Deixem os ombros à vontade! Você fica de fora! Deixem que sua cabeça se movimente em círculo! Agora deixem que suas cabeças rolem para a esquerda e movimentem seus olhos tão longe para a esquerda quanto possível! Enviem seu olhar ainda mais para a esquerda! Agora para a direita! Façam com que seus olhos se movimentem o mais longe possível para a direita! A cabeça para a frente sobre o peito! Movimentem os olhos para baixo rolando a cabeça sobre o peito! Agora deixem os olhos a acompanharem tão longe para trás quanto possível! Enviem o olhar ainda mais para trás! (Repita cada uma das direções duas ou três vezes.)

AVALIAÇÃO
Nenhuma.

NOTAS
1. *Sentindo o Eu com o Eu* (A19) também é um aquecimento básico que pode ser usado a qualquer momento para diminuir a fadiga.

ÁREAS DE EXPERIÊNCIA
Aquecimento Silencioso
Revigoramento
Jogo de Olhar-ver
Jogo Sensorial

DEMONSTRAÇÃO DO ONDE — B2

PREPARAÇÃO
Coordenador: Leia "Fora da Mente! No Espaço!" (Manual, p. 57).
Introdutórios: *Jogo de Bola #1* e *#2* (A9 e A10) e *Cabo de Guerra* (A12)
Jogadores na plateia.

FOCO
Dar lugar aos objetos no espaço.

DESCRIÇÃO
(Coloque uma cadeira na área de jogo) *Todos vocês sabem que uma cadeira, sendo sólida* (levantando-a), *visível* (girando-a) *e feita de uma substância particular* (batendo-a) *exige que prestemos atenção a ela. Nós podemos ver essa cadeira! Mesmo que não pudéssemos ver essa cadeira, não poderíamos atravessá-la* (experimentando atravessar a cadeira). *A cadeira ocupa espaço* (sentando-se na cadeira). *Essa cadeira está no espaço ou na minha cabeça?* (Obviamente está no espaço.) *Já houve um momento em suas vidas em que a cadeira estava em suas cabeças e não no espaço? Quando vocês não a viram e ela caiu no chão?* (Muitos jogadores terão visto isso acontecer ou passaram por essa experiência.) Com exceção de cadeiras reais utilizadas minimamente como suporte real, todos os objetos necessários ou exigidos para os jogos teatrais serão tornados presentes através da substância do espaço. Todos os jogadores respeitam o espaço invisível que o objeto no espaço ocupa, como se fosse um objeto real. *Veja os objetos no espaço, fora da cabeça!* (Demonstre os objetos no espaço.) Exemplo de demonstração: Caminhe para uma escrivaninha (feita de *espaço*) e abra uma gaveta na escrivaninha, tirando uma caneta (*espaço*). Escreva sobre uma folha de papel (*espaço*) sobre o tampo da escrivaninha. Vá em direção a uma janela, abrindo-a etc. etc. Depois que o coordenador ou um jogador escolhido tiverem usado cada um dos objetos acima, pergunte para os jogadores na plateia: *O objeto estava no espaço ou na minha cabeça?*

AVALIAÇÃO
Nenhuma.

NOTAS
1. Caso você se sinta desconfortável, peça para dois alunos fazerem a demonstração. Um propõe um objeto. O segundo o usa. O segundo propõe um objeto. O primeiro o usa. Avaliação depois de cada proposta:

© 2001 Perspectiva

O objeto estava na cabeça ou no espaço? Os objetos no espaço ocupam tanto espaço quanto uma cadeira real? O uso do objeto no espaço irá revelar isso para a plateia.
2. Cadeiras: a menos que possamos levitar, cadeiras ou bancos reais devem ser usadas como sofás, camas e cadeiras reais nos jogos teatrais. No entanto, sugerimos que camas sejam feitas com apenas uma cadeira e não uma fileira delas. O coordenador pode demonstrar: Sente-se um uma cadeira, estique as pernas à sua frente e deslize lentamente para a frente na cadeira enquanto deixa seus pés repousarem naturalmente no solo. Acenda uma luz (*espaço*) ao lado da cama; puxe as cobertas (*espaço*) sobre seu corpo etc. etc.
3. *Revezamento do Onde #1 e #2* (B3 e B4) podem ser usados para introduzir o Onde (lugar ou cenário) em lugar das *Plantas Baixas e Direções de Cena* (B7).

ÁREAS DE EXPERIÊNCIA
Teatro: Onde (Cenário e/ou Ambiente)
Objeto no Espaço: Tornando Visível o Invisível
Comunicação Não Verbal

ONDE #1: CONSTRUINDO UM AMBIENTE/CENÁRIO B3

PREPARAÇÃO
Introdutórios: *Acrescentar uma Parte* (A47) e *Demonstração do Onde* (B2) Jogadores na plateia.

FOCO
Mostrar o Onde e todos os objetos nesse Onde.

DESCRIÇÃO
Faça a contagem em grandes times de dez a quinze jogadores. Cada time entra em acordo sobre um Onde. O primeiro jogador vai para a área de jogo e encontra um objeto no espaço, que pode ser parte do Onde escolhido, e sai. Cada jogador estabelece contato sucessivamente com todos os objetos no espaço já colocados e depois acrescenta outro objeto relacionado com o Onde. Por exemplo: o primeiro jogador encontra uma pia; o segundo jogador lava suas mãos e, usando uma toalha, encontra um gancho. O próximo jogador abre uma porta (objeto no espaço) e assim cada jogador completa sua tarefa e sai antes da entrada de outro jogador.

INSTRUÇÃO
Primeiro jogador, procure não pré-planejar seu objeto! FOCO no Onde! Encontre o objeto no espaço da cena! Parceiros, procurem tomar o seu tempo para ver o objeto aparecer no espaço! Entrem em contato com todos os objetos colocados anteriormente! Usem todos os objetos no Onde! Vejam todos os objetos no espaço! Tirem da cabeça! Aquilo que precisam irá aparecer!

AVALIAÇÃO
Jogadores na plateia, onde eles estavam? Os objetos estavam no espaço ou na cabeça dos jogadores? E como foi com o (um dos objetos que os jogadores *encontraram*) – todos os jogadores entraram em contato com o mesmo objeto? Jogadores, vocês concordam com a plateia?

NOTAS
1. Caso persista o pré-planejamento dos objetos, modifique as regras de forma a não haver acordo de grupo sobre um Onde específico. Deixe que o Onde surja a partir do O Quê (atividade) de forma que os jogadores então descubram e/ou encontrem os objetos no espaço. Surpresa!
2. Aderéços de mão não contam como objetos de cenário. Por exemplo, um jogador usa uma toalha real (adereço de mão) pendurando-a num gancho

(objeto no espaço). O próximo jogador não necessita usar a toalha, mas entra em contato com o gancho.

ÁREAS DE EXPERIÊNCIA
Teatro: Onde (Cenário e/ou Ambiente)
Objeto no Espaço: Tornando Visível o Invisível
Comunicação Não Verbal

ONDE #2: CONSTRUINDO UM AMBIENTE/CENÁRIO   B4

PREPARAÇÃO
Introdutório: *Onde #1* (B3).
Jogadores na plateia.

FOCO
Onde escolhido e na relação com os parceiros através dos objetos no Onde.

DESCRIÇÃO
Grupos grandes de dez a quinze jogadores entram em acordo sobre o Onde. O primeiro jogador entra na área de jogo focalizando o Onde, encontra um objeto e o utiliza. O segundo jogador entra, se relaciona e interage com o primeiro jogador e utiliza o objeto que o primeiro jogador propos. O diálogo, se necessário, deve ser compartilhado com os jogadores na plateia. O primeiro jogador sai. O segundo jogador encontra outro objeto. O terceiro jogador entra, se relaciona de alguma forma com o segundo jogador, utiliza ou estabelece contato com os objetos *#1* e *#2*. O segundo jogador sai. O terceiro jogador encontra um objeto. O quarto jogador entra, se relaciona com o terceiro jogador, utiliza os objetos *#1*, *#2* e *#3*. O terceiro jogador sai. O quarto jogador acrescenta um objeto, e assim por diante. O contato ou a utilização dos objetos pode acontecer a qualquer momento. Muitas vezes essa utilização nasce da interação (relacionamentos).

INSTRUÇÃO
FOCO no Onde! Primeiro jogador, deixe que o objeto apareça! Veja-o no espaço! Tire-o da cabeça! Segundo jogador, saiba Quem você é ao entrar! Entre em contato com o objeto do primeiro jogador! No espaço! Tire da cabeça! FOCO em Onde você está! Primeiro jogador, saia depois que tiver entrado em contato com o seu objeto! FOCO no Onde e deixe que seu objeto apareça! Terceiro jogador, saiba Quem você é ao entrar no jogo!

AVALIAÇÃO
Os jogadores mantiveram o FOCO no Onde? Quantos tinham personagens definidos ao entrar no Onde? Os objetos estavam no espaço ou na cabeça dos jogadores? Jogadores, vocês concordam com a plateia?

NOTAS
1. Os jogadores podem falar em Blablação ao se relacionarem uns com os outros.

© 2001 Perspectiva

ÁREAS DE EXPERIÊNCIA
Teatro: Onde (Cenário e/ou Ambiente)
Objeto no Espaço: Tornando Visível o Invisível
Comunicação Não Verbal

DAR E TOMAR: AQUECIMENTO

PREPARAÇÃO
Grupo todo.

FOCO
Movimentar-se sem quebrar as regras do jogo.

DESCRIÇÃO
Os jogadores formam um círculo em pé. Qualquer jogador pode iniciar um movimento. Se algum jogador estiver se movendo, todos os outros jogadores devem sustentar (ficar sem fazer movimento). Qualquer jogador pode fazer um movimento a qualquer momento, mas deve sustentar, caso outro jogador inicie outro movimento. Os sons podem ser considerados movimentos, caso o grupo concorde com essa regra adicional.

INSTRUÇÃO
Sustente seu movimento – pronto para continuar a fluência de seu movimento quando aparecer a oportunidade! Sustente enquanto um outro jogador se move!

AVALIAÇÃO
Nenhuma.

NOTAS
1. A instrução *Sustente!* deve ser usada no lugar de *Congele!*. Congelar significa parada total. Sustentar significa esperar para se mover tão logo seja possível.

ÁREAS DE EXPERIÊNCIA
Aquecimento Ativo
Jogo de Olhar-Ver
Jogo Sensorial

DAR E TOMAR B6

PREPARAÇÃO
Aquecimento: *Dar e Tomar* (B5)
Jogadores na plateia.

FOCO
Ouvir/escutar com o parceiro para saber quando dar e tomar.

DESCRIÇÃO
(Duas mesas, com duas cadeiras cada uma, são muito úteis para este exercício.) Divida o grupo em times de quatro. Cada time de quatro subdivide-se em times de dois. Cada subtime (cada um sentado em uma mesa) mantém uma conversa separadamente. Durante a conversa cada subtime deve ouvir o outro de modo a saber quando dar e quando tomar.

Parte I: O diretor anuncia Mesa 1 e Mesa 2 até que o jogo se torne claro para ambos os subtimes. Os dois subtimes devem iniciar suas conversas ao mesmo tempo. Quando a Mesa 1 for anunciada, o subtime 1 fica difuso. Ficar difuso não é congelar. Os jogadores que estiverem na mesa fora de foco sustentam a ação, o relacionamento e a conversa silenciosamente em não movimento, mas permanecem preparados para continuar ativamente quando chegar o momento de tomarem o foco novamente. Dê a instrução Um! Dois! etc. em ritmos variados até que os dois subtimes compreendam. Depois vá para a Parte II.

INSTRUÇÃO
Mesa 1! Mesa 2 difusa! Mantenham o relacionamento enquanto ficam difusos! Não congelem! Sinta relaxamento no não movimento! Mesa 2! Mesa 1 fica difusa!

Parte II: Quando o ato de passar o FOCO para o outro time estiver compreendido, pede-se aos jogadores para continuarem suas conversas, dando e tomando o FOCO sem serem instruídos.

INSTRUÇÃO
Dê! Jogue o jogo! Joguem como uma unidade!

Parte III: Continuando como acima, os dois subtimes tentam tomar o FOCO do outro. O subtime que mantiver a atenção da plateia terá tomado o

FOCO. Ambos os times colocam toda a energia em tomar o FOCO através de som, atividade etc.

INSTRUÇÃO
Tomar! Tomar! (até que o FOCO seja tomado). (A plateia saberá quando o FOCO foi tomado.)

Parte IV: Ambos os times dão e tomam o FOCO do outro, sem qualquer instrução específica.

INSTRUÇÃO
Por sua conta agora! Dar e tomar! Perceba quando tomar! Jogue o jogo!

AVALIAÇÃO
Subtime 1, vocês tiveram problemas para saber quando seus parceiros queriam dar? Plateia, vocês poderiam dizer quando um dos membros do subtime não queria dar e o outro queria? Jogadores, vocês tomaram o foco na Parte IV antes que o outro time tivesse dado? Outro time, vocês concordam? Plateia, vocês concordam?

NOTAS
1. Se desejar, peça para os jogadores entrarem em acordo sobre um Onde, Quem e O Quê (dois amigos decidindo sobre uma festa em um restaurante, por exemplo).
2. Os jogadores nos subtimes devem aprender a dar e tomar como se fossem um só grupo. Isto desenvolve habilidades de enviar e receber num nível não verbal.
3. Use *Dar e Tomar* como instrução em outros jogos, quando os jogadores estiverem se movimentando e falando todos ao mesmo tempo, sem ouvir uns aos outros.
4. Veja *Duas Cenas*, em *Improvisação para o Teatro*, pp. 144-147, no qual está a descrição original do exercício.

ÁREAS DE EXPERIÊNCIA
Comunicação Não Verbal
Comunicação: Ressonância na Fala
Teatro: Clareando o Quadro de Cena; Marcação Autodirecionada
Jogo de Ouvir-escutar
Espelho/Siga o Seguidor
Comunicação: Agilidade Verbal
Jogo Sensorial
Tempo Presente/Aqui,Agora!

PLANTAS BAIXAS E DIREÇÕES DE CENA — B7

PREPARAÇÃO
Coordenador: Veja as Notas 2 e 3 abaixo antes de apresentar essa demonstração extremamente simplificada.
Jogadores na plateia.

FOCO
Seguir direções de cena e estabelecer relação com uma planta baixa.

DESCRIÇÃO
Deve-se estabelecer um palco na sala, aberto para a visão da plateia com uma lousa que possa ser visto facilmente tanto da posição do palco como da plateia. Desenhe as dimensões do palco na lousa e aponte as direções de cena (veja Notas). O grupo todo entra em acordo sobre o Onde (cozinha, sala de aula etc.) Cada jogador sugere um item para o Onde que o coordenador acrescenta à planta baixa, utilizando símbolos apropriados (veja Notas). Quando a planta baixa estiver completa, o coordenador chama jogadores individuais, um por vez, para assumir uma posição específica na área do palco, ou seja, boca de cena, à direita. Uma vez naquela posição, o jogador consulta a planta baixa e nomeia todos os itens que estão à sua volta naquela posição.

INSTRUÇÃO
(De acordo com as necessidades do jogo.) Por exemplo: João, você quer que a televisão fique no fundo do palco, à direita? Vocês todos concordam que o Onde está completo? Maria, vá para o centro do palco! Consulte a planta baixa! Saia pela esquerda do palco!

AVALIAÇÃO
(Surgirá quando os jogadores estiverem nas posições no palco) Você está vendo uma cadeira ali na planta baixa? Plateia, vocês concordam?

NOTAS
1. Se o tempo for limitado, peça para muitos jogadores irem para o palco ao mesmo tempo.
2. As direções de cena são sempre dadas a partir do ponto de vista dos jogadores no palco. Portanto, se um jogador sair pelo palco à *direita*, as direções se referem à direita do ator que está de frente para a plateia. As cinco direções básicas diagramadas (verso) foram combinadas para dar mais especificidade às direções de cena – *Vá para o fundo do palco*

à direita! Fundo do palco à esquerda! Boca de cena à esquerda! À direita do centro! etc.
3. Símbolos para plantas baixa comumente usados estão relacionados (abaixo). Fique livre para simplificar ou acrescentar outras que seu grupo necessite.

ÁREAS DE EXPERIÊNCIA
Teatro: Onde (Cenário e/ou Ambiente)
Demonstrações de Direções de Cena

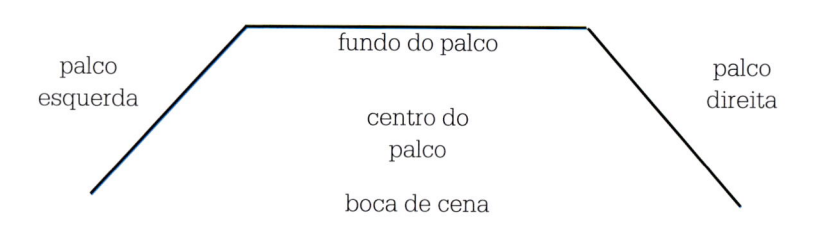

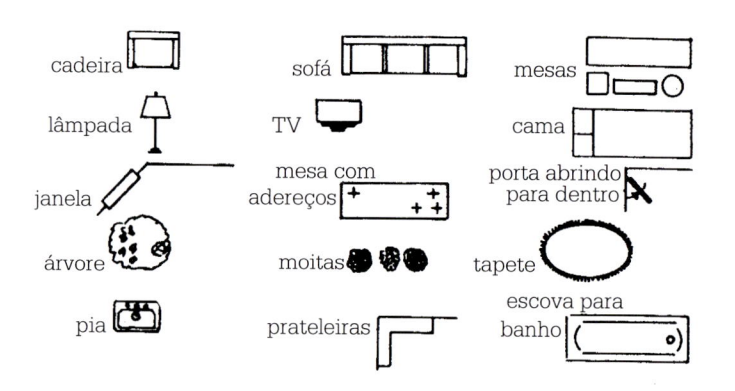

palco esquerda   fundo do palco   palco direita
                  centro do palco
                  boca de cena

cadeira   sofá   mesas
lâmpada   TV   cama
janela   mesa com aderêços porta abrindo para dentro
árvore   moitas   tapete
pia   prateleiras   escova para banho

EXERCÍCIO DO ONDE   B8

PREPARAÇÃO
Introdutórios: *Plantas Baixas e Direções de Cena* (B7) e *Parte do Todo #2* (A26).
Jogadores na plateia.

FOCO
Mostrar Onde, Quem e O Quê através da utilização de todos os objetos no Onde.

DESCRIÇÃO
Faça a contagem de times de dois a quatro jogadores. Cada time entra em acordo sobre Onde, Quem e O Quê e desenha uma planta baixa do Onde no papel. Na medida em que Onde, Quem e O Quê forem encenados, cada jogador (consultando a planta baixa, quando necessário) deve estabelecer contato com cada objeto na planta baixa. Os jogadores colocam cadeiras reais necessárias no área de jogo, posicionam a planta baixa para que possa ser facilmente consultada e chamam pela *Cortina!* quando estiverem prontos. Por exemplo: Onde: cozinha, Quem: membros da família, O Quê: tomando o café da manhã. A planta baixa inclui geladeira, pia, prateleira de copos, mesa etc.

INSTRUÇÃO
Compartilhe com a plateia! Mostre! Não conte! Cada jogador deve entrar em contato com todos os objetos na planta baixa! Consulte-a quando necessário! Veja os objetos no espaço! Tire-os da cabeça! Consulte sua planta baixa!

AVALIAÇÃO
Os jogadores usaram todos os objetos na planta baixa? Plateia, quais objetos os jogadores mostraram para nós? Jogadores, comparem com a planta baixa. Os jogadores mostraram Onde, Quem, O Quê? Ou contaram? Os objetos estavam no espaço ou na cabeça dos jogadores? Jogadores, vocês atravessaram mesas? Os jogadores integraram o uso dos objetos com Onde, Quem e O Quê ou simplesmente os utilizaram sem sentido?

NOTAS
1. Compare sempre o que a plateia viu com a planta baixa.
2. Instrua os jogadores para que evitem planejar como usar cada objeto, já que o pré-planejamento tira toda a espontaneidade do jogo.

ÁREAS DE EXPERIÊNCIA
Teatro: Onde (Cenário e/ou Ambiente)
Objeto no Espaço: Tornando Visível o Invisível
Parte do Todo: Interação
Comunicação Não Verbal

JOGO DO ONDE   B9

PREPARAÇÃO
Introdutório: *Parte do Todo #2* (A26)
Jogadores na plateia.

FOCO
Mostrar o Onde através dos objetos.

DESCRIÇÃO
Times com dez a doze jogadores. Um jogador entra no palco e mostra Onde através de objetos físicos. Qualquer outro jogador que saiba Onde o primeiro está pode assumir um Quem, entrar no Onde e desenvolver um relacionamento com o Onde e com o primeiro jogador através dos objetos no Onde. Na medida em que o Onde se tornar conhecido, os outros jogadores entram com personagens relacionados (Quem) dentro do Onde e da atividade (O Quê).

INSTRUÇÃO
Mostre o Onde! Não conte! Mantenha o FOCO no Onde! Procure se relacionar com seus parceiros! Mostre Quem você é através dos objetos no Onde! FOCO no Onde!

AVALIAÇÃO
Os jogadores mostraram ou contaram? Os objetos estavam no espaço ou na cabeça dos jogadores? Os jogadores estavam todos no mesmo Onde? Jogadores, vocês concordam com a plateia?

NOTAS
1. Essa interação grupal deveria criar fluência e energia. Por exemplo, se o primeiro jogador estabelece um balcão, o segundo jogador poderia entrar como um freguês; o terceiro como cozinheiro; o quarto, como um porteiro etc. O FOCO permanece no Onde, sendo que Quem aparece, mas não é o FOCO principal.
2. O jogo termina quando todos estão em cena no mesmo Onde.

ÁREAS DE EXPERIÊNCIA
Teatro: Onde (Cenário e/ou Ambiente)
Objeto no Espaço: Tornando Visível o Invisível
Parte do Todo: Interação
Comunicação Não Verbal

BLABLAÇÃO: ENSINAR | B10

PREPARAÇÃO
Introdutórios: *Blablação: Português* (A88) e *Siga o Seguidor #1* (A17). Jogadores na plateia.

FOCO
Comunicação.

DESCRIÇÃO
Times de três a dez jogadores. Cada time entra em acordo sobre Onde, Quem, O Quê de forma que os jogadores estejam numa situação de ensinar/aprender. Exemplos: 1. Quem: sala de aula de ensino fundamental, primeiro ano. Quem: professor e alunos O Quê: aprendendo a ler 2. uma classe de anatomia 3. sala de aula de aeromoças. Toda fala é em Blablação.

INSTRUÇÃO
Comuniquem-se com os alunos! Alunos, trabalhem com o professor!

AVALIAÇÃO
Os jogadores se comunicaram claramente uns com os outros? Jogadores, vocês concordam?

NOTAS
1. Ficará evidente quando a comunicação é clara e, quando, contudo, os jogadores assumem ou entram no lugar do outro.
2. Esse jogo difere de *Blablação: Vender* (A86) na medida em que os jogadores que fazem o papel de *professor* devem ficar diretamente envolvidos com o que está sendo ensinado.
3. Verbalização desnecessária ficará evidente quando há palavras incompreensíveis entre os jogadores.
4. Esse jogo teatral contém elementos dos jogos de *Siga o Seguidor*. Veja Comentário sobre o *Espelho* (Manual, p. 43).

ÁREAS DE EXPERIÊNCIA
Comunicação: Sem Palavras
Mostrar, Não Contar
Espelho/Siga o Seguidor
Série de Blablação
Comunicação Não Verbal
Tempo Presente/Aqui, Agora!

ONDE: BLABLAÇÃO B11

PREPARAÇÃO
Introdutórios: *Blablação: Ensinar* (B10) e *Jogo do Onde* (B9)
Jogadores na plateia.

FOCO
Comunicar com os outros jogadores.

DESCRIÇÃO
Times de dois a quatro jogadores entram em acordo sobre Onde, Quem, O Que. Cada time deve preparar uma planta baixa da mesma forma como no *Jogo do Onde* (B9). O jogo transcorre como *Blablação: Ensinar* (B10). Depois da atuação de cada time, os jogadores repetem a cena em Português.

INSTRUÇÃO
(Durante a Blablação): *Comunique-se com os outros jogadores! Não espere que eles interpretem o que está dizendo! O que está dizendo a eles?*

AVALIAÇÃO
O significado do diálogo em Português era próximo ou o mesmo que a Blablação? O que era necessário ou desnecessário dizer?

NOTAS
1. A repetição da cena em Português é realizada simplesmente para determinar a exatidão da comunicação que foi feita em Blablação. Durante a versão em Português, interrompa a ação frequentemente para perguntar aos jogadores e para a plateia. *Ele ou ela comunicaram isso em Blablação?*
2. Uma vez que a questão da verbalização necessária ou desnecessária tenha sido esclarecida, a versão em Português não precisa ser necessariamente completada.

ÁREAS DE EXPERIÊNCIA
Comunicação: Sem Palavras
Teatro: Onde (Cenário e/ou Ambiente)
Série de Blablação
Comunicação Não Verbal

BAÚ CHEIO DE CHAPÉUS — B12

PREPARAÇÃO
Coordenador: Esse jogo requer figurinos e adereços. Veja Nota 1 abaixo. Jogadores na plateia.

FOCO
Seleção rápida de figurinos para o jogo.

DESCRIÇÃO
Times de dois ou mais jogadores. Este jogo pode ser jogado de duas maneiras: os jogadores estabelecem Onde, Quem, O Quê, e depois selecionam figurinos do baú para realizar a cena. Os jogadores também podem escolher peças de figurino ao acaso, deixando que os figurinos sugiram as qualidades de personagem, estabelecendo o Onde, Quem, O Quê a partir da seleção.

INSTRUÇÃO
(Apenas se necessário) *Compartilhe a sua voz! Mantenha os objetos no espaço – fora da cabeça! Mostre! Não conte! Deixe que as qualidades do personagem o sustentem! Seja parte do todo! Tem mais um minuto de jogo!*

AVALIAÇÃO
Para os jogadores na plateia: As peças de figurino ajudaram ou atrapalharam o Onde, Quem, O Quê dos jogadores? Jogadores, vocês concordam com os jogadores na plateia?

NOTAS
1. O baú é simples – ele é constituído de tantos figurinos e adereços que você conseguir colecionar: velhos paletós, um chapéu de cozinheiro, uma boina de marinheiro, um cocar, elmos, xales, capas, cobertores, lençóis, asas de papel, rabos para animais, luvas, bengalas, óculos, cachimbos, guarda-chuvas etc. Pendure as roupas, lençóis e cobertores em cabides e coloque o baú cheio de chapéus ao lado. Velhas gravatas podem ser usadas como cintos, tornando possível usar roupas de qualquer tamanho.
2. Esse jogo é particularmente adequado para crianças de seis a oito anos. No início os jogadores irão adorar a ideia de usar figurinos e irão colocá-los mesmo que a cena não os exija, usando uma peça estranha após a outra. Com o tempo, no entanto, essa atitude irá se transformar gradualmente e os jogadores irão escolher apenas figurinos que cumpram suas necessidades.

© 2001 Perspectiva

3. Variante: uma vez que os jogadores tenham selecionado randomicamente os figurinos à sua disposição, os jogadores na plateia determinam Onde, Quem, O Que da cena.
4. Veja *Improvisação para o Teatro*, pp. 269-281, onde se encontram mais experiências teatrais para essa faixa etária.

ÁREAS DE EXPERIÊNCIA
Teatro: Figurinos
Teatro: Vinhetas

AFUNDANDO O BARCO – COMPARTILHANDO O QUADRO DE CENA

B13

PREPARAÇÃO
Introdutórios: *Quem Sou Eu?* (A98), *Onde: Blablação* (B11) *Baú Cheio de Chapéus* (B12).
Jogadores na plateia.

FOCO
Quadro de cena (marcação).

DESCRIÇÃO
Grandes times de jogadores entram em acordo sobre Onde, Quem, O Quê, as regras e FOCO de um jogo teatral familiar (veja introdutórios acima). Os jogadores devem pensar no palco ou área de jogo como um pequeno barco ou canoa no mar. Discuta o que acontece com um barco quando todos os passageiros ficam sentados de um só lado. Pergunte para os jogadores se há momentos em cena quando queremos *afundar o barco*. Acrescente ao jogo teatral escolhido a regra adicional: quando for dada a instrução *Afunde o barco!* os jogadores devem deliberadamente desequilibrar a sua disposição no espaço do palco e quando for dada a instrução *Compartilhe o quadro de cena!* os jogadores devem equilibrar o quadro de cena. Todo movimento deve ser integrado com Onde, Quem, O Quê.

INSTRUÇÃO
Afunde o barco! Encontre um jeito de afundar o barco! (Depois de algum tempo.) *Compartilhe o quadro de cena! Não afunde o barco! Encontre um jeito de compartilhar o quadro de cena!*

AVALIAÇÃO
Jogadores na plateia, os jogadores trabalharam juntos para afundar o barco? Os jogadores trabalharam juntos para compartilhar o quadro de cena? Afundar o barco ou não afundar o barco foi integrado ao Onde, Quem, O Quê?

NOTAS
1. *Afundar o barco!* é uma frase desenvolvida pela autora para ajudar jogadores mais jovens a avaliar o quadro de cena.
2. A instrução *Você está afundando o barco!* e *Compartilhe o quadro de cena!* pode ser dada em qualquer jogo teatral e encoraja a marcação de cena autoiniciada, dando a todos os jogadores a responsabilidade pelo quadro de cena.

© 2001 Perspectiva

3. Quando necessário em outros jogos teatrais daqui para a frente *Você está afundando o barco!* e *Compartilhe o quadro de cena!* deve ser dado para o grupo todo e não para um jogador individualmente, pois dessa forma todos os jogadores podem ver a si mesmos através da relação física com os parceiros e atuar dentro do quadro de cena como um todo.

ÁREAS DE EXPERIÊNCIA
Teatro: Clareando Quadro de Cena; Marcação Autodirecionada

BLABLAÇÃO: LÍNGUA ESTRANGEIRA #1　　B14

PREPARAÇÃO
Introdutórios: *Blablação: Introdução* (A85) e *Blablação: Vender* (A86)
Jogadores na plateia.

FOCO
Comunicar-se com o outro que não fala a mesma língua.

DESCRIÇÃO
Times de dois jogadores entram em acordo sobre Onde, Quem, O Quê de forma que cada jogador fale uma língua própria que o outro jogador não entende. Ambos os jogadores usam apenas a Blablação. Exemplos: pedindo um visto em um país estrangeiro; comprando alguma coisa em uma loja de roupa.

INSTRUÇÃO
Comunique-se com o outro jogador! Não assuma nada! Vocês não falam a mesma língua! Comunique-se! Não espere por interpretações!

AVALIAÇÃO
O que estava acontecendo? Onde os jogadores estavam? Quem eles eram? Houve comunicação direta ou vocês (os jogadores na plateia) estavam interpretando? Jogadores, vocês concordam com a plateia?

NOTAS
1. Esse jogo é uma introdução natural para *Blablação: Língua Estrangeira #2* (B15).

ÁREAS DE EXPERIÊNCIA
Comunicação: Sem Palavras
Fluência Verbal e Qualidades Tonais
Série de Blablação
Comunicação Não Verbal

© 2001 Perspectiva

BLABLAÇÃO: LÍNGUA ESTRANGEIRA #2

PREPARAÇÃO
Aquecimento: *Blablação: Língua Estrangeira #1* (B14).
Jogadores na plateia.

FOCO
Comunicar-se com aqueles que não falam a mesma língua.

DESCRIÇÃO
Faça a contagem em times de quatro jogadores, que então se dividem em subtime A e subtime B. Os dois jogadores em A falam a mesma língua. Os dois jogadores em B falam a mesma língua. As duas línguas são diferentes. Nem o subtime A nem o subtime B compreendem a língua estrangeira um do outro. Todos entram em acordo sobre Onde, Quem, O Quê. Por exemplo: dois estudantes estrangeiros estão pedindo informações a dois funcionários em uma região fronteiriça.

INSTRUÇÃO
Subtime A, vocês falam a mesma língua! Subtime B, vocês compreendem um ao outro! Falem um com o outro! Subtimes, comuniquem-se com os estrangeiros! Joguem o jogo!

AVALIAÇÃO
Os jogadores no subtime A falavam a mesma língua? Os jogadores no subtime B falavam a mesma língua? Os jogadores (subtime A) se comunicaram com os *estrangeiros* (subtime B)?

NOTAS
1. Os jogadores devem evitar ritmos de línguas reais na Blablação, como Francês, Sueco etc.
2. Observe a fluência ao falar e nos gestos quando os parceiros falam um com o outro na mesma língua e os gestos exagerados e Blablação pesada (sem espontaneidade) quando falam na língua *estrangeira*.
3. Nesse momento do trabalho a Blablação deve fluir livremente e estar totalmente integrada com a expressão física.

ÁREAS DE EXPERIÊNCIA
Comunicação: Sem Palavras
Fluência Verbal e Qualidades Tonais
Série de Blablação
Comunicação Não Verbal

BLABLAÇÃO: PORTUGUÊS B16

PREPARAÇÃO
Introdutórios: *Blablação: Vender* (A86) e *Blablação: Incidente Passado* (A87)
Jogadores na plateia.

FOCO
Comunicação.

DESCRIÇÃO
Times de dois ou três jogadores e um instrutor. Para uma demonstração introdutória, o coordenador pode dar a instrução. Os jogadores escolhem um assunto para conversar. Quando a conversa se tornar fluente em Português, dê a instrução *Blablação!* e os jogadores devem mudar para a Blablação até que sejam instruídos a retomar a conversa em Português. A conversa deve fluir normalmente e avançar no que se refere ao sentido. Os jogadores devem interromper um ao outro apenas em Português.

INSTRUÇÃO
Blablação! Português! Blablação! Português! (e assim por diante).

AVALIAÇÃO
A conversa fluiu e teve continuidade? A comunicação foi sempre mantida? Jogadores, vocês concordam?

NOTAS
1. *Blablação: Português* é ideal para desenvolver a habilidade para dar e receber instrução para todas as faixas etárias. Quando o jogo estiver entendido, divida o grupo em times de três. Muitos times podem jogar simultaneamente, cada um com o seu instrutor. Dê a todos os membros do time a oportunidade de ser instrutor pelo menos uma vez.
2. Com relação à instrução, se a Blablação se tornar penosa para qualquer jogador, mude imediatamente para o Português durante algum tempo. Isto ajuda o jogador que está resistindo ao problema.
3. O momento de mudança deve acontecer quando os jogadores estiverem desatentos, no meio de um pensamento ou de uma frase. No momento de desequilíbrio, a fonte de novos *insights* pode ser aberta. Aquilo que estava oculto vem resgatá-lo.

ÁREAS DE EXPERIÊNCIA
Comunicação: Falando-Diálogo
Teatro: O Quê (Atividade)
Mostrar, Não Contar
Série de Blablação
Comunicação Não Verbal

BLABLAÇÃO: INTÉRPRETE #1 — B17

PREPARAÇÃO
Introdutórios: *Blablação: Língua Estrangeira #1* e *#2* (B14 e B15)
Jogadores na plateia.

FOCO
Seguir o seguidor com Blablação.

DESCRIÇÃO
Variante A: Times de dois. Um jogador fala uma língua estrangeira, fazendo uma palestra ou conferência para uma plateia (os membros da classe) em Blablação. O segundo jogador entende a língua do palestrante e é o intérprete para a plateia. O palestrante faz pausas para deixar que o intérprete dê a sua versão daquilo que foi dito em Português para que a plateia possa entender.
Variante B: Times de três. Dois jogadores falam línguas diferentes (ambos usam Blablação). O terceiro jogador entende ambas as línguas e atua como intérprete: o intérprete ouve um jogador e, dirigindo-se ao outro, traduz o que foi comunicado usando o Português. O segundo jogador então responde a comunicação feita pelo primeiro usando Blablação que o intérprete traduz para o primeiro jogador, usando novamente Português. A conversação continua entre os dois estrangeiros através do intérprete que fala sempre Português. (Também pode-se usar dois intérpretes).

INSTRUÇÃO
Intérprete, saiba o que está sendo comunicado! Saiba o que o palestrante está dizendo! Siga o seguidor!

AVALIAÇÃO
Jogadores, o intérprete passou adiante o que vocês comunicaram? Jogador intérprete, você estava seguindo o seguidor?

NOTAS
1. Como há diálogo não verbal acontecendo, o princípio de seguir o seguidor entre a pessoa que fala em língua estrangeira e o intérprete aparece de forma marcada (Veja Manual, p. 44).

© 2001 Perspectiva

ÁREAS DE EXPERIÊNCIA
Comunicação: Sem Palavras
Comunicação: Falando-Diálogo
Espelho/Siga o Seguidor
Série de Blablação
Comunicação Não Verbal
Tempo Presente/Aqui, Agora!

BLABLAÇÃO: INTÉRPRETE #2 — B18

PREPARAÇÃO
Introdutório: *Bl ablação: Intérprete #1* (B17).
Jogadores na plateia.

FOCO
Seguir o seguidor com Blablação.

DESCRIÇÃO
Times de três ou mais jogadores entram em acordo sobre Onde, Quem, O Quê de forma que ao menos um intérprete seja necessário da mesma forma como em *Blablação: Intérprete #1*. Exemplos: uma casa comercial; uma ronda policial; contratando uma empregada; uma festa para diplomatas em visita etc.

INSTRUÇÃO
Siga o seguidor! Saiba o que está sendo comunicado!

AVALIAÇÃO
Plateia, os intérpretes seguiram o seguidor com a Blablação? Jogadores, vocês concordam?

NOTAS
1. Esse exercício em Blablação proporciona muito prazer para todos e foi utilizado publicamente por uma companhia de teatro de improvisação profissional.

ÁREAS DE EXPERIÊNCIA
Comunicação: Sem Palavras
Comunicação: Falando-Diálogo
Espelho/Siga o Seguidor
Série de Blablação
Comunicação Não Verbal
Tempo Presente/Aqui, Agora!

ESPELHO COM PENETRAÇÃO #2

PREPARAÇÃO
Introdutório: *Espelho com Penetração #1* (A51).
Jogadores na plateia.

FOCO
Reestruturar seu rosto para parecer com o de outro.

DESCRIÇÃO
O grupo todo é dividido em times de dois jogadores com faces estruturalmente diferentes uns dos outros. Olhando um para o outro, os jogadores fecham os olhos e tocam na face do parceiro, explorando e investigando com as pontas dos dedos e as palmas das mãos diferenças estruturais e/ou outras informações. Os jogadores, ainda de olhos fechados, voltam suas mãos para as suas próprias faces e procuram reconstruir suas faces de forma a parecer com a face do parceiro. Depois que todos começarem a sentir e dar forma às diferenças, os jogadores escolhem um tópico de discussão (da mesma forma como em *Espelho com Penetração #1* (A51), e quando o instrutor falar o nome de um dos jogadores, esse deve, sem interromper a discussão, reconstruir a sua face de forma a ficar parecida com a de seu parceiro. A instrução deve trocar o espelho frequentemente.

INSTRUÇÃO
Olhos fechados! Perceba a estrutura da face de seu parceiro! Volte para sua própria face e tente reconstruir sua face de forma a parecer com a de seu parceiro! Novamente! Perceba a face de seu parceiro! Reconstrua a sua própria face! (Peça para os jogadores escolherem um tópico de discussão e chame os nomes dos jogadores que serão o espelho). *Compartilhe sua voz!*

AVALIAÇÃO
Você começou a sentir uma diferença de dentro para fora quando estava reconstruindo? Plateia, vocês perceberam as diferenças?

NOTAS
1. Esse exercício preliminar de cego ajuda os jogadores a penetrar a estrutura facial do parceiro.

© 2001 Perspectiva

ÁREAS DE EXPERIÊNCIA
Tocar – Ser Tocado.
Comunicação: Falando-Diálogo
Espelho/Siga o Seguidor
Comunicação: Familiaridade e Flexibilidade com Palavras
Comunicação Não Verbal
Jogo para Leitura
Tempo Presente/Aqui, Agora!

FALHA ESPELHADA #2   B20

PREPARAÇÃO
Coordenador: Leia o Comentário sobre *Siga o Seguidor* (Manual, p. 43).
Introdutórios: *Espelho* (A15), *Siga o Seguidor #1* (A17) e *Fala Espelhada #1* (A52).
Jogadores na plateia.

FOCO
Espelhar/refletir as palavras do iniciador em voz alta.

DESCRIÇÃO
Times de dois jogadores. Os jogadores permanecem um de frente para o outro e escolhem um tema para conversar. Um dos jogadores é o iniciador e inicia a conversa. O outro jogador reflete e espelha em voz alta as palavras do iniciador. Ambos os jogadores estarão falando as mesmas palavras em voz alta exatamente no mesmo momento. Quando é dada a instrução *Troca!*, os jogadores mudam de posição. Aquele que refletia torna-se o iniciador do discurso e o que iniciava passa a ser o refletor. As trocas devem ser feitas sem interrupção da fluência das palavras. Depois de algum tempo, não será mais necessário que o coordenador dê a instrução para as trocas. Os jogadores irão *seguir o seguidor* no discurso, pensando e dizendo as mesmas palavras simultaneamente, sem esforço consciente.

INSTRUÇÃO
Refletor, permaneça com a mesma palavra! Reflita aquilo que está ouvindo! Reflita a pergunta! Não responda! Compartilhe sua voz! Troca de refletor! Mantenham fluência entre os dois! Permaneçam com a mesma palavra! Saiba quando você inicia o discurso! Saiba quando você está refletindo! Troca! Troca! (Quando os jogadores estiverem falando a uma só voz, sem intervalo de tempo.) *Agora fique na sua! Não inicie! Siga o seguidor! Siga o seguidor!*

AVALIAÇÃO
Jogadores na plateia, os jogadores ficaram com a mesma palavra ao mesmo tempo? Jogadores, vocês sabiam quando estavam iniciando a fala e quando estavam refletindo? Vocês sabiam quando estavam seguindo o seguidor? Para todos os jogadores, qual é a diferença entre repetir uma fala e refleti-la?

NOTAS
1. Os jogadores devem ser instruídos a evitar fazer perguntas. Se uma pergunta for colocada, o refletor deve *refletir* a pergunta e não responder a pergunta.
2. A diferença entre repetir as palavras do outro e refletir as palavras do outro deve ficar clara organicamente para que o *Siga o Seguidor* possa acontecer. Os jogadores estabelecem ligação entre si a partir da mesma palavra e tornam-se uma única mente, abertos um para o outro. Na medida em que a conversação flui entre os jogadores, aparentemente sem esforço, aparece o diálogo verdadeiro!
3. Da mesma forma como em *Fala Espelhada #1*, temas curriculares podem ser apresentados e explorados através desse jogo, restringindo o assunto da conversação entre os jogadores em função da área desejada.
4. Caso o tempo seja limitado, peça para que o grupo seja dividido em times de três jogadores, um dos quais é o instrutor. Todos os times jogam o jogo ao mesmo tempo em diferentes áreas da sala.
5. Para mais informações, veja o Manual.

ÁREAS DE EXPERIÊNCIA
Jogo de Ouvir-Escutar
Jogo de Olhar-Ver
Comunicação: Falando-Diálogo
Comunicação: Familiaridade e Flexibilidade com Palavras
Espelho/Siga o Seguidor
Comunicação Não Verbal
Jogo Sensorial
Jogo para Leitura
Tempo Presente/Aqui, Agora!

JOGO DO QUEM   B21

PREPARAÇÃO
Introdutório: *Quem Sou Eu?* (A98)
Jogadores na plateia

FOCO
Deixar o Quem revelar-se por si mesmo.
Comunicar Quem sem contar uma história.

DESCRIÇÃO
Dois jogadores. A e B. A está sentada n aárea de jogo. B entra. B tem um relacionamento predeterminado definido com A, mas não disse anteriormente qual. A partir da maneira como B se relaciona com A, A descobre Quem é. Por exemplo: A (uma menina) sentada em um banco. B (outra menina) entra e diz *Oi, querida, como está?* Ela acaricia o cabelo de A, andando à sua volta. A olhando para B, pede-lhe que fique em pé dizendo *Você está muito bonita, querida, muito bonita.* B abraça A, embalando-a suavemente, seca uma lágrima, olha fixamente para sua saia comprida e o adorno na cabeça até que A descobre que B é sua mãe e ela é sua filha no dia do casamento.

INSTRUÇÃO
Mostre Onde! Não faça perguntas! Espere! Não tenha pressa! Deixe o Quem revelar-se por si mesmo!

AVALIAÇÃO
B mostrou relacionamento ou contou? A antecipou Quem era ou deixou que o Quem fosse revelado?

NOTAS
1. Utilize um banco em lugar de uma cadeira, se possível.
2. O jogo termina quando A descobre que é. Se o tempo permitir, continue o jogo enquanto houver envolvimento entre os jogadores.
3. Depois da avaliação, troque as posições e deixe que A escolha um relacionamento com B.
4. Caso os jogadores contem em vez de mostrar, peça que usem Blablação.

ÁREAS DE EXPERIÊNCIA
Teatro: Quem (Personagem e/ou Relacionamento)
Mostrar, Não Contar

© 2001 Perspectiva

JOGO DO DESENHO   B22

PREPARAÇÃO
Coordenador: compile uma lista de objetos com características simples, porém evidentes (trem, boi, gato, árvore de Natal etc.)
Grupo todo.

FOCO
Comunicar o objeto rapidamente, desenhando-o.

DESCRIÇÃO
Divida o grupo em dois times, fazendo a contagem até dois. Cada time deve ficar a uma distância igual do coordenador, que preparou uma lista de objetos. Cada time envia um jogador até o coordenador, que mostra aos jogadores de cada time a mesma palavra simultaneamente. Caso o grupo seja analfabeto, o coordenador cochicha a palavra para cada jogador. Os jogadores voltam correndo até seus respectivos times e comunicam a palavra desenhando o objeto para que seus parceiros possam identificá-lo. O primeiro time a identificar e falar em voz alta o nome do objeto ganha um ponto. Continue como antes com um novo jogador de cada time a cada nova palavra até que todos os membros dos times tenham tido a oportunidade de desenhar o objeto.

INSTRUÇÃO
Comunique! Continue desenhando! Esse não é um jogo de adivinhação!

NOTAS
1. A capacidade para desenhar não é importante. Esse jogo implica seletividade espontânea que mostra quais alunos são capazes de transmitir rapidamente uma comunicação. Artistas no grupo terão muitas vezes dificuldades.
2. Os desenhos podem ser feitos na lousa com giz ou em folhas grandes de papel com crayon ou lápis de cera.
3. Variantes para jogadores avançados: use palavras abstratas (alegria, melancolia, triunfo, generosidade, energia etc.).
4. Você notará que pontos e competição se tornarão sem importância diante da excitação provocada pelo jogo.
5. Todas as faixas etárias adoram esse jogo. De tempos em tempos, permita que seus alunos tragam suas próprias listas e conduzam os jogos.
6. Para mais informações, consulte o Manual.

© 2001 Perspectiva

ÁREAS DE EXPERIÊNCIA
Jogo Tradicional
Comunicação: Desenho
Seleção Espontânea
Aquecimento Ativo

SELEÇÃO RÁPIDA PARA O ONDE #1 — B23

PREPARAÇÃO
Coordenador: Prepare uma lista de lugares, conforme indicado abaixo.
Introdutório: *Jogo do Desenho* (B22).
Grupo todo.

FOCO
Comunicar Onde rapidamente através de três objetos.

DESCRIÇÃO
O grupo todo sentado em carteiras com papel e lápis. O coordenador preparou uma lista de lugares. Quando um lugar for dado, cada jogador escreve o nome de três objetos que rapidamente indicam esse lugar particular. Quando as listas estiverem completas, compare e discuta os objetos escolhidos para cada lugar. Lugares possíveis: sala de aula, hospital, garagem, igreja, casa na árvore, dormitório, loja de departamento, aeroporto, mina, cozinha, farmácia etc.

INSTRUÇÃO
Não há necessidade.

AVALIAÇÃO
O objeto evocou imediatamente o Quem ou o exemplo poderia ter sido mais explícito? Os objetos podem mostrar Onde? A atitude e o uso dos objetos torna claro o Onde?

NOTAS
1. Esse não é um jogo de associação. É um exercício de seletividade.
2. Veja *Onde Através de Três Objetos* (B25).

ÁREAS DE EXPERIÊNCIA
Seletividade.
Teatro: Onde (Cenário e/ou Ambiente)
Comunicação: Escrever
Comunicação: Familiaridade e Flexibilidade com Palavras

© 2001 Perspectiva

SELEÇÃO RÁPIDA PARA O ONDE #2

PREPARAÇÃO
Coordenador: Reveja a lista sugerida de pares de ambientes abaixo. Grupo todo.

FOCO
A diferença entre dois ambientes semelhantes.

DESCRIÇÃO
O grupo todo está sentado em carteiras com papel e lápis. Os jogadores dividem a folha de papel em duas colunas. O coordenador diz o nome de dois ambientes semelhantes (um jardim e um parque, por exemplo). Os jogadores tomam nota dos Onde (ambientes) em cada lado da folha de papel dividida. Dentro de um certo limite de tempo, cada jogador deve anotar objetos para cada Onde que não poderiam ser encontrados no outro. Por exemplo, o primeiro Onde: um jardim com churrasqueira, espreguiçadeiras para tomar sol etc. O segundo Onde: um parque com bancos, cascata etc.

INSTRUÇÃO
Não há necessidade, exceto para dar o limite de tempo e enunciar o Onde.

AVALIAÇÃO
Os jogadores comparam as listas e itens sob cada categoria. Exemplo:
Coordenador: Poderíamos encontrar uma churrasqueira em um parque?
Jogadores: Provavelmente não.
Coordenador: E que tal um banco em um jardim?
Jogadores: Às vezes podemos encontrar um banco em um jardim.

NOTAS
1. Para continuar o jogo: quando terminar o tempo para um dos ambientes, os jogadores simplesmente traçam uma linha em suas colunas e tomam nota do próximo par.
2. Sugestões para pares de ambientes similares: saguão de hotel e sala de estar; dormitório e quarto de hotel.

© 2001 Perspectiva

ÁREAS DE EXPERIÊNCIA
Seletividade
Teatro: Onde (Cenário e/ou Ambiente)
Comunicação: Escrever
Comunicação: Familiaridade e Flexbilidade com Palavras

ONDE ATRAVÉS DE TRÊS OBJETOS — B25

PREPARAÇÃO
Introdutórios: *Seleção Rápida para o Onde #1* (B23) e *Onde #1 e #2* (B3 e B4).
Jogadores na plateia.

FOCO
Comunicar o Onde através de três objetos.

DESCRIÇÃO
Um jogador individual vai até a área de jogo e mostra Onde utilizando três objetos. Por exemplo, o jogador pode selecionar um restaurante e utilizar um refrigerante, um porta-guardanapos e uma xícara de café.

INSTRUÇÃO
Mantenha o FOCO nos três objetos! Deixe que vejamos Onde você está! Mostre! Não conte!

AVALIAÇÃO
Jogadores na plateia, vocês viram o restaurante? A utilização dos três objetos comunicou o Onde ou eram objetos isolados, obrigando-nos a assumir (interpretar) o Onde? Jogadores, vocês concordam com a plateia?

NOTAS
1. Quando o FOCO estiver claro, o ambiente aparecerá a partir dos três objetos e será comunicado para a plateia.
2. Para acomodar o grupo todo, um tempo limite de um ou dois minutos poderá ser necessário.

ÁREAS DE EXPERIÊNCIA
Teatro: Onde (Ambiente e/ou Cenário)
Seletividade
Objetos no Espaço: Tornando Visível o Invisível
Comunicação Não Verbal

TROCANDO OS ONDES   B26

PREPARAÇÃO
Plantas baixas e Direções de Cena (B7) e *Jogo do Onde* (B9).
Jogadores na plateia.

FOCO
Comunicar Onde, Quem e O Que sem elaboração prévia.

DESCRIÇÃO
Divida o grupo em times de dois a quatro jogadores de forma que ambos os sexos estejam igualmente distribuídos pelos times. (Por exemplo, cada time poderá ter um rapaz e duas garotas.) Cada time entra em acordo sobre Onde, Quem e O Quê e faz uma planta baixa do Onde, anotando nele Quem e O Quê, a hora do dia, tempo, o que está além etc. O coordenador reune todas as plantas baixas e as redistribui, uma por uma, quando chegar a vez de cada time jogar. Os times não devem receber o seu próprio plano de planta baixa. Os jogadores olham rapidamente para a planta baixa, decidem Quem será cada jogador e mais sem mais discussões, entram na ação (cena) definida pela nova planta baixa, que devem ter em mãos.

INSTRUÇÃO
Consultem a planta baixa ao jogar! Tomem o seu tempo! Comuniquem o Onde! Não contem! Procurem se relacionar uns com os outros através da atividade! Objetos! Hora do dia! Mostrem! Não contem!

AVALIAÇÃO
Os jogadores seguiram a planta baixa? A planta baixa era clara? Os jogadores mostraram ou contaram? Jogadores, vocês concordam? Vocês deixaram que a nova planta baixa os colocasse em movimento? Ou vocês voltaram para a planta baixa elaborada pelo seu próprio time?

NOTAS
1. Esse jogo alivia a tendência a planejar o *como* com antecedência. Planejar o *como* gera a tendência a contar.

ÁREAS DE EXPERIÊNCIA
Teatro: Onde, Quem e O Quê
Mostrar, Não Contar

QUE HORAS SÃO? #2　　　　　　　　　　　　　　　　B27

PREPARAÇÃO
Introdutório: *Que Horas São? #1* (A63).
Jogadores na plateia.

FOCO
Na hora do dia, dentro do Onde, Quem e O Quê (fisiológico).

DESCRIÇÃO
Times de quatro ou cinco jogadores entram em acordo sobre a hora do dia, Onde, Quem, O Que. Os jogadores não devem desenvolver atividade apenas para mostrar a hora do dia, mas sim permitir que o corpo todo fisiologicamente FOCALIZE na hora do dia, colocando-os em movimento através do Onde, Quem e O Quê.

INSTRUÇÃO
Sinta a hora do dia com sua coluna! Com suas pernas! Com a testa! Deixe que seu corpo todo perceba o tempo! Mostre! Não conte! Sem pressa!

AVALIAÇÃO
Plateia, que horas eram? Jogadores, vocês mostraram ou contaram?

NOTAS
1. Os jogadores devem acrescentar a hora do dia ao Onde, Quem e O Quê sempre que possível e ela deve ser considerada como parte da avaliação daqui para a frente.

ÁREAS DE EXPERIÊNCIA
Teatro: Onde (Cenário e/ou Ambiente)

EXERCÍCIO DE TEMPO #2 B28

PREPARAÇÃO
Introdutório: *Exercício do Tempo #1* (A64).
Jogadores na plateia.

FOCO
Tempo ou clima.

DESCRIÇÃO
Dois ou mais jogadores entram em acordo sobre o tipo de tempo e Onde, Quem, O Quê. Os jogadores devem permitir que o FOCO no tempo os movimente através do Onde, Quem e O Quê.

INSTRUÇÃO
Sinta a chuva (tempo) entre seus dedos do pé! Descendo pela espinha! Na ponta do nariz! Sem fazer dramaturgia! FOCO no tempo! Deixe que o tempo o coloque em movimento!

AVALIAÇÃO
O FOCO no tempo afetou realmente as interações? O tempo ajudou a desenvolver o Onde, Quem e O Quê? Os jogadores usaram o corpo todo para mostrar? O FOCO estava no tempo ou nos personagens e/ou situação?

NOTAS
1. O tempo deve ser acrescentado a todas as plantas baixas daqui para a frente. Procure mencioná-lo em todos as avaliações, pois ele pode acrescentar detalhes interessantes a todo evento (cena).
2. Variante: trabalhe com o FOCO em mostrar o tempo sem usar as mãos.

ÁREAS DE EXPERIÊNCIA
Teatro: Onde (Cenário e/ou Ambiente)

MOSTRANDO O ONDE SEM OBJETOS — B29

PREPARAÇÃO
Introdutórios: *Jogo do Onde* (B9), *Onde: Blablação* (B11), *Que Idade Tenho? Repetição* (A62), *O Que Faço para Viver?* (A66), *Exercício do Tempo #2* (B28) e *Que Horas São? #2* (B27).
Jogadores na plateia.

FOCO
Mostrar o Onde.

DESCRIÇÃO
Faça a contagem em grupos de dois ou três. Entrar em acordo sobre Onde, Quem e O Quê. Os jogadores mostram Onde sem manipular objetos físicos. Exemplos: turistas na esquina de uma cidade; jovem casal a sós numa igreja; marinheiros fazendo a ronda na ponte de um navio.

INSTRUÇÃO
Veja Onde você está! Vocês estão juntos no mesmo Onde! Use todos os seus sentidos! Deixe que Onde você está o leve através do evento (cena)! Não tenha pressa! Como está o tempo?

AVALIAÇÃO
Os jogadores mostraram ou contaram? Eles fizeram dramaturgia? Jogadores, vocês concordam? O Onde emergiu do FOCO? Plateia, Quem eles eram? Esse time foi beneficiado com a avaliação dos times que o antecederam?

NOTAS
1. Sugira que o Onde pode ser mostrado olhando para algo (ver); ouvindo; através de relacionamento (quem você é); pelo som; pela luz; através de uma atividade.
2. Mantendo o FOCO no Onde sem manipular objetos, os jogadores podem permitir que o espaço do palco os afete sensorialmente. Os jogadores estão dentro do Onde da cabeça aos pés, por assim dizer.
3. Relacionamentos de personagem crescem em intensidade através desse exercício.
4. Fique atento para jogadores temerosos que planejam o Onde com ações predeterminadas. Ajude os jogadores a perceber que o planejamento os priva da experiência de deixar que o FOCO trabalhe por eles.

© 2001 Perspectiva

ÁREAS DE EXPERIÊNCIA
Teatro: Onde (Cenário e/ou Ambiente)

JOGO DA PALAVRA #1: CHARADAS

PREPARAÇÃO
Introdutório: *Jogo do Onde* (B9)
Jogadores na plateia.

FOCO
Ocultar a palavra dentro de uma série de eventos (cenas).

DESCRIÇÃO
Faça a contagem em times de quatro a seis jogadores. Cada time secretamente seleciona uma palavra como "catarata", "comumente" etc. e a divide em sílabas. Cada time entra em acordo sobre Onde, Quem e O Quê e um evento (cena) é desempenhado para cada sílaba. Os jogadores na plateia procuram adivinhar a palavra apenas depois que todos os eventos (cenas) tiverem sido apresentados. Em momento algum a palavra ou sílaba pode ser mencionada verbalmente.

INSTRUÇÃO
Nenhuma.

AVALIAÇÃO
Qual era a palavra? Qual era a primeira sílaba? A segunda? Jogadores, a palavra ou sílaba foi em algum momento verbalizada?

NOTAS
1. Os jogadores não devem se preocupar com a pronúncia da palavra, mas sim com o sentido do som das sílabas: "catarata" pode vir a ser "cata" + "rata" ou "ca" + "tara" + "ta".
2. Esse jogo desperta nos jogadores possibilidades de uma grande variedade de escolhas para o Onde, Quem, O Quê. Quando o acordo de grupo é alcançado, os eventos (cenas) podem acontecer às portas do céu ou embaixo da terra.
3. Chapéus, capas etc. reunidos em um baú na sala de aula podem enriquecer muito esse jogo.
4. Esse jogo consome muito tempo já que cada time atua em um, dois ou três eventos (cenas). É recomendável pedir que um ou dois times façam o jogo durante uma semana e os outros nas semanas subsequentes.
5. Para mais informações, consulte o Manual.

© 2001 Perspectiva

ÁREAS DE EXPERIÊNCIA
Jogo Tradicional
Comunicação: Familiaridade e Flexibilidade com Palavras
Comunicação: Escrever
Jogo para Leitura
Teatro: Vinhetas

JOGO DA PALAVRA #2

PREPARAÇÃO
Introdutório: *Jogo da Palavra #1: Charadas* (B30)
Jogadores na plateia.

FOCO
Ocultar uma palavra dentro de uma série de eventos (cenas).

DESCRIÇÃO
O procedimento do jogo é semelhante ao *Jogo de Palavras #1*. No entanto, em lugar de permitir a escolha livre do evento (cena), o instrutor sugere temas específicos para as sílabas (religioso, político, científico, notícias, histórico etc.). O instrutor pode dar um tema para cada sílaba/evento ou um tema que cubra todas as sílabas/eventos.

INSTRUÇÃO
Nenhuma.

AVALIAÇÃO
Qual era a palavra? Quais eram as sílabas?

NOTAS
1. Esse jogo consome muito tempo já que cada time prepara e atua em três ou quatro eventos (cenas). Faça o agendamento de acordo.
2. Tanto o *Jogo de Palavras #1* como o *Jogo de Palavras #2* podem ser direcionados para estudos curriculares.

ÁREAS DE EXPERIÊNCIA
Jogo Tradicional
Comunicação: Familiaridade e Flexibilidade com Palavras
Comunicação: Leitura
Jogo para Leitura
Teatro: Vinhetas

© 2001 Perspectiva

QUEM ESTÁ BATENDO? #1 B32

PREPARAÇÃO
Jogadores na plateia.

FOCO
Mostrar Onde, Quem, O Quê por meio da batida.

DESCRIÇÃO
Um jogador permanece fora da vista da plateia e bate na porta. O jogador deve comunicar Quem está batendo, por Que está batendo, Onde, a hora do dia, a temperatura etc. Alguns exemplos são um policial de noite; um namorado rejeitado na porta da casa da namorada; um mensageiro do rei; uma criança muito nova em um banheiro.

INSTRUÇÃO
Compartilhe a sua batida! Tente novamente! Intensifique-a! Deixe que o som da batida ocupe o espaço! Ouça/encontre o som no espaço! Ponha toda atenção corporal no som físico!

AVALIAÇÃO
Quem está batendo? Em que porta? A que hora do dia? Por quê?

NOTAS
1. Durante a avaliação, o coordenador descobrirá que muitos observadores não sabem as circunstâncias exatas, o Onde, Quem e O Quê da batida. Agora que todos as conhecem, peça para o jogador repetir a batida. Os observadores irão ouvir com mais intencionalidade e perceber a comunicação de forma mais clara agora, quando não precisam mais adivinhar.
2. Repetir a batida depois da avaliação faz com que os jogadores na plateia façam parte do jogo e fiquem envolvidos com o que os outros jogadores estão fazendo.
3. Algumas questões durante a avaliação podem permanecer não respondidas, mas elas trazem novos *insights* ao serem colocadas para os alunos.

ÁREAS DE EXPERIÊNCIA
Jogo de Ouvir-Escutar
Teatro: Onde, Quem, O Quê
Comunicação Não Verbal
Jogo Sensorial

© 2001 Perspectiva

QUEM ESTÁ BATENDO? #2 B33

PREPARAÇÃO
Introdutório: *Quem Está Batendo? #1* (B32)
Jogadores na plateia.

FOCO
Entrar em um evento (cena) iniciada por uma batida.

DESCRIÇÃO
Jogador individual, fora de vista, comunica Onde, Quem, O Quê através da batida. Qualquer um dos jogadores assume um Quem e abre a porta quando a comunicação for recebida. O jogador que estava fora de vista pode enviar o jogador que lhe respondeu de volta para a plateia, caso a batida não tenha sido atendida de acordo. Então o jogador bate novamente. Quando a batida é respondida corretamente, outros jogadores podem entrar se desejarem, movidos pelo Onde, Quem, O Quê.

INSTRUÇÃO
Compartilhe sua batida! Coloque toda atenção corporal no som físico! Quando souber o por que responda a batida assumindo um Quem!

AVALIAÇÃO
Nenhuma.

NOTAS
1. Esse jogo é um exemplo de como um simples exercício de aquecimento pode ser desenvolvido até tornar-se uma cena. Os jogos *Quem Está Batendo?* podem ser usados para redações: peça para os jogadores escreverem uma frase ou parágrafo sobre o que está sendo comunicado através da batida.

ÁREAS DE EXPERIÊNCIA
Jogo de Ouvir-Escutar
Resposta ao Som
Teatro: Onde, Quem, O Quê
Comunicação: Familiaridade e Flexibilidade com Palavras
Comunicação: Escrever
Jogo para Leitura
Jogo Sensorial
Teatro: Vinhetas

© 2001 Perspectiva

CABO DE GUERRA B34

PREPARAÇÃO
Introdutório: *Jogo de Bola #2* (A10)
Jogadores na plateia.

FOCO
Manter a corda no espaço como um elo de ligação entre os jogadores.

DESCRIÇÃO
Um time por vez; cada jogador tenta puxar o outro, fazendo-o atravessar a linha do centro exatamente como no jogo do cabo de guerra. Aqui, contudo, a corda não é visível, mas feita de substância do espaço.

INSTRUÇÃO
Veja a corda no espaço! Tire da cabeça! Veja essa corda que está entre vocês! Use o corpo todo para puxar! As costas! Os pés! Veja a mesma corda! (Com muita energia) Puxem! Puxem! Puxem!

AVALIAÇÃO
Plateia, os jogadores viram a mesma corda? A corda uniu os jogadores? A corda estava no espaço ou na cabeça dos jogadores? Os jogadores concordam com a plateia? A plateia concorda com os jogadores?

NOTAS
1. Jogue o jogo da corda ou da bola no espaço com seu grupo até que o fenômeno do objeto no espaço (e não na cabeça) seja experimentado e compreendido por todos.
2. Na medida em que o seu grupo se torna ágil neste jogo em duplas, vá acrescentando mais jogadores de ambos os lados, isto é, em ambas as pontas da corda.

ÁREAS DE EXPERIÊNCIA
Parte do Todo: Interação
Objeto no Espaço: Tornando Visível o Invisível
Jogo de Playground
Aquecimento Ativo
Comunicação Não Verbal
Movimento Físico e Expressão

MOSTRANDO QUEM ATRAVÉS DE UM OBJETO — B35

PREPARAÇÃO
Introdutórios: *Cabo de Guerra* (B34), *Fisicalizando um Objeto* (A41), e *Mostrando Onde sem Objetos* (B29).
Jogadores na plateia.

FOCO
Mostrar Quem através do uso de um objeto.

DESCRIÇÃO
Dois jogadores entram em acordo a respeito de um objeto através do qual irão mostrar Quem eles são. Eles usam esse objeto dentro de uma atividade. Por exemplo: Quem= dois físicos; o objeto= uma lousa. A escreve uma equação na lousa. B sacode a cabeça, apaga o que está escrito e escreve uma nova. A diz *Você está certo!*

INSTRUÇÃO
Mostre! Não conte! Fisicalize o objeto!

AVALIAÇÃO
Quem eles são? Eles mostraram ou contaram?

NOTAS
1. Os jogadores não devem planejar com antecedência Onde, Quem, O Quê. Eles escolhem o Quem e o objeto, deixando que o FOCO trabalhe por eles.

ÁREAS DE EXPERIÊNCIA
Teatro: Quem (Personagem e/ou Relacionamento)
Objeto no Espaço: Tornando Visível o Invisível
Comunicação Não Verbal

BONECOS #1   B36

PREPARAÇÃO
Coordenador: Se possível, faça uma demonstração com um boneco real. Jogadores na plateia.

FOCO
Movimentar-se como bonecos.

DESCRIÇÃO
Dois ou mais jogadores em cada time entram em acordo sobre Onde, Quem, O Quê. Os jogadores devem movimentar suas articulações e o corpo todo como se fossem uma marionete. Onde, Quem, O Quê não precisam estar ligados ao tema de bonecos. Por exemplo: um rapaz encontra uma garota num primeiro encontro.

INSTRUÇÃO
Movimente seu queixo como um boneco! Os cotovelos! Os joelhos! Sente-se! Caminhe! Gestos de bonecos!

AVALIAÇÃO
Os jogadores fizeram movimentos iguais aos de bonecos o tempo todo? Jogadores, vocês concordam?

NOTAS
1. Onde, Quem, O Quê não necessitam estar ligados ao tema de bonecos. Movimentos parecidos com os de bonecos são apenas o FOCO do jogo.
2. Caso não seja possível fazer uma demonstração com um boneco real, reserve um tempo para uma rápida discussão sobre esse tipo de movimento antes de jogar.

ÁREAS DE EXPERIÊNCIA
Exploração do Movimento Corporal
Teatro: Vinhetas

BONECOS #2

PREPARAÇÃO
Introdutório: *Bonecos #1* (B36) ou uma demonstração real com bonecos. Jogadores na plateia.

FOCO
Movimentar-se como brinquedos e/ou bonecos.

DESCRIÇÃO
Dois a dez jogadores em cada time. O coordenador estabelece o Onde como sendo uma loja de bonecos para todos os times. Cada time por sua vez entra em acordo sobre o Quem e O Quê dentro do Onde estabelecido. Os jogadores podem tornar-se bonecos que falam e caminham; robôs; soldadinhos de chumbo; ursos dançantes; cataventos etc. ou, se desejarem, os jogadores podem ser humanos que entram em uma loja de brinquedos. O Que podem ser brinquedos que adquirem vida; brinquedos que estão em conserto etc.

INSTRUÇÃO
Sustente os movimentos mecânicos! Movimente-se como um brinquedo da cabeça aos pés! Mostre! Não conte! (Usar apenas caso apareça confusão e caos em cena) *Dar e tomar!*

AVALIAÇÃO
Os jogadores mantiveram movimentos semelhantes aos de brinquedos o tempo todo? Quais brinquedos apareceram? Os jogadores ouviram e viram uns aos outros? Eles davam e tomavam ou havia mais de um centro de atenção por vez?

NOTAS
1. Crianças pequenas adoram jogar esse jogo.

ÁREAS DE EXPERIÊNCIA
Exploração do Movimento Corporal
Teatro: Vinhetas

AUTOMAÇÃO   B38

PREPARAÇÃO
Introdutórios: *Bonecos #1* (B36), *Bonecos #2* (B37) e *Parte do Todo #1* (A25). Jogadores na plateia.

FOCO
No movimento mecânico.

DESCRIÇÃO
Times de dois ou mais jogadores entram em acordo sobre Onde, Quem, O Quê. Os jogadores são máquinas ou humanos que operam os mecanismos. Exemplos: cientistas com robôs; matemático e computador; arrumando um relógio de parede do avô.

INSTRUÇÃO
Mantenha o movimento mecânico! Use o corpo todo para mostrar! Não conte!

AVALIAÇÃO
Os jogadores mostraram ou contaram? Jogadores, vocês permaneceram com o FOCO? Ou fizeram dramaturgia?

NOTAS
1. Esses exercícios de bonecos e automação são recomendados para encorajar o envolvimento do corpo todo com o movimento.

ÁREAS DE EXPERIÊNCIA
Exploração do Movimento Corporal
Teatro: Vinhetas

ENVOLVIMENTO COM O AMBIENTE IMEDIATO B39

PREPARAÇÃO
Introdutório: *Conversação com Envolvimento* (A57).
Jogadores na plateia.

FOCO
Mostrar o Onde contatando contínuamente objetos no ambiente imediato.

DESCRIÇÃO
Times de dois ou mais jogadores, de preferência sentados, entram em acordo sobre Onde e Quem eles são. Ao mesmo tempo em que ficam envolvidos em uma discussão, os jogadores mostram Onde estão através de envolvimento contínuo com objetos pequenos que podem ser alcançados com o braço. Por exemplo: 1. Dois jogadores esperando por um ônibus podem encontrar mancha de tinta no banco, folhas caídas; sujeira; etc. 2. Dois mágicos demonstrando suas habilidades.

INSTRUÇÃO
Mantenha o FOCO nos objetos que encontra à sua volta! Mostre-nos Quem você é através do ambiente imediato! Mantenha os objetos no espaço! Deixe que os objetos se revelem por si mesmos!

AVALIAÇÃO
Onde os jogadores estavam ficou vivo através dos objetos? Os jogadores mostraram ou contaram? Quem eles eram? Havia uma toalha sobre a mesa? O diálogo foi interrompido quando os objetos eram manipulados? Os objetos revelaram a si mesmos ou foram inventados pelos jogadores?

NOTAS
1. Alerte para os jogadores não representarem uma atividade completa, como fazer uma refeição, e sim permanecerem ocupados com a conversação e preocupados com o FOCO. Quando ambas as coisas acontecem simultaneamente, a cena adquire vida e os detalhes se tornam aparentes.

ÁREAS DE EXPERIÊNCIA
Teatro: Onde (Cenário e/ou Ambiente)
Objeto no Espaço: Tornando Visível o Invisível
Comunicação Não Verbal

© 2001 Perspectiva

EXPLORAÇÃO DE AMBIENTE AMPLO B40

PREPARAÇÃO
Introdutório: *Envolvimento com o Ambiente Imediato* (B39).
Jogadores na plateia.

FOCO
Relacionar-se com um ambiente mais amplo.

DESCRIÇÃO
Dois ou mais jogadores entram em acordo sobre um ambiente amplo, escolhendo como Onde, por exemplo uma floresta, o topo de uma montanha, um lago etc. Então os jogadores entram em acordo sobre Quem e O Quê e exploram o ambiente mais amplo no espaço.

INSTRUÇÃO
O que está acima? No meio? Além de vocês? Entre em contato com o ambiente mais amplo que está além de você! Veja o ambiente mais amplo que está além de você! Deixe que ele preencha todo o espaço da sala! Deixe que ele ocupe quilômetros à sua volta!

AVALIAÇÃO
Plateia, o que estava acima dos jogadores? Entre os jogadores? Além deles? Os jogadores mostraram ou contaram? Jogadores, vocês con-cordam?

NOTAS
1. Alguns jogadores têm dificuldade de movimentar-se em um círculo. Dê atenção do que os pequenos detalhes à mão em casa, na escola ou no ambiente de trabalho. Dê a instrução para que os jogadores vejam e se comuniquem com aquilo que está além.
2. Para mais informações, consulte o Manual.

ÁREAS DE EXPERIÊNCIA
Teatro: Onde (Cenário e/ou Ambiente)
Objeto no Espaço: Tornando Visível o Invisível
Comunicação Não Verbal

ONDE COM AJUDA — B41

PREPARAÇÃO
Introdutório: Times de dois jogadores ajudam ou criam obstáculos ao carregar um objeto real através do espaço – de acordo com a instrução (*Ajuda! Obstáculo!*).
Jogadores na plateia.

FOCO
Ajudar fisicamente os parceiros a estabelecerem contato com cada objeto no Onde.

DESCRIÇÃO
Times de dois jogadores desenham uma planta baixa e entram em acordo sobre Onde, Quem, O Quê. Os jogadores ajudam-se um ao outro a estabelecer contato com todos os objetos na planta baixa. Os jogadores devem atuar de forma integrada, ajudando uns aos outros no evento (cena) sem uso de diálogo excessivo.

INSTRUÇÃO
Consulte a planta baixa! Ajudem um ao outro a estabelecer contato! Trabalhe com o problema! Mantenha o FOCO na ajuda física! Continue com os objetos! Atue junto com o parceiro!

AVALIAÇÃO
Os jogadores estabeleceram contato com os objetos através do Onde, Quem e O Quê ou o contato foi aleatório, apenas para tocar os objetos? Os jogadores ajudaram-se um ao outro fisicamente a estabelecer o contato? Ou eles apenas dialogaram?

NOTAS
1. Peça para os jogadores acrescentarem detalhes à planta baixa (mapas, quadros, adereços). Mantenha o O Quê muito simples, sem tensão particular entre os jogadores (assistindo televisão, penteando os cabelos etc.).
2. O exercício termina quando os jogadores tiverem entrado em contato com todos os objetos.
3. Os jogadores devem ajudar/criar obstáculos fisicamente e/ou através do objeto e não através do diálogo.
4. Caso o tempo permita, deixe que cada time passe em uma mesma sessão por: *Onde com Ajuda* (B41); *Onde com Obstáculos* (B42) e *Onde com Ajuda – Obstáculos* (B43).

© 2001 Perspectiva

ÁREAS DE EXPERIÊNCIA
Parte do Todo: Interdependência
Teatro: Onde (Cenário e/ou Ambiente)
Objeto no Espaço: Tornando Visível o Invisível
Comunicação Não Verbal

ONDE COM OBSTÁCULOS — B42

PREPARAÇÃO
Introdutório: *Onde com Ajuda* (B41)
Jogadores na plateia.

FOCO
Criar fisicamente obstáculos para que o parceiro estabeleça contato com cada objeto no Onde.

DESCRIÇÃO
Os mesmos times de *Onde com Ajuda* entram em acordo sobre Onde, Quem e O Quê. Cada jogador deve entrar em contato com cada objeto na planta baixa, procurando ao mesmo tempo criar obstáculos fisicamente, impedindo que o parceiro estabeleça contato com esses objetos. As ações devem ser integradas sem usar diálogo excessivo.

INSTRUÇÃO
Obstáculo! Trabalhe com o problema! Entre em contato com todos os objetos! Crie obstáculos ao movimento de seu parceiro! Obstáculo! Evite diálogo! Integre esse obstáculo! Integre esse contato!

AVALIAÇÃO
Qual dos dois jogos (B41 ou B42) deu maior visibilidade ao Onde? Qual deu mais realidade ao Quem? Os jogadores integraram o contato e os objetos ou se moveram por aí tocando os objetos?

NOTAS
1. Peça para os jogadores integrarem o contato e os obstáculos com um mínimo de diálogo.
2. Caso as ações e os relacionamentos não sejam intensificados, continue trabalhando com esse jogo durante mais alguns encontros.
3. Observe que os jogadores devem observar e ficar envolvido um com o outro intensamente para solucionar o problema.

ÁREAS DE EXPERIÊNCIA
Parte do Todo: Interdependência
Teatro: Onde (Cenário e/ou Ambiente)
Objeto no Espaço: Tornando Visível o Invisível
Comunicação Não Verbal

ONDE COM AJUDA – OBSTÁCULO   B43

PREPARAÇÃO
Introdutórios: *Onde com Ajuda* (B41) e *Onde com Obstáculos* (B42). Jogadores na plateia.

FOCO
Ajudar ou impedir que os parceiros estabeleçam contato com os objetos no Onde.

DESCRIÇÃO
Dois jogadores entram em acordo sobre Onde, Quem e O Quê. Usando uma planta baixa detalhada, os jogadores estabelecem contato com cada objeto no Onde, mantendo ao mesmo tempo o relacionamento e a atividade. Quando instruídos *Ajuda!* os jogadores ajudam-se um ao outro a estabelecer contato. Quando instruídos *Obstáculo!*. um jogador cria impedimento ao outro, não permitindo que o parceiro entre em contato com os objetos. Ajuda ou obstáculo devem ser integrados à estrutura dramática Onde, Quem, O Quê.

INSTRUÇÃO
Ajudem um ao outro a estabelecer contato com os objetos! Agora crie obstáculos ao parceiro! Trabalhem com o problema! Ajuda! Obstáculo! Ajuda! Obstáculo! Integrem os contatos! Integrem os obstáculos! Evitem o diálogo!

AVALIAÇÃO
Os jogadores entraram em contato com os objetos através de Quem eles eram e O Quê estavam fazendo ou os contatos eram aleatórios, tocando simplesmente os objetos? Quando o Onde apareceu? Jogadores, vocês concordam?

NOTAS
1. O jogo termina quando a dupla de jogadores estabeleceu contato com todos os objetos no Onde. No entanto, poderá ser necessário dizer *Um Minuto!* para intensificar o jogo e ajudar os jogadores a encontrarem um final.
2. Peça por detalhes na planta baixa.
3. Não há necessidade de tensão especial entre os jogadores.

© 2001 Perspectiva

ÁREAS DE EXPERIÊNCIA
Parte do Todo: Interdependência
Teatro: Onde (Cenário e/ou Ambiente)
Objeto no Espaço: Tornando Visível o Invisível
Comunicação Não Verbal

ONDE ESPECIALIZADO — B44

PREPARAÇÃO
Introdutórios: *Seleção Rápida para o Onde # 1 e #2* (B23 e B24) e *Onde Através de Três Objetos* (B25).
Jogadores na plateia.

FOCO
Mostrar o Onde através do uso de objetos físicos.

DESCRIÇÃO
Dois ou mais jogadores em cada time. Todos os times recebem o mesmo Onde geral (um saguão de hotel, um escritório, uma sala de aula etc.). Os times devem tornar específico o Onde e escolher Quem e O Quê (um saguão de hotel em Paris; um escritório de um hospital; uma sala de aula na selva etc.).

INSTRUÇÃO
Mostre! Não conte! Explore! Intensifique! Intensifique os objetos específicos!

AVALIAÇÃO
Os jogadores escolheram objetos particulares que deram vida ao Onde específico? Ou eles contaram Onde estavam falando? Jogadores, vocês concordam?

NOTAS
1. Encoraje os jogadores a tornar o Onde específico fazendo escolhas inusitadas (um escritório no céu; um saguão de hotel na selva etc.). Caso o grupo tenha jogado o *Jogo da Palavra #1* (B30; veja especialmente Nota 2 na ficha) isto será mais fácil.
2. Dê a instrução *Onde com ajuda!* e *Onde com obstáculos!* quando os jogadores precisarem de ajuda.

ÁREAS DE EXPERIÊNCIA
Teatro: Onde (Ambiente e/ou Cenário)
Objeto no Espaço: Tornando Visível o Invisível
Comunicação Não Verbal

MOVIMENTO RÍTMICO   B45

PREPARAÇÃO
Introdutório: *O Objeto Move os Jogadores* (A46). Coordenador: A música ajudaria a ampliar a Parte I.
Jogadores na plateia.

FOCO
Movimento rítmico do corpo.

DESCRIÇÃO
Dez ou quinze jogadores por time permanecem sentados ou em pé na área de jogo.

Parte I: O instrutor fala o nome de algum objeto, como trem, máquina de lavar, aeronave, bicicleta etc. Cada jogador imediatamente, sem pensar, faz algum movimento que o objeto lhe sugere. Quando os movimentos se tornarem rítmicos e fluentes, os jogadores devem se movimentar pela área de jogo, acompanhados por música quando possível.

Parte II: O instrutor rapidamente propõe um Onde (veja exemplos abaixo). Sem interromper os movimentos ritmicos, os jogadores desenvolvem Quem e O Quê no Onde.

INSTRUÇÃO
Mantenham o ritmo! Deixe que o movimento sugira o Quem! Dar e tomar!

AVALIAÇÃO
O movimento rítmico sugeriu o Quem dentro da situação dada? Os jogadores compartilharam o quadro de cena? Eles estavam dando e tomando? Jogadores, vocês concordam?

NOTAS
1. Exemplos: um carnaval, com passistas, bateria, ala das baianas etc.
2. Caso jogadores individuais tenham dificuldade em encontrar o Quem, o instrutor pode entrar na área de jogo para ajudar. Isto deve ser feito rapidamente, sem interromper o ritmo.

ÁREAS DE EXPERIÊNCIA
Exploração do Movimento Corporal
Teatro: Quem (Personagem e/ou Relacionamento)
Teatro: Vinhetas

© 2001 Perspectiva

VOGAIS E CONSOANTES   B46

PREPARAÇÃO
Jogadores na plateia.

FOCO
Estabelecer contato com as vogais e consoantes de uma palavra enquanto está sendo dita.

DESCRIÇÃO
Seis ou oito jogadores ficam em círculo ou em duas fileiras. Cada jogador deve iniciar uma conversa silenciosa com o jogador do lado oposto (oito jogadores significam quatro conversas simultâneas). Os jogadores devem focalizar as vogais ou as consoantes, conforme a instrução, contidas nas palavras que falam, sem colocar ênfase ou mudar o jeito de falar. Mantendo a voz baixa, os jogadores devem afastar-se uns dos outros o quanto o espaço permitir, e depois aproximar-se conforme a instrução.

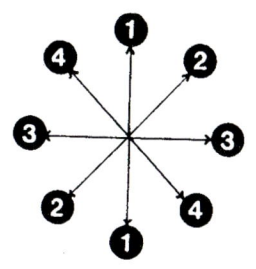

INSTRUÇÃO
Parte I: *Vogais! Entre em contato, sinta, toque as vogais! Deixe que as vogais toquem você! Consoantes! Fale normalmente! Veja, sinta, FOCO nas consoantes!*

Parte II: *Afaste-se de seu parceiro! Vogais! Consoantes! Fale mais baixo que antes! Afastem-se o mais que puderem! Abram o círculo!*

Parte III: *Aproximem-se! Falem mais baixo ainda! Vogais! Consoantes! Fechem os olhos! Continuem falando! Vogais! Consoantes! Falem o mais baixinho que puderem! Voltem para o pequeno círculo! Vogais! Consoantes!*

AVALIAÇÃO
Você teve a sensação de fazer contato físico com a palavra falada? A comunicação foi mantida o tempo todo? O significado surgiu no espaço através das vogais e consoantes?

© 2001 Perspectiva

NOTAS
1. Espere até que os jogadores estejam fisiologicamente atentos aos seus parceiros antes de orientá-los para se distanciarem uns dos outros.
2. Os jogadores podem abaixar suas vozes na medida em que se afastam. As conversas podem acontecer na forma de murmúrio e a uma distância de até dez metros.
3. A instrução *Feche os olhos!* abre os jogadores para o fato de que eles não devem fazer leitura labial. O corpo todo, dos pés à cabeça, deve estar envolvido com a palavra falada.
4. Esse jogo pode ser feito com um roteiro ou como leitura oral.

ÁREAS DE EXPERIÊNCIA
Comunicação: Falando-Diálogo
Vogais e Consoantes como Partes de Palavras
Padrões de Fala
Jogo de Ouvir-Escutar
Comunicação: Familiaridade e Flexibilidade com Palavras
Comunicação: Agilidade Verbal
Jogo para Leitura
Jogo Sensorial

DIÁLOGO CANTADO — B47

PREPARAÇÃO
Introdutório: *Vogais e Consoantes* (B46).
Jogadores na plateia.

FOCO
Cantar todo diálogo.

DESCRIÇÃO
Dois ou mais jogadores entram em acordo sobre Onde, Quem e O Quê. Todo diálogo deve ser cantado.

INSTRUÇÃO
Cantem suas palavras! Intensifique-as! Cantem com o corpo todo!

AVALIAÇÃO
Os jogadores exploraram todas as áreas às quais o diálogo cantado poderia conduzir? Jogadores, vocês concordam?

NOTAS
1. Não há necessidade de vozes afinadas para esse jogo, já que se trata de um jogo de extensão do som.
2. Jogadores que recitam as palavras dramaticamente (recitativo) devem ser continuamente instruídos para o salto melódico que é latente em todo diálogo.
3. Não imponha uma estrutura melódica aos jogadores. Caso apareça uma melodia, ela deve surgir espontaneamente.

ÁREAS DE EXPERIÊNCIA
Fluência Verbal e Qualidades Tonais
Comunicação: Ressonância na Fala
Extensão do Som
Comunicação: Agilidade Verbal

© 2001 Perspectiva

COMEÇO E FIM COM OBJETOS — B48

PREPARAÇÃO
Introdutórios: *Não Movimento: Aquecimento* (A30) e *Não Movimento: Caminhada* (A31).
Jogadores na plateia.

FOCO
Num objeto.

DESCRIÇÃO
Neste jogo em três partes, um único jogador escolhe um objeto pequeno. Por exemplo, uma barra de chocolate.
Parte I: O jogador realiza uma atividade simples com o objeto. Por exemplo: desembrulhando, mordendo, comendo.

Parte II: O jogador então repete a atividade, desta vez dizendo *Começo!* cada vez que estabelecer um novo contato com o objeto e *Fim!* quando cada detalhe estiver completado (Veja Nota 4, abaixo).

Parte III: Finalmente, o jogador repete a atividade como na Parte I, o mais rápido possível, sem dizer *Começo!* ou *Fim!*.

INSTRUÇÃO
Dê mais força no Começo! Mais detalhe! Mais energia no Fim! Faça mais recortes na ação! Diga com mais energia!

AVALIAÇÃO
Jogadores, qual das três partes trouxe mais o objeto para o espaço? Plateia, vocês concordam?

NOTAS
1. Se a Parte II for feita por completo, cada detalhe será como um quadro numa tira de um filme de cinema.
2. Oriente os jogadores para fazerem o *Começo!* e o *Fim!* com mais explosões de energia.
3. A Parte III será muito mais clara e precisa do que a Parte I em primeiro lugar por causa do detalhe criado pelo *Começo!* e *Fim!* e, em segundo lugar, porque os jogadores não têm tempo de lembrar desses detalhes. Há contato imediato com o objeto.

4. Exemplos da Parte II:
O jogador toca na barra de chocolate: *Começo!*
Pega a barra de chocolate: *Fim!*
Começa a rasgar o papel: *Começo!*
Rasga o papel: *Fim!*
Começa a amassar o papel: *Começo!*
Amassa o papel: *Fim!*
Está pronto para jogá-lo fora: *Começo!*
Joga-o fora: *Fim!* etc.

ÁREAS DE EXPERIÊNCIA
Objeto no Espaço: Tornando Visível o Invisível
Teatro: O Quê (Atividade)
Comunicação Não Verbal

ONDE COM ATIVIDADE NÃO RELACIONADA — B49

PREPARAÇÃO
Introdutórios: *Exercício do Onde* (B8) e *Jogo do Onde* (B9).
Jogadores na plateia.

FOCO
Estabelecer contato físico com todos os objetos no ambiente geral, perseguindo simultaneamente uma atividade mútua.

DESCRIÇÃO
Dois jogadores entram em acordo sobre Onde, Quem e O Quê e fazem uma planta baixa detalhada. O Quê deve ser uma atividade mútua que não depende de Onde eles estão (por exemplo, uma lição de dança no dormitório; consertando um brinquedo na sala de estar etc.).

INSTRUÇÃO
Trabalhe com o FOCO no problema! Entre em contato com todos os objetos!

AVALIAÇÃO
Os jogadores solucionaram o problema desse jogo? Jogadores, vocês concordam?

NOTAS
1. Esse jogo ajuda os jogadores a compreender que é através do relacionamento (Quem) e atividade (O Quê) que o ambiente (Onde) irá adquirir vida tanto para os observadores como para os jogadores (veja Comentário sobre Onde/Quem/O Quê no Manual, p. 47).
2. Esse problema de mão dupla dá aos jogadores tanto ocupação (atividade) como preocupação (FOCO). Ajuda a remover mecanismos de censura que prendem os jogadores a velhos quadros de referência e comportamento estereotipado.
3. Todos os exercícios com Onde ajudam os jogadores a entrar na área de jogo com um ambiente definido.

ÁREAS DE EXPERIÊNCIA
Teatro: Onde (Cenário e/ou Ambiente)
Objeto no Espaço: Tornando Visível o Invisível

ONDE SEM MÃOS   B50

PREPARAÇÃO
Introdutório: *Onde com Ajuda – Obstáculos* (B43).
Jogadores na plateia.

FOCO
Mostrar o Onde entrando em contato com os objetos sem usar as mãos.

DESCRIÇÃO
Um jogador individual escolhe um Onde, Quem e O Quê. Por alguma razão o jogador não pode ou não usa as mãos, mas estabelece contato com os objetos no ambiente para mostrar o Onde. Por exemplo: o jogador acabou de esmaltar as unhas, tornando necessário abrir e fechar gavetas com pés, cotovelos e ombros.

INSTRUÇÃO
Saiba Onde você está! Mantenha contato com o ambiente! Não use as mãos!

AVALIAÇÃO
Quais maneiras interessantes de entrar em contato com os objetos foram encontradas? O Onde adquiriu vida?

NOTAS
1. Observe quais jogadores estão quebrando a dependência da instrução, integrando a não utilização das mãos sem necessitarem mais de instrução.
2. Jogadores que não integram o problema irão manter o FOCO nas mãos em lugar de usar os objetos para mostrar o Onde, o que altera completamente o problema. Deixe que os jogadores descubram isso por si mesmos.
3. Para mais informações, consulte o Manual.

ÁREAS DE EXPERIÊNCIA
Teatro: Onde (Cenário e/ou Ambiente)
Tocar – Ser Tocado
Objeto no Espaço: Tornando Visível o Invisível
Comunicação Não Verbal
Jogo Sensorial
Movimento Físico e Expressão

© 2001 Perspectiva

CAMINHADA CEGA NO ESPAÇO — B51

PREPARAÇÃO
Aquecimento: *Caminhada no Espaço #1, #2 e #3* (A6, A7 e A8).
Grupo todo.

FOCO
Movimentar-se no espaço.

DESCRIÇÃO
Os jogadores são divididos em dois times. Um time por vez caminha atravessando o espaço da sala, sendo que cada jogador deve ocupar seu próprio espaço e respeitar o espaço do parceiro. Os jogadores seguem a instrução. Quando um time tiver passado pela experiência, troque as posições.

INSTRUÇÃO
Você atravessa o espaço e deixa que o espaço atravesse você! Há espaço suficiente para todos! Ocupe o espaço que precisa! Você ocupa seu próprio espaço e permite que outros ocupem o seu! (pausa) *Caminhe ao encontro e em torno de seus parceiros!* (pausa) *Todos caminham para trás! Ao encontro! Afastando-se! Em torno dos parceiros! Deixe que suas mãos façam parte do corpo! Sinta a caminhada com o corpo todo! Ocupe seu próprio espaço e deixe que seus parceiros ocupem o seu!* (pausa) *Caminhe para a frente em câmeeeeeraaaa muiiiiiito leeeeentaaaa! Ao encontro! Afastando-se! Ocuuuupeeee seuuu eeespaaaçoooo! Deixeeeee que os ooouuuutrooos ooocuuupeeem o seu!* (pausa) *Acelere! Ao encontro! Afastando-se! Mais rápido! Ocupe seu espaço! Deixe que os outros ocupem o seu! Tão rápido quanto puder!* (pausa) *Velocidade normal! Forme uma teia em torno dos parceiros! Ocupe seu próprio espaço! Respeite o espaço dos parceiros!* (pausa) *Fechem os olhos! Ocupe seu espaço! Permita que os parceiros ocupem seu espaço! Continue em movimento! Não há necessidade de tatear com as mãos! O corpo sabe! Espiar tira a graça! Continue em movimento! Ao encontro, afastando-se, formando uma teia em torno dos parceiros!* (pausa) *Mantenha os olhos fechados e congele! Com os olhos fechados, perceba seu corpo em relação ao corpo dos parceiros! Procure perceber onde está! Quem está próximo de você! Não se movimente! Quando achar que sabe onde está, abra os olhos!*

AVALIAÇÃO
Nenhuma, exceto para dar tempo às risadas e olhar em torno quando os jogadores abrem os olhos.

© 2001 Perspectiva

NOTAS
1. Caso o tempo permitir, volte para um dos ítens da instrução – caminhar para trás, caminhar em camera lenta ou o que for – e repita *De olhos fechados!* três ou quatro vezes.
2. Se o tempo for limitado, esse exercício pode ser feito sem o time de jogadores na plateia. No entanto, os jogadores na plateia terão proveito ao ver os outros experimentarem essa caminhada no espaço.

ÁREAS DE EXPERIÊNCIA
Exploração do Movimento Corporal
Jogo Tradicional
Caminhada no Espaço
Tocar – Ser Tocado
Jogo de Ouvir-escutar
Jogo Sensorial
Movimento Físico e Expressão
Tempo Presente/Aqui, Agora!

CEGO   B52

PREPARAÇÃO
Coordenador: A área de jogo deve ser plana, sem objetos agudos ou pontudos. Há necessidade de vendas.
Aquecimento: *Caminhada Cega no Espaço* (B51).
Jogadores na plateia.

FOCO
Movimentar-se na área de jogo de olhos vendados como se pudesse ver.

DESCRIÇÃO
Dois ou mais jogadores entram em acordo sobre Onde, Quem e O Quê e preparam a área de jogo com adereços, peças de cenário, mesas e cadeiras reais. O Quê (atividade) deve propor que sejam manipulados e passados muitos objetos, como um café ou chá social. Os jogadores estão com os olhos vendados e atuam no Onde, Quem, O Quê como se pudessem ver.

INSTRUÇÃO
Continue esse movimento! Encontre a cadeira pela qual procura! Aventure-se! Pendure seu chapéu! Integre o tatear às cegas ao seu Quem!

AVALIAÇÃO
Os jogadores se movimentaram naturalmente? Tatear às cegas foi integrado ao Onde, Quem, O Quê? Essa integração foi interessante? (Se um jogador estiver procurando por uma cadeira, ele pode balançar o braço como se estivesse em apuros como parte do Quem).

NOTAS
1. No início, a perda de visão provoca ansiedade em alguns jogadores, que ficarão parados no mesmo lugar imobilizados. A instrução e a utilização de um telefone como adereço ajudarão. Toque o telefone (vocalmente se necessário) chamando o jogador (pelo nome). Não há necessidade de conversar. O jogador irá compreender. Será muito divertido quando o jogador mostrar dificuldade de encontrar o telefone e colocá-lo de volta.
2. Contato através da manipulação de adereços reais é necessário para o sucesso desse jogo.
3. Para evitar embaraços, deixe que sexos opostos fiquem em times separados.

© 2001 Perspectiva

ÁREAS DE EXPERIÊNCIA
Teatro: Onde, Quem, O Quê
Tocar – Ser Tocado
Jogo de Ouvir-Escutar
Aquecimento Silencioso
Jogo Sensorial

AQUECIMENTO BÁSICO   C1

PREPARAÇÃO
Introdutórios: *Sentindo o Eu com o Eu* (A19) e *Visão Periférica* (A53). Grupo todo.

FOCO
Em estender a visão.

DESCRIÇÃO
Os jogadores permanecem sentados em silêncio nas carteiras, em não movimento, abertos para receber a instrução.

INSTRUÇÃO
Percebam vocês mesmos sentados em suas carteiras! Percebam o espaço à sua volta! Agora deixem que o espaço perceba você! Permaneçam sentado em não movimento! Balancem sua cabeça! Deixem que o peso da cabeça execute o movimento! Não o corpo! Deixe os ombros à vontade! Deixem que suas cabeças se movimentem em círculo! Agora deixe que sua cabeça role para a esquerda e movimente seus olhos tão longe para a esquerda quanto possível! Enviem seu olhar ainda mais para a esquerda! Agora para a direita! Façam com que seus olhos se movimentem o mais longe possível para a direita! A cabeça para a frente sobre o peito! Movimentem os olhos para baixo enrolando a cabeça sobre o peito! Agora deixem os olhos rolarem com a cabeça tão longe para trás quanto possível! Enviem o olhar ainda mais para trás! (Repita cada uma das direções duas ou três vezes.)

AVALIAÇÃO
Nenhuma.

NOTAS
1. *Sentindo o Eu como o Eu* (A19) também é um aquecimento básico que pode ser usado a qualquer momento para diminuir a fadiga.

ÁREAS DE EXPERIÊNCIA
Aquecimento Silencioso
Revigoramento
Jogo de Olhar-Ver
Jogo Sensorial

CAMINHADA NO ESPAÇO #1   C2

PREPARAÇÃO
Leia Comentário sobre *Caminhada no Espaço* (Manual, p. 41). Talvez você queira deixar esses exercícios (A6, A7, A8) até que se sinta mais confortável e em contato com essa abordagem do espaço.
Aquecimento: *Sentindo o Eu com o Eu* (A2).
Grupo todo.

FOCO
Sentir o espaço com o corpo todo.

DESCRIÇÃO
Os jogadores caminham e investigam fisicamente o espaço como se fosse uma substância desconhecida.

INSTRUÇÃO
(Dê um espaço de tempo entre cada frase de instrução para que os jogadores possam passar pela experiência.) *Caminhe pela sala e sinta o espaço à sua volta! Investigue-o como uma substância desconhecida e não lhe dê um nome! Sinta o espaço com as costas! Com o pescoço! Sinta o espaço com o corpo e deixe que suas mãos formem um todo com o seu corpo! Sinta o espaço dentro da boca! Na parte exterior de seu corpo! Sinta a forma de seu corpo quando se move pelo espaço! Agora deixe que o espaço sinta você! O seu rosto! Os seus braços! O seu corpo todo! Mantenha os olhos abertos! Espere! Não force! Você atravessa o espaço e deixa que o espaço o atravesse!*

AVALIAÇÃO
Alguém teve a sensação de sentir o espaço ou de deixar que o espaço o sentisse? (Não insista nas avaliações das caminhadas no espaço).

NOTAS
1. Como em todas as caminhadas no espaço, o coordenador caminha com o grupo enquanto dá as instruções. Utilize as características físicas de seus jogadores (boca cerrada, ombros curvados etc.) como guia para dar as instruções para as caminhadas no espaço. Por exemplo, se um dos jogadores tem uma expressão rígida no olhar, você pode dizer *Coloque o espaço onde estão seus olhos!* Quando especificar a área de tensão de um dos jogadores, não deixe que ele o perceba. O que ajudar um deles, ajuda todos.

2. Uma introdução simples para a substância do espaço é perguntar para os jogadores o que existe entre você e eles. Os jogadores irão responder: *Ar, Atmosfera, Espaço.* Qualquer que seja a forma como os jogadores a denominam, peça para que considerem aquilo que está entre, ao redor, acima e abaixo deles como sendo *substância do espaço* para o objetivo desse exercício.

ÁREAS DE EXPERIÊNCIA
Caminhada no Espaço
Tocar – Ser Tocado
Aquecimento Silencioso
Jogo Sensorial
Movimento Físico e Expressão
Tempo Presente/Aqui, Agora!

CAMINHADA NO ESPAÇO #2   C3

PREPARAÇÃO
Aquecimento: *Caminhada no Espaço #1* (A6).
Grupo todo.

FOCO
Sustentar a si mesmo ou deixar que a substância do espaço o sustente, de acordo com a instrução.

DESCRIÇÃO
Os jogadores caminham pela sala e sustentam a si mesmos ou permitem que o espaço os sustente, de acordo com a instrução.

INSTRUÇÃO
Você atravessa o espaço e deixa que o espaço atravesse você! Enquanto caminha, entre dentro de seu corpo e sinta as tensões! Sinta seus ombros! Sinta a coluna de cima para baixo! Sinta o seu interior a partir do interior! Observe! Anote! Você é seu único suporte! Você sustenta o seu rosto! Seus dedos dos pés! Seu esqueleto todo! Se você não se sustentasse, você se despedaçaria em mil partes! Agora mude! Caminhe pelo espaço e deixe que o espaço o sustente! O seu corpo entenderá! Perceba o que seu corpo está sentindo! Coloque espaço onde estão seus olhos! Deixe que o espaço sustente seu rosto! Seus ombros! Agora mude! Agora é você quem se sustenta novamente! (Altere entre ser o suporte de si mesmo e deixar que o espaço o sustente até que todos os jogadores tenham experimentado a diferença.)

AVALIAÇÃO
Havia uma diferença entre sustentar a si mesmo e deixar que o espaço o sustentasse?

NOTAS
1. Da mesma forma como em *Caminhada no Espaço #1*, o coordenador caminha com o grupo enquanto dá as instruções. Dê um espaço de tempo entre as instruções para que os jogadores experimentem a diferença.
2. Deixar que o espaço sustente não significa perder o controle ou andar aos trancos. O jogador deve permitir que o corpo encontre o seu alinhamento correto. *Permita que o seu corpo encontre o alinhamento correto!* é uma instrução útil nesse exercício.

ÁREAS DE EXPERIÊNCIA
Caminhada No Espaço
Tocar – Ser Tocado
Aquecimento Silencioso
Jogo Sensorial
Movimento Físico e Expressão
Tempo Presente/Aqui, Agora!

CAMINHADA NO ESPAÇO #3: ESQUELETO C4

PREPARAÇÃO
Aquecimentos: *Caminhada no Espaço #1 e #2 (A6 e A7)*.
Grupo todo.

FOCO
O movimento físico do esqueleto no espaço.

DESCRIÇÃO
Os jogadores caminham pelo espaço, focalizando o movimento do esqueleto nos ossos e nas articulações.

INSTRUÇÃO
Você passa pelo espaço e deixa que o espaço passe por você! Sinta o seu esqueleto movimentando-se no espaço! Evite ver uma foto de seu esqueleto! Sinta o movimento de cada articulação! Deixe que suas articulações se movimentem livremente! Sinta o movimento de sua coluna! De seus ossos pélvicos! De suas pernas! Deixe que sua cabeça repouse sobre o seu próprio pedestal! Sinta o seu crânio! Agora ponha espaço onde estão as suas bochechas! Em torno dos ossos do seu braço! Entre cada disco de sua coluna! Ponha espaço onde está o seu estômago! Perceba seu esqueleto se movimentando no espaço! Intensifique o movimento de suas articulações! O contorno exterior de seu corpo no espaço! Sinta onde termina o espaço e começa o seu corpo! Você caminha pelo espaço e deixa que o espaço o atravesse! Perceba seu esqueleto atravessando o espaço! Fechem os olhos! Quando eu disser Abram os olhos! vocês estarão em um novo lugar no espaço! Agora, abram os olhos! Vejam o novo lugar em que estão! (Repita isso duas ou três vezes.) *Seu próximo passo é a um lugar desconhecido! Agora vocês estão entrando em um lugar desconhecido!*

AVALIAÇÃO
Você sentiu o seu próprio esqueleto movimentando-se no espaço?

NOTAS
1. Crianças mais novas que podem se assustar com a palavra *esqueleto* devem ser conscientizadas do fato de que o esqueleto é a estrutura básica do corpo. Esse exercício poderá ajudar.
2. Quando o espaço corporal é ligado com o espaço externo nesse exercício, alguns jogadores podem ficar ansiosos. Se aparecer ansiedade

nesse momento, traga os jogadores de volta para o seu próprio corpo rapidamente.

ÁREAS DE EXPERIÊNCIA
Percepção Corporal
Exploração do Ambiente
Caminhada no Espaço
Tocar – Ser Tocado
Aquecimento Silencioso
Jogo Sensorial
Movimento Físico e Expressão
Tempo Presente/Aqui, Agora!

JOGO DA PALAVRA #1: CHARADAS   C5

PREPARAÇÃO
Introdutório: *Jogo do Onde* (B9).
Jogadores na plateia.

FOCO
Ocultar a palavra dentro de uma série de eventos (cenas).

DESCRIÇÃO
Faça a contagem em times de quatro a seis jogadores. Cada time secretamente seleciona uma palavra como "catarata", "comumente" etc. e a divide em sílabas. Cada time entra em acordo sobre Onde, Quem e O Quê e um evento (cena) é desempanhado de cada sílaba. Os jogadores na plateia procuram adivinhar a palavra apenas depois que todos os eventos (cenas) tiverem sido apresentados. Em momento algum a palavra ou sílaba pode ser mencionada verbalmente.

INSTRUÇÃO
Nenhuma.

AVALIAÇÃO
Qual era a palavra? Qual era a primeira sílaba? A segunda? Jogadores, a palavra ou sílaba foi em algum momento verbalizada?

NOTAS
1. Os jogadores não devem se preocupar com a pronúncia da palavra, mas sim com o sentido do som das sílabas: "catarata" pode vir a ser "cata"+ "rata"ou "ca"+ "tara"+ "ta".
2. Esse jogo desperta nos jogadores possibilidades de uma grande variedade de escolhas para o Onde, Quem, O Quê. Quando o acordo de grupo é alcançado, os eventos (cenas) podem acontecer às portas do céu ou embaixo da terra.
3. Chapéus, capas etc. reunidos em um baú na sala de aula podem enriquecer muito esse jogo.
4. Esse jogo consome muito tempo, já que cada time atua em um, dois ou três eventos (cenas). É recomendável pedir que um ou dois times façam o jogo durante uma semana e os outros nas semanas subsequentes.
5. Para mais informações, consulte o Manual.

© 2001 Perspectiva

ÁREAS DE EXPERIÊNCIA
Jogo Tradicional
Comunicação: Familiaridade e Flexibilidade com Palavras
Comunicação: Escrever
Jogo para Leitura
Teatro: Vinhetas

EXPLORAR E INTENSIFICAR — C6

PREPARAÇÃO
Aquecimento: *Caminhada no Espaço #1, #2 e #3* (C2, C3 e C4).
Jogadores na plateia.

FOCO
Estar aberto para explorar, intensificar e expandir o jogo de cena.

DESCRIÇÃO
Times de dois ou mais jogadores estabelecem um Onde, Quem e O Quê e realizam o evento (cena) alertas à instrução que está sendo dada.

INSTRUÇÃO
Explore essa ideia! Intensifique esse sentimento! Expanda esse gesto! Explore esse som! Esse objeto! Esse pensamento! Intensifique-o!

AVALIAÇÃO
Jogadores, aconteceu alguma coisa quando vocês receberam a instrução para explorar e intensificar? Jogadores, a instrução veio a partir do que estava acontecendo ou foi imposta?

NOTAS
1. *Explorar e intensificar!* pode ser usado como instrução durante todo o período de ensaios. Essa instrução propicia apoio, aumenta o nível de energia e vence a tendência de interpretar ou inventar, o que leva a cena para o brejo.
2. O instrutor deve estar inteiramente atento observando e ouvindo os sons, os movimentos, as ideias, as pausas etc. que normalmente passariam despercebidas. O gesto mais simples é passível de ser explorado, alertando a todos para as possibilidades de vida de palco cheia de inspiração.

ÁREAS DE EXPERIÊNCIA
Jogo de Olhar-Ver
Jogo de Ouvir-Escutar
Tocar – Ser Tocado
Aprimorando a Percepção
Teatro: Onde (Atividade)
Jogo Sensorial

O QUE ESTÁ ALÉM: ONDE   C7

PREPARAÇÃO
Jogadores na plateia.

FOCO
Mostrar (comunicar) Onde o jogador esteve e para Onde o jogador vai.

DESCRIÇÃO
Um jogador deve atravessar a área de jogo, fazendo uma entrada e uma saída. Não deve haver outra ação senão aquela que emerge ao comunicar Onde o jogador esteve e Onde ele irá. Por exemplo: o jogador entra, bocejando e espreguiçando-se, lentamente desabotoa e tira o que parece ser um pijama e sai por outra porta.

INSTRUÇÃO
Explore e intensifique! Comunique de onde veio! Pare no centro do palco! Comunique para onde vai!

AVALIAÇÃO
De que espaço o jogador veio? Para onde o jogador foi? O jogador mostrou ou contou? É possível mostrar o que está além sem atividade de cena?

NOTAS
1. *O que está além* deve ser acrescentado às plantas baixas nos jogos a serem feitos daqui para a frente.
2. O exemplo dado acima dá uma ideia do que esperar nesse momento do trabalho. Experimente fazer esse exercício em outro momento para ver como *o que está além* pode ser mostrado com mais sutileza ao *deixar acontecer*.

ÁREAS DE EXPERIÊNCIA
Comunicação Não Verbal
Teatro: Onde (Cenário e/ou Ambiente)

O QUE ESTÁ ALÉM: ATIVIDADE   C8

PREPARAÇÃO
Introdutório: *O Que Está Além: Onde* (C7).
Jogadores na plateia.

FOCO
Comunicar a atividade em um lugar do qual se saiu ou para o qual se vai entrar.

DESCRIÇÃO
Um por vez, os jogadores entram, atravessando a área de jogo, e saem. Sem usar a fala ou atividade desnecessária, o jogador comunica a atividade desnecessária, o jogador comunica a atividade que aconteceu antes de sua entrada ou que irá ocorrer depois de sua saída.

INSTRUÇÕES
Mostre! Não Conte! Deixe que seu corpo manifeste o que acabou de acontecer! Intensifique! Deixe que seu corpo manifeste a atividade que vai acontecer!

AVALIAÇÃO
O que tinha acabado de acontecer? O jogador mostrou ou contou? O que vai acontecer depois?

NOTAS
1. Mantenha a avaliação sobre o foco apenas! Estamos interessados apenas naquilo que acabou de acontecer ou vai acontecer em seguida.

2. Se esse exercício for dado para iniciantes, os jogadores devem escolher uma atividade simples (por ex: varrendo a calçada).

3. Ao ser repetido *O Que Está Além* pode ser baseado em relacionamentos como uma briga com o namorado, um funeral.

ÁREAS DE EXPERIÊNCIA
Teatro: O Quê(Atividade)
Comunicação Não Verbal

ILUMINANDO   C9

PREPARAÇÃO
Grupo todo ou jogadores na plateia.

FOCO
Não verbalizar o assunto da conversação.

DESCRIÇÃO
Grupo todo. Dois jogadores entram em acordo sobre um tópico secreto de conversação. Iniciam discutindo o tópico na presença de outros jogadores. Não devem fazer afirmações falsas, embora procurem ocultar o assunto dos outros jogadores. Os outros jogadores não devem fazer perguntas ou adivinhar o tópico em voz alta mas sim participar da conversação quando acreditam conhecer o assunto. O primeiro jogador pode desafiar aqueles que entraram no jogo que, se estiverem corretos, podem permanecer no jogo. Caso esteja incorreto, o jogador deve voltar, estando fora em uma terça parte (como no jogo teatral *Fantasma* (A78)). Os jogadores podem eventualmente participar da conversação por algum tempo sem despertar suspeita ou serem desafiados. O jogo é realizado até que todos os jogadores estejam dentro ou fora.

INSTRUÇÃO
Compartilhe sua voz! Não faça perguntas! Não faça adivinhações!

AVALIAÇÃO
Os jogadores fizeram afirmações falsas? Qual era o asssunto?

NOTAS
1. Esse jogo tradicional pode ser utilizado como aquecimento para aqueles exercícios que buscam trazer os jogadores para participar de diálogos: *Debate em Contraponto #1, #2 e #3* (C10, C11 e C12) e *Conversação em Três Vias* (A91).

ÁREAS DE EXPERIÊNCIA
Jogo Tradicional
Aquecimento Silencioso
Jogo de Ouvir-Escutar
Comunicação: Familiaridade e Flexibilidade com Palavras
Comunicação: Falando-Diálogo

Comunicação: Escrever
Jogo para Leitura
Jogo Sensorial

DEBATE EM CONTRAPONTO #1 — C10

PREPARAÇÃO
Coordenador: O mesmo time joga *Debate em Contraponto #1, #2 e #3* (C10, C11 e C12) em uma mesma sessão.
Aquecimento: *Iluminando* (C9).
Jogadores na plateia.

FOCO
Perseguir argumentos, usando um assunto específico como trampolim.

DESCRIÇÃO
Dois jogadores escolhem um assunto de conversação como viagem, moda, guerra e paz, hábitos, saúde etc. Será bom colocar uma mesa entre os jogadores como suporte. Ao sinal do coordenador, ambos os jogadores começam a falar diretamente um com o outro, desenvolvendo argumentos a partir do assunto, sem mencioná-lo (e sem usar o pronome "ele" em lugar do assunto). Cada jogador deve procurar sériamente argumentos que nascem do assunto, permitindo que cada novo argumento se torne um degrau para o próximo. Os jogadores não devem envolver-se ou distrair-se com os argumentos do parceiro. Pode-se atribuir pontos para hesitações, desvios, pronomes como "eu", "você" ou "ele" em substituição ao assunto, nomear o assunto, repetição das ideias do parceiro ou respostas ao parceiro. Tempo: um minuto. Aquele que tem menor número de pontos vence. O mesmo time trabalha com C11 e C12 na mesma sessão.

INSTRUÇÃO
Falem diretamente um com o outro! (Poderá ser necessário repetir essa instrução muitas vezes) Não use "eu"! Não use "você"! Continuem a falar! Compartilhem sua voz! Vejam um ao outro! Não nomeie o assunto! Continuem! Trabalhem juntos!

AVALIAÇÃO
(A partir dos pontos) Os jogadores permitiram que o assunto fosse um trampolim para novas ideias? Jogadores, vocês concordam? Os jogadores ficaram com medo de deixar acontecer?

NOTAS
1. Esse exercício exige uma carga extraordinária de energia física. Os jogadores devem falar um para o outro e não um com o outro. Dê instruções

com frequência para que isso aconteça. Esse exercício não é um jogo isolado. A troca de energia física entre os jogadores é essencial.
2. Evitando rótulos* : evitar nomear o assunto, ou perguntas, ou pronomes como "eu" e "você" torna possível o trampolim para novos argumentos e *insights*. Caso contrário os jogadores ficarão presos ao assunto, trocando simplesmente informações e opiniões.
3. Você notará que pouca atenção será dada ao resultado da contagem de pontos na medida em que o processo de jogo gera sua própria excitação. A contagem de pontos é usada no início como recurso para evitar que os jogadores se desviem do FOCO.
4. Para mais informações, consulte o Manual.

ÁREAS DE EXPERIÊNCIA
Jogo com Estímulos Múltiplos
Comunicação: Familiaridade e Flexibilidade com Palavras
Tempo Presente/Aqui, Agora!

* Veja Rótulos, Manual, p. 66.

DEBATE EM CONTRAPONTO #2 — C11

PREPARAÇÃO
Introdutório: *Debate em Contraponto #1* (C10).
O mesmo time joga C10, C11 e C12 na mesma sessão.
Jogadores na plateia.

FOCO
Desenvolver argumentos a partir de um assunto e fazer ao mesmo tempo com que o parceiro utilize os argumentos desenvolvidos pelo primeiro.

DESCRIÇÃO
Dois jogadores, depois de terem jogado *Debate em Contraponto #1*, desenvolvem individualmente os argumentos que emergiram do assunto original, falando simultaneamente. Cada jogador procura fazer com que o outro assuma os argumentos que está desenvolvendo. Atribua pontos a cada vez que um jogador assume os argumentos do outro.

INSTRUÇÃO
Falem diretamente um com o outro! Vejam um ao outro! Fiquem totalmente envolvidos um com o outro! Evite o pronome "eu"! Compartilhe sua voz!

AVALIAÇÃO
Quantas vezes um dos jogadores assumiu argumentos do outro? Quantas vezes o outro jogador assumiu argumentos do primeiro?

NOTAS
1. Os jogadores não devem inventar truques para fazer com que o outro assuma seus argumentos, fazendo perguntas por exemplo. Eles devem permitir que os argumentos que emergem *vençam* por eles mesmos.
2. O mesmo time deve trabalhar imediatamente com *Debate em Contraponto #3*.

ÁREAS DE EXPERIÊNCIA
Jogo de Transformação
Jogo com Estímulos Múltiplos
Comunicação: Familiaridade e Flexibilidade com Palavras
Comunicação: Falando-Diálogo
Tempo Presente/Aqui, Agora!

© 2001 Perspectiva

DEBATE EM CONTRAPONTO #3 — C12

PREPARAÇÃO
Introdutórios: *Debate em Contraponto #1 e #2* (C10 e C11).
Jogadores na plateia.

FOCO
Desenvolver argumentos a partir de um assunto e ao mesmo tempo desenvolver os argumentos do parceiro.

DESCRIÇÃO
Dois jogadores, ambos falando simultaneamente, expandem seus argumentos da mesma forma como nos exercícios de Contraponto anteriores. No entanto, no *Debate em Contraponto #3*, os jogadores também ouvem, desenvolvem e constroem a partir dos argumentos apresentados pelo parceiro. Os jogadores *exploram e intensificam* tanto seus argumentos emergentes como aqueles argumentos absorvidos a partir do discurso do parceiro.

INSTRUÇÃO
Penetre no ponto de vista de seu parceiro! Expanda seu argumento! Vocês estão juntos! Falem um com o outro! Compartilhem sua voz! Explorem e intensifiquem seus argumentos!

AVALIAÇÃO
(Sobre o diálogo) Os argumentos dos jogadores foram transformados? Jogadores, vocês concordam?

NOTAS
1. Um salto intuitivo entre os jogadores pode acontecer quando eles penetram os argumentos um do outro e assumem o que é necessário para transcender os seus próprios argumentos.
2. Caso os jogadores não solucionem esse problema, volte para ele depois de jogar *Transformação de Objetos* (A35) no qual a transformação é mais compreensível porque acontece no plano físico.
3. Quando os exercícios de *Debate em Contraponto* têm bom resultado, os jogadores fisicalizam sua fala. O argumento toma conta do jogador da cabeça aos pés. O jogador se torna presente, por assim dizer.
4. Quando adequadamete executado, o *Debate em Contraponto* pode conduzir à beleza e economia de linguagem verbal.

© 2001 Perspectiva

ÁREAS DE EXPERIÊNCIA
Jogo de Transformação
Jogo com Estímulos Múltiplos
Jogo do Ouvir-Escutar
Comunicação: Familiaridade e Flexibilidade com Palavras
Comunicação: Falando-Diálogo
Jogo Sensorial
Tempo Presente/Aqui, Agora!

DIÁLOGO CANTADO — C13

PREPARAÇÃO
Introdutório: *Vogais e Consoantes* (B46).
Jogadores na plateia.

FOCO
Cantar todo diálogo.

DESCRIÇÃO
Dois ou mais jogadores entram em acordo sobre Onde, Quem e O Quê. Todo diálogo deve ser cantado.

INSTRUÇÃO
Cantem suas palavras! Intensifique-as! Cantem com o corpo todo!

AVALIAÇÃO
Os jogadores exploraram todas as áreas às quais o diálogo cantado poderia conduzir? Jogadores, vocês concordam?

NOTAS
1. Não há necessidade de vozes afinadas para esse jogo, já que se trata de um jogo de extensão do som.
2. Jogadores que recitam as palavras dramaticamente (recitativo) devem ser continuamente instruídos para o salto melódico que é latente em todo diálogo.
3. Não imponha uma estrutura melódica aos jogadores. Caso apareça uma melodia, ela deve surgir espontaneamente.

ÁREAS DE EXPERIÊNCIA
Fluência Verbal e Qualidades Tonais
Comunicação: Ressonância na Fala
Extensão do Som
Comunicação: Agilidade Verbal

VOGAIS E CONSOANTES   C14

PREPARAÇÃO
Jogadores na plateia.

FOCO
Estabelecer contato com as vogais e consoantes de uma palavra enquanto está sendo dita.

DESCRIÇÃO
Seis ou oito jogadores ficam em círculo ou em duas fileiras. Cada jogador deve iniciar uma conversa silenciosa com o jogador do lado oposto (oito jogadores significam quatro conversas simultâneas). Os jogadores devem focalizar as vogais ou as consoantes, conforme a instrução, contidas nas palavras que falam, sem colocar ênfase ou mudar o jeito de falar. Mantendo a voz baixa, os jogadores devem afastar-se uns dos outros o quanto o espaço permitir, e depois aproximar-se conforme a instrução.

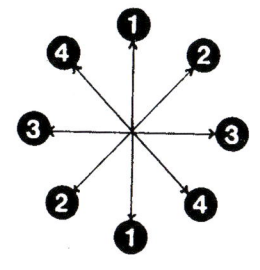

INSTRUÇÃO
Parte I: *Vogais! Entre em contato, sinta, toque as vogais! Deixe que as vogais toquem você! Consoantes! Fale normalmente! Veja, sinta, FOCO nas consoantes!*

Parte II: *Afaste-se de seu parceiro! Vogais! Consoantes! Fale mais baixo que antes! Afastem-se o mais que puderem! Abram o círculo!*

Parte III: *Aproximem-se! Falem mais baixo ainda! Vogais! Consoantes! Fechem os olhos! Continuem falando! Vogais! Consoantes! Falem o mais baixinho que puderem! Voltem para o pequeno círculo! Vogais! Consoantes!*

AVALIAÇÃO
Você teve a sensação de fazer contato físico com a palavra falada? A comunicação foi mantida o tempo todo? O significado surgiu no espaço através das vogais e consoantes?

© 2001 Perspectiva

NOTAS
1. Espere até que os jogadores estejam fisiologicamente atentos aos seus parceiros antes de orientá-los para se distanciarem uns dos outros.
2. Os jogadores podem abaixar suas vozes na medida em que se afastam. As conversas podem acontecer na forma de murmúrio e a uma distância de até dez metros.
3. A instrução *Feche os olhos!* abre os jogadores para o fato de que eles não devem fazer leitura labial. O corpo todo, dos pés à cabeça, deve estar envolvido com a palavra falada.
4. Esse jogo pode ser feito com um roteiro ou como leitura oral.

ÁREAS DE EXPERIÊNCIA
Comunicação: Falando-Diálogo
Vogais e Consoantes como Partes de Palavras
Padrões de Discurso
Jogo de Ourvir-Escutar
Comunicação: Familiaridade e Flexibilidade com Palavras
Comunicação: Agilidade Verbal
Jogo para Leitura
Jogo Sensorial

AQUECIMENTO: SUSSURRO DE CENA — C15

PREPARAÇÃO
Aquecimento: Breve discussão sobre a diferença entre um sussurro normal e um sussurro de cena. Veja Nota 1, abaixo.
Grupo todo.

FOCO
Relaxar os músculos da garganta e colocar toda energia corporal no sussurro de cena audível.

DESCRIÇÃO
O grupo todo permanece sentado com os pés no chão. Os jogadores devem falar alto, procurando abrir suas gargantas o mais possível. Na medida em que os músculos da garganta relaxam, os jogadores devem acrescentar sons vocais à fala. Quando instruídos, os jogadores devem repetir palavras simples e números ou rimas usando o sussurro de palco. Por exemplo: *Um, dois!, feijão com arroz! Três, quatro, feijão no prato! Cinco, seis falar chinês!, sete oito, comer biscoito!**

INSTRUÇÃO
Relaxem os músculos da garganta! Procurem abrir a garganta! Acrescentem sons! Dois! Quatro! Seis! Oito! Busquem o som a partir da ponta dos pés!

AVALIAÇÃO
De onde nasceu a energia para o sussurro de cena?

NOTAS
1. Um sussurro de cena não é um sussurro, pois deve ser compartilhado com a plateia e significa atuar através de um sussurro. Quando feito adequadamente, a voz ressoa livre de sons guturais.
2. Esse jogo deve ser apresentado ao grupo antes de *Sussurro de Cena* (C16).
3. Caso apareçam bloqueios, interrompa esse exercício por algum tempo.

---

* Os versos em inglês foram substituídos por rimas brasileiras. (N. da T.)

© 2001 Perspectiva

ÁREAS DE EXPERIÊNCIA
Aquecimento Vocal
Extensão do Som
Aquecimento Ativo
Comunicação: Agilidade Verbal

SUSSURRO DE CENA   C16

PREPARAÇÃO
Aquecimento: *Aquecimento: Sussurro de Cena* (C15).
Jogadores na plateia.

FOCO
Sussurro de cena; sussurrar com projeção de voz e garganta aberta.

DESCRIÇÃO
Times de dois ou mais jogadores entram em acordo sobre Onde, Quem e O Quê no qual os jogadores precisam sussurrar um para o outro. Por exemplo: ladrões no banheiro; amantes brigando em uma igreja. Antes de pedir pela *Cortina!* os jogadores podem permanecer sentados por alguns segundos na área de jogo.

INSTRUÇÃO
Abra sua garganta! Use o corpo todo! Sussurre desde a ponta dos pés! Não é apenas um sussurro... é um sussurro de cena! Compartilhe seu sussurro de cena com a plateia! FOCO no sussurro de cena! Sussurro de cena!

AVALIAÇÃO
Os jogadores apenas falaram baixinho ou usaram o sussurro de cena? Jogadores, vocês deixaram que o FOCO trabalhasse por vocês? Plateia, vocês concordam?

NOTAS
1. Como esse exercício exige muita energia física para solucionar o problema, essa liberação provoca situações de cena divertidas ou vinhetas teatrais instantâneas. Quando o FOCO é mantido no sussurro de cena, esse exercício quase sempre produz experiência teatral.
2. Chamar *Um minuto!* pode intensificar o esforço do time.
3. Lembrete: quando os jogadores ficarem envolvidos cerebralmente com diálogo ou humor que se desenvolve no evento (cena) devido à resposta da plateia, dê a instrução para os jogadores voltarem para o FOCO – *Sussurro de cena!*.

ÁREAS DE EXPERIÊNCIA
Jogo de Ouvir-Escutar
Comunicação: Agilidade Verbal
Jogo Sensorial
Teatro: Vinhetas

© 2001 Perspectiva

CONTATO C17

PREPARAÇÃO
Jogadores na plateia.

FOCO
Fazer contato físico direto a cada novo pensamento ou frase no diálogo.

DESCRIÇÃO
Dois ou mais jogadores estabelecem Onde, Quem e O Quê. Cada jogador deve fazer contato físico direto (tocar) com seu parceiro cada vez que uma nova frase ou pensamento é introduzido. A cada mudança no diálogo deve ser feito um contato físico direto. Os jogadores são responsáveis pelos seus próprios diálogos e contatos. Comunicações não verbais (acenos, assobios, dar de ombros etc.) podem ser aceitos. Se o contato não puder ser feito, não deve haver diálogo. (Como uma surpresa para os jogadores, acrescente regras mais desafiadores conforme instruções nas Partes II a IV.)

INSTRUÇÃO
Parte I: *Contato!* (Todas as vezes em que o jogador falar sem tocar.) *Varie o contato! Fique em silêncio se não puder estabelecer o contato! Utilize toda a área de jogo! Jogue o jogo!*

Parte II: *Não faça contato duas vezes no mesmo lugar!*

Parte III: *Não utilize as mãos! Não faça contato com as mãos!*

Parte IV: *Não faça contato com os pés!*

AVALIAÇÃO
Houve mais envolvimento entre os jogadores por causa do contato? Houve variedade de contato? O contato surgiu do Quem ou ele foi mecânico? Jogadores, vocês mantiveram o FOCO quando fizeram contato ou vocês estavam preocupados apenas com a atividade de cena?

NOTAS
1. Os jogadores resistem ao contato devido ao medo de se tocarem uns aos outros. Isto é verificado através da irritação em procurar variedade, de cutucões, empurrões, contato através de adereços de cena, utilizando apenas contato eventual e limitado (batendo nos ombros etc.) Volte para exercícios anteriores enfatizando relacionamentos, movimentos corporais e substância do espaço.

© 2001 Perspectiva

2. Se os jogadores não deixarem que o FOCO trabalhe por eles, irão recair em improvisações irrelevantes, irão cutucar uns aos outros, em vez de fazer contato verdadeiro e como resultado teremos a invenção de atividade inútil. Utilize as instruções das Partes II, III e IV quando os jogadores menos esperarem, para variar o contato.
3. Sugira que os jogadores façam contato não verbal com um membro de sua família ou amigo, sem deixar que o outro saiba. Discuta as várias respostas que os jogadores receberam.

ÁREAS DE EXPERIÊNCIA
Parte do Todo: Ligação
Tocar – Ser Tocado
Comunicação: Familiaridade e Flexibilidade com Palavras
Comunicação: Falando-Diálogo
Jogo Sensorial
Movimento Físico e Expressão
Teatro: Vinhetas

PÉS E PERNAS #1 — C18

PREPARAÇÃO
Coordenador: Coloque um biombo ou uma cortina na área de jogo, de forma que apenas os pés e pernas dos jogadores sejam visíveis para os jogadores na plateia.
Jogadores na plateia.

FOCO
Mostrar Quem e O Quê e/ou atitude apenas através dos pés.

DESCRIÇÃO
Um por vez, cada jogador deve mostrar, sem falar, seja um Quem, um O Quê ou atitude (impaciência, pesar etc.) usando apenas os pés e pernas.

INSTRUÇÃO
Mostre Quem você é com os dedos do pé! Coloque toda energia em seus pés! Não podemos ver seu rosto! Coloque toda emoção em seus pés!

AVALIAÇÃO
Qual atitude foi comunicada? O que o jogador estava fazendo? Os pés e pernas mostraram ou contaram? A expressão poderia ter sido mais forte? Mais variada?

NOTAS
1. Esse exercício, como outros que isolam partes do corpo, ajudam os jogadores a fisicalizar a instrução utilizada em muitos desses jogos teatrais *Sinta a raiva com os rins! Ouça o som com as pontas dos dedos! Sinta o gosto da comida descendo até os dedos do pé!*
2. A frase *Veja com os dedos do pé!*, por exemplo, ajuda os jogadores a transcender conceitos cerebrais de percepção e reestabelecer a percepção com o organismo como um todo.

ÁREAS DE EXPERIÊNCIA
Comunicação Não Verbal
Teatro: Atuando com o Corpo Todo
Movimento Físico e Expressão

PÉS E PERNAS #2   C19

PREPARAÇÃO
Coordenador: Prepare um biombo ou cortina para esconder a parte de cima do corpo dos jogadores.
Introdutório: *Pés e Pernas #1* (C18).
Jogadores na plateia.

FOCO
Comunicar apenas através dos pés e pernas.

DESCRIÇÃO
Dois jogadores entram em acordo sobre Onde, Quem e O Quê. Não deve haver diálogo. Relacionamentos, emoções, Onde etc. devem ser comunicados apenas através dos pés. Exemplos: jovens amantes em uma banco no parque; vendo um filme; recusando um vendedor na porta.

INSTRUÇÃO
Intensifique! Mostre através dos pés!

AVALIAÇÃO
Quem eram os jogadores? Onde estavam? Que idade tinham? A comunicação foi clara? Havia variedade de movimentos?

NOTAS
1. O número de jogadores pode ser aumentado quando o problema tiver sido solucionado em duplas.
2. Encoraje os jogadores a trabalhar descalços quando possível. Sabendo que seus pés estão expostos, os jogadores irão trabalhar com mais intencionalidade.

ÁREAS DE EXPERIÊNCIA
Comunicação Não Verbal
Teatro: Atuando com o Corpo Todo
Movimento Físico e Expressão

EXERCÍCIOS PARA AS COSTAS #1

C20

PREPARAÇÃO
Coordenador: Veja Nota 1 abaixo.
Jogadores na plateia.

FOCO
Mostrar um sentimento e/ou atitude através das costas.

DESCRIÇÃO
Um jogador individual escolhe uma atividade que exige estar sentado de costas para a plateia, como, por exemplo, tocar piano; fazer lição de casa; escrever uma carta etc. O jogador deve comunicar o sentimento e/ou atitude apenas com as costas (praticando sem vontade; envolvido até os fios do cabelo; nostálgico etc).

INSTRUÇÃO
Mostre o sentimento com as costas! Não com o rosto!

AVALIAÇÃO
O jogador mostrou com as costas? Poderia ter havido mais variedade de movimento? Eles comunicou Quem ele era? A idade?

NOTAS
1. Introdutório: Dois jogadores ficam de pé diante do grupo. Um olha de frente, o outro volta as costas para a plateia. Peça para o grupo listar as partes do corpo que podem ser usadas para comunicar. Peça para os jogadores movimentarem as partes nomeadas. De frente: testa, sobrancelhas, olhos, bochechas, nariz, boca, queixo, língua, dentes, ombros, peito, estômago, mãos e pés, joelhos etc. De costas: cabeça (partes imóveis), ombros, tronco (massa sólida), braços e mãos (movimentos limitados), cintura, calcanhares, costas das pernas (comparavelmente imóveis). Compare o número de partes móveis – comunicativas do corpo quando estão de frente e de costas para a plateia.
2. Para mais informações, consulte o Manual.

ÁREAS DE EXPERIÊNCIA
Comunicação Não Verbal
Teatro: Atuando com o Corpo Todo
Movimento Físico e Expressão

EXERCÍCIOS PARA AS COSTAS #2 C21

PREPARAÇÃO
Introdutório: *Exercício para as Costas #1* (C20).
Jogadores na plateia.

FOCO
Mostrar sentimento e/ou atitude através das costas.

DESCRIÇÃO
Times com qualquer número de jogadores entram em acordo sobre Onde, Quem e O Quê. A cena deve ser feita de costas para a plateia, sem diálogo. Exemplos: observando um jogo ou luta; uma sala de espera.

INSTRUÇÃO
Mostre com as costas! Use as costas como um todo! Perceba com as costas!

AVALIAÇÃO
Onde, Quem e O Quê foram comunicados? Os jogadores trabalharam com o FOCO? Poderia ter havido mais variedade de expressão?

NOTAS
1. Não espere muito de início. Apenas os jogadores naturalmente mais habilidosos serão capazes de uma expressão completa. Com o tempo, todos os jogadores aprenderão a comunicar com as costas.
2. Os jogadores podem ser conscientizados de que a regra *Não mostre as costas para a plateia!* é empregada no teatro apenas como alerta contra a perda de comunicação (compartilhar).
3. Esse exercício é útil para o teatro formal, particularmente no ensaio de cenas de multidão.

ÁREAS DE EXPERIÊNCIA
Comunicação Não Verbal
Teatro: Atuando com o Corpo Todo
Movimento Físico e Expressão

MÃOS C22

PREPARAÇÃO
Coordenador: Veja Nota 1 abaixo.
Jogadores na plateia.

FOCO
Mostrar Onde, Quem e O Quê apenas através das mãos.

DESCRIÇÃO
Times de dois ou mais jogadores entram em acordo sobre Onde, Quem e O Quê, os quais devem ser comunicados para a plateia apenas através das mãos.

INSTRUÇÃO
Ria com os dedos! Esfregue as mãos, não os ombros! Ponha toda energia na ponta dos dedos! Deixe que o FOCO nas mãos o movimente! Deixe que sua face fique em não movimento!

AVALIAÇÃO
Qual era o Onde, Quem, O Quê dos jogadores? Eles mostraram com as mãos? Jogadores, vocês planejaram a história ou ela cresceu a partir do envolvimento com o Onde, Quem e O Quê? As mãos comunicaram sentimentos, idade, relacionamentos etc.?

NOTAS
1. Os jogadores podem ficar escondidos da vista da plateia, de forma que apenas as mãos e os braços sejam visíveis. Um palco de bonecos ou mesa com cortina são suficientes. Um projetor de luz contra uma parede ou telão também podem ser usados, onde apareçam as contornos das mãos dos jogadores.
2. Adereços reais podem ser usados, mas não são essenciais.
3. A tendência a planejar uma história é forte nesse jogo. Os jogadores precisam ser lembrados que devem deixar que o FOCO trabalhe por eles.

ÁREAS DE EXPERIÊNCIA
Comunicação Não Verbal
Teatro: Atuando com o Corpo Todo
Movimento Físico e Expressão

PARTES DO CORPO – CENA COMPLETA   C23

PREPARAÇÃO
Introdutórios: *Exercício para as Costas #1 e #2* (C20 e C21), *Mãos* (C22) e *Pés e Pernas #1 e #2* (C18 e C19).
Jogadores na plateia.

FOCO
Partes do corpo (dadas pela instrução) dentro do Onde, Quem e O Quê.

DESCRIÇÃO
Times de três ou quatro jogadores entram em acordo sobre Onde, Quem e O Quê. Cada um por vez, antes de entrar em cena, cada time recebe uma parte do corpo que deve ser FOCALIZADA. Os jogadores devem permitir que o FOCO naquela parte do corpo os movimente através do Onde, Quem e O Quê, sendo que estão totalmente visíveis para os jogadores na plateia.

INSTRUÇÃO
Mantenha o FOCO nas mãos/pés/costas (parte do corpo dada)! *Mostre com a parte do corpo* (a parte dada como FOCO)!

AVALIAÇÃO
Os jogadores deixaram que o FOCO os movimentasse ou eles apenas acrescentaram a parte do corpo ao Onde, Quem e O Quê? Jogadores, vocês concordam? O FOCO nas partes do corpo trouxe mais espontaneidade para o trabalho dos jogadores? Jogadores, manter o FOCO deu mais liberdade de resposta?

NOTAS
1. Observe que muitos maneirismos irão desaparecer depois de fazer essa série de exercícios. Por exemplo, jogadores que antes faziam caretas, em muitos casos, irão abandonar essa muleta como resultado desses exercícios.

ÁREAS DE EXPERIÊNCIA
Comunicação Não Verbal
Teatro: Atuando com o Corpo Todo
Movimento Físico e Expressão

IRRITAÇÃO FÍSICA #1   C24

PREPARAÇÃO
Jogadores na plateia.

FOCO
Integrar todas as tentativas para aliviar irritação através de uma atividade de cena.

DESCRIÇÃO
Times de quatro ou mais jogadores. Os jogadores estão sentados em uma plataforma esperando para fazer um discurso. Cada um por vez, os jogadores devem se ocupar com uma irritação física que os atormenta e que não pode ser facilmente solucionada, sob o escrutínio da plateia: um colar enroscado; queimadura do sol; coceira entre as costelas. Falando, o jogador mascara todas as tentativas para aliviar a irritação, integrando o alívio através da atividade de cena.

INSTRUÇÃO
Integre sua irritação!

AVALIAÇÃO
Os jogadores integraram sua irritação física através da atividade?

NOTAS
1. Na medida em que o jogador focaliza sua energia na irritação física, seu mecanismo de censura é adormecido e sua fala torna-se livre. Quando o exercício tem bom resultado, a fala se torna fluente e coesa, surpreendendo muitas vezes o falante e a plateia na medida em que se transforma a partir da informação desconectada em comunicação real.

ÁREAS DE EXPERIÊNCIA
Teatro: Quem (Personagem e/ou Relacionamento)
Comunicação: Familiaridade e Flexibilidade com Palavras
Movimento Físico e Expressão

IRRITAÇÃO FÍSICA #2 — C25

PREPARAÇÃO
Introdutório: *Irritação Física #1* (C24).
Jogadores na plateia.

FOCO
Integrar a dissimulação de uma irritação física ou embaraço dentro de um Onde, Quem e O Quê.

DESCRIÇÃO
Times de dois jogadores. Os jogadores entram em acordo sobre Onde, Quem e O Quê de forma que uma pessoa fique sob forte escrutínio da outra e seja obrigada a ocultar uma irritação física ou embaraço. Todas as tentativas para remediar ou ocultar devem ser integradas no Onde, Quem e O Quê. Por exemplo: A está sendo entrevistada para um emprego por B e tem um hálito cheirando a alho. Ou A é uma estudante que tem um compromisso, mas está com o vestido rasgado ou um furo na meia.

INSTRUÇÃO
Integre seu embaraço! Integre sua dissimulação! Mostre! Não conte! Compartilhe com a plateia!

AVALIAÇÃO
Os jogadores permitiram que a irritação física fizesse parte do todo ou eles a isolaram? Os jogadores mostraram que estavam ocultando seu embaraço ou contaram? Jogadores, vocês concordam?

NOTAS
1. Embora esse exercício possa produzir eventos (cenas) muito engraçadas, sublinhe que ele não deve ser transformado em *piada*.
2. Caso os jogadores se tornarem muito óbvios ao *esconder* sua irritação física ou embaraço, peça para FOCALIZAREM apenas a irritação física até que ela movimente o jogador em lugar de ser manipulada pelo jogador.

ÁREAS DE EXPERIÊNCIA
Teatro: Quem (Personagem e/ou Relacionamento)
Comunicação: Familiaridade e Flexibilidade com Palavras
Movimento Físico e Expressão

HÁBITOS OU TIQUES NERVOSOS C26

PREPARAÇÃO
Jogadores na plateia.

FOCO
Hábito ou tique nervoso.

DESCRIÇÃO
Dois ou mais jogadores entram em acordo sobre Onde, Quem e O Quê. Cada jogador deve adotar um hábito ou tique nervoso, como piscar; contorcer-se ou crispar-se e mantê-lo através do Onde, Quem e O Quê.

INSTRUÇÃO
Deixe que o FOCO o movimente!

AVALIAÇÃO
Você acha que um hábito nervoso é causado por algo ou pertence à pessoa desde o nascimento? Quantos de vocês já gaguejaram? O que tornava difícil a pronúncia das palavras? (Na maioria das vezes a resposta será *Eu estava com medo!*).

NOTAS
1. Sublinhe logo de início que o jogador não deve fazer piadas a partir desses distúrbios.
2. Qualquer que seja a causa do distúrbio, o jogador deve tornar-se consciente do problema pessoal e físico através do jogo e deveria mostrar mais compreensão no futuro.

ÁREAS DE EXPERIÊNCIA
Teatro: Quem (Personagem e/ou Relacionamento)
Movimento Físico e Expressão

SUSTENTE! #1   C27

PREPARAÇÃO
Jogadores na plateia.

FOCO
Manter uma expressão facial e corporal dentro de uma sequência de Onde, Quem e O Quê.

DESCRIÇÃO
Quatro jogadores (é aconselhável fazer a divisão entre homens e mulheres). Peça para os jogadores sentarem em cena. Peça para cada um deles fazer uma breve declaração de atitude, como *Ninguém me ama!*, *Eu nunca me divirto!*, *Nunca encontrei uma pessoa de quem não gostasse!*. *Gostaria tanto de ter coisas bonitas!*. Os jogadores devem trabalhar para atingir a expressão facial e corporal completa de sua frase. Quando isto for atingido e aparecer a expressão corporal da frase, dê a instrução *Sustente!* Os jogadores recebem então instruções para uma sequência de Onde, Quem e O Quê (veja Nota 1, por exemplo). Os jogadores devem manter a expressão física da atitude através de todas as mudanças.

INSTRUÇÃO
Deixe que a atitude transforme o seu queixo, olho, ombro, boca, mãos e pés!

AVALIAÇÃO
As expressões básicas (atitudes) foram mantidas ainda que tenha havido alterações em cada evento (cena)? Como essas atitudes afetaram os relacionamentos? A maneira de falar?

NOTAS
1. Exemplo: Dê instruções para o mesmo time para que passem pela escola maternal, escola primária, festa de formatura, um encontro de namorados, festa no escritório, encontro para jogar cartas, lar de velhos – os eventos que identificam as várias fases da vida.

ÁREAS DE EXPERIÊNCIA
Teatro: Quem (Personagem e/ou Relacionamento)
Movimento Físico e Expressão

SUSTENTE! #2 — C28

PREPARAÇÃO
Introdutório: *Sustente! #1* (C27)
Jogadores na plateia.

FOCO
Manter a expressão física ou qualidade corporal através de uma sequência de Onde, Quem e O Quê.

DESCRIÇÃO
Times de dois ou mais jogadores. Cada jogador assume uma postura corporal como ombros corcundos, queixo beligerante, boca petulante, testa caída, olhos fixos, andar de pata choca, andar firme e agressivo, estômago flácido etc. Então, os jogadores estabelecem Onde, Quem e O Quê e realizam a cena mantendo a postura física ou qualidade corporal escolhida.

INSTRUÇÃO
Sustente! Sustente! Compartilhe com a plateia! Sustente!

AVALIAÇÃO
As características físicas influenciaram as atividades dos jogadores dentro do Onde, Quem e O Quê? Jogadores, vocês concordam?

NOTAS
1. O jogo *Sustente!* sugere aos jogadores que as emoções subjetivas e sua expressão física estão intimamente ligadas.

ÁREAS DE EXPERIÊNCIA
Teatro: Quem (Personagem e/ou Relacionamento)
Movimento Físico e Expressão

© 2001 Perspectiva

MÚSCULO TENSO   C29

PREPARAÇÃO
Jogadores na plateia.

FOCO
Tensionar parte do corpo.

DESCRIÇÃO
Dois ou mais jogadores estabelecem Onde, Quem e O Quê. Antes de chamar pela *Cortina!* cada jogador deve tensionar alguma parte do corpo que deve ser mantida tensa no decorrer do jogo. Esta tensão não deve ser mostrada deliberadamente para a plateia e pode ou não ser óbvia. Se um jogador tem uma perna rígida, por exemplo, ele atua e se relaciona com os parceiros como se essa tensão não existisse.

INSTRUÇÃO
Mantenha o FOCO constante! Sua tensão é pessoal! Não se relacione com a área tensa!

AVALIAÇÃO
O FOCO no músculo tenso trouxe mais espontaneidade para o jogo? Jogadores, seu FOCO no músculo tenso trouxe mais liberdade de respostas?

NOTAS
1. Esse exercício mantém os jogadores intensamente preocupados, fazendo com que a sua ocupação com Onde, Quem e O Quê se torne espontânea.
2. Resistência ao FOCO será muito evidente. Ao escolher como músculo tenso um músculo já tenso (por exemplo: uma pessoa que tem o pescoço duro trabalha com pescoço duro) é uma prova de resistência. Traga isso para a discussão através da avaliação somente quando todos os times tiverem jogado.

ÁREAS DE EXPERIÊNCIA
Teatro: Quem (Personagem e/ou Relacionamento)
Movimento Físico e Expressão

CONSTRUINDO UMA HISTÓRIA COM SUBTONS DE EMOÇÃO
C30

PREPARAÇÃO
Coordenador: Prepara fichas com diferentes emoções ou atitudes.
Introdutório: *Construindo uma História* (A76).
Jogadores na plateia.

FOCO
Atenção cinestésica (física) às palavras na história, enquanto mantém uma emoção ou atitude pessoal em não movimento.

DESCRIÇÃO
Times de quatro a quinze jogadores. O jogo acontece como em *Construindo uma História* (A76) sendo que os jogadores recebem fichas sobre as quais estão escritas diferentes atitudes ou emoções (medo, engodo, alegria, arrogância, petulância, suspeita etc.) A instrução deve apontar para os jogadores randomicamente, dando continuidade à história, sem repetir a última palavra que foi dita. Segurando as fichas de forma que os jogadores na plateia possam ver o que está escrito, cada jogador dá colorido ou coloca o acento em sua parte da história com a emoção ou atitude que está em sua ficha.

INSTRUÇÃO
(Interrompa a história caso haja necessidade de dar instruções)
Permaneça com as palavras! Mantenha a emoção em não movimento dentro de você! Sustente a atitude dentro de você enquanto acrescenta a sua parte na história! Evite usar as palavras da emoção como descrição!

AVALIAÇÃO
Jogadores, você foram capazes de segurar atitudes ou emoções interiormente sem colocá-las nos personagens ou história como adjetivos e descrições? Jogadores na plateia, as emoções ou atitudes estavam na história ou eram uma estrutura subjacente aos contadores de história?

NOTAS
1. Em alguns casos, pode ser interessante dar a um jogador tímido uma ficha onde se lê "bravo". Uma pessoa tímida pode alcançar novo *insight* com uma ficha onde se lê "tímido".
2. Para mais informações, veja o Manual.

© 2001 Perspectiva

ÁREAS DE EXPERIÊNCIA
Jogo de Ouvir-Escutar
Comunicação: Familiaridade e Flexibilidade com Palavras
Comunicação: Falando-Narrando
Comunicação: Escrever
Jogo Sensorial

MODIFICANDO A EMOÇÃO   C31

PREPARAÇÃO
Introdutório: *Fisicalizando um Objeto* (A41).
Jogadores na plateia.

FOCO
Mostrar a emoção ou estados de ânimo por meio da utilização de objetos no espaço.

DESCRIÇÃO
Um jogador realiza uma atividade com FOCO em mostrar um sentimento definido, utilizando e manipulando objetos. Essa atividade deve, então, ser invertida. O jogador desfaz aquilo que fez mostrando o sentimento transformado por meio da mesma utilização e manipulação. Por exemplo: uma garota se veste para sair para um baile. Ela mostra alegria ou apreensão através da maneira como tira o vestido do armário. Depois de saber que o baile foi cancelado, ela mostra desapontamento ou alívio, guardando o vestido de volta no armário.

INSTRUÇÃO
Fisicalize este pensamento! Explore e intensifique este objeto!

AVALIAÇÃO
A atividade foi idêntica antes e depois do momento de mudança? O sentimento foi comunicado por meio de transformações corporais? O que a alegria (o prazer) provoca em nós fisicamente? O que o desapontamento cria cinestesicamente?

NOTAS
1. No momento de mudança, o coordenador pode tocar o telefone e enviar outro jogador para fornecer a informação necessária.
2. Se a emoção em transformação é mostrada apenas por meio de maneirismos faciais, os jogadores estão *interpretando* e não compreenderam o significado da fisicalização.

ÁREAS DE EXPERIÊNCIA
Teatro: Fisicalização da Emoção
Teatro: Quem (Personagem e/ou Relacionamento)
Objeto No Espaço: Tornando Visível o Invisível
Comunicação Não Verbal

© 2001 Perspectiva

ONDE COM ADEREÇOS DE CENA — C32

PREPARAÇÃO
Aquecimento: *Exercício do Onde* (B8).
Jogadores na plateia.

FOCO
Deixar que os objetos (adereços) criem o evento (cena).

DESCRIÇÃO
Divida o grupo em dois times de dois ou mais jogadores. Dê a todos os times a mesma lista de objetos e mobílias. Cada time entra em acordo sobre Onde, Quem e O Quê e faz uma planta baixa incorporando os adereços de cena.

INSTRUÇÃO
Fique em contato com os objetos! Deixe que eles deem vida ao evento ou cena!

AVALIAÇÃO
Os jogadores fizeram um roteiro em torno dos objetos ou deixaram que os objetos dessem vida ao evento ou cena? Havia diferença entre os eventos ou cenas?

NOTAS
1. Não avalie antes de todos os times terem jogado.
2. Caso os jogadores imponham um evento ou cena, então o FOCO ainda não foi totalmente compreendido.
3. A lista de adereços deve incluir portas que conduzem a outros aposentos (até mesmo uma escada de emergência contra incêndio), mobília suficiente para um ambiente e adereços variados.
4. Para grupos mais jovens, use adereços e cenário reais nesse jogo.

ÁREAS DE EXPERIÊNCIA
Teatro: Onde (Cenário e/ou Ambiente)
Objeto no Espaço: Tornando Visível o Invisível
Comunicação Não Verbal
Teatro: Vinhetas

ECO   C33

PREPARAÇÃO
Coordenador: Veja o diagrama na Nota 1 abaixo.
Jogadores na plateia.

FOCO
Tomar e diminuir um som, sem deixar que seja interrompido.

DESCRIÇÃO
Dois grandes times. Os jogadores de um time ficam de pé um atrás do outro, formando uma coluna. As duas colunas estão de frente uma para a outra como se estivessem jogando *Cabo de Guerra* (veja o diagrama abaixo). O primeiro jogador na coluna 1 fala uma palavra ou frase. Iniciando com o primeiro jogador na coluna 2, a palavra ou frase é repetida por cada jogador sucessivo na coluna 2, sem intervalo. Cada jogador deve tomar a palavra ou frase e diminuir a intensidade do som, de forma que ele finalmente desapareça no fim da linha. Então o primeiro jogador na coluna 2 fala uma palavra ou frase para que a coluna 1 faça o eco e o jogo continua indo e voltando entre as colunas como acima.

INSTRUÇÃO
Deixem que o som flua através de cada um de vocês! Deixe que o som desapareça lentamente à medida que passa através de vocês! Cada linha é um corpo – um som – o eco!

AVALIAÇÃO
Plateia, cada jogador sucessivo tomou a palavra sem fazer pausa? O som fluiu como um eco?

NOTAS
1. Diagrama das colunas e posições para o jogo:

Coluna 1	Coluna 2
987654321	123456789

ÁREAS DE EXPERIÊNCIA
Jogo de Ouvir-Escutar
Exploração do Som
Parte do Todo: Interdependência
Comunicação: Agilidade Verbal
Jogo Sensorial

© 2001 Perspectiva

EFEITOS SONOROS VOCAIS — C34

PREPARAÇÃO
Coordenador: Veja Notas 1 e 2 abaixo onde são relacionados equipamentos e adereços necessários para o jogo. Use um Aquecimento em grupo: cada jogador faz um som vocal em um microfone ao vivo. Encoraje variedade para atingir um leque amplo de efeitos sonoros.
Jogadores na plateia.

FOCO
Tornar-se o ambiente (Onde) apenas através dos sons.

DESCRIÇÃO
Times de quatro a seis jogadores estabelecem o Onde e reúnem-se em torno de um microfone. Utilizando o som como uma parte do todo, os jogadores tornam-se o ambiente escolhido. Exemplos de Onde: uma estação de trem, selva, porto etc.) Pelo fato de não haver ações em cena, os jogadores podem estar fora da visão da plateia ou a plateia poderá fechar os olhos. (Caso esteja sendo utilizado um gravador, os jogadores podem permanecer à vista da plateia).

INSTRUÇÃO
(Normalmente não é necessário)
O som é seu parceiro de jogo! Dê ao som o seu lugar no espaço! Cada som é parte do todo!

AVALIAÇÃO
Onde estavam os jogadores? O Onde estava no espaço ou na cabeça dos jogadores? Jogadores, vocês concordam? (Pergunte individualmente) Você era uma parte do todo?

NOTAS
1. O microfone deve ser erguido para o falante e protegido com um pano contra o ruído.
2. Uma gravação do trabalho de cada grupo que possa ser tocada durante a avaliação ajuda a todos. Quando os jogadores reconhecem sua contribuição como parte do todo, tem-se como resultado uma grande dose de entusiasmo.
3. Deixe que utilizem papel celofane para o crepitar do fogo, um canudinho num copo d'água para reproduzir o som de água corrente etc. Estimule a variedade.

ÁREAS DE EXPERIÊNCIA
Parte do Todo: Interação
Teatro: Efeitos de Som
Teatro: Onde (Ambiente e/ou Cenário)
Jogo de Ouvir-Escutar
Comunicação: Agilidade Verbal
Jogo Sensorial
Teatro: Vinhetas

EFEITOS SONOROS VOCAIS COM ONDE, QUEM, O QUÊ   C35

PREPARAÇÃO
Aquecimento: *Siga o Seguidor #2* (A49).
Introdutório: *Efeitos Sonoros Vocais* (C34).
Jogadores na plateia.

FOCO
Seguir o seguidor com efeitos sonoros.

DESCRIÇÃO
Times de seis ou mais jogadores entram em acordo sobre Onde, Quem e O Quê. Metade do time joga em cena; a outra metade se reúne em torno de um microfone ao vivo em uma posição de plateia e vocalmente produz todos os sons vocais necessários para o jogo. Os jogadores em cena mantêm seu próprio diálogo. Os jogadores devem fazer com que os efeitos sonoros e a atividade em cena esteja conectada, seguindo o seguidor.

INSTRUÇÃO
Siga o seguidor! Não inicie! Siga o iniciador! Jogadores em cena, não antecipem os sons! Jogadores no microfone, evitem antecipar o movimento! Não iniciem! Sigam o seguidor com o som!

AVALIAÇÃO
Jogadores na plateia, os efeitos sonoros e a atividade em cena formaram parte do todo? Jogadores, vocês concordam?

NOTAS
1. Tome o tempo para atingir experiência em grupo, tanto na posição dos jogadores em cena como no microfone.
2. Alguns recursos simples como um celofane para o crepitar do fogo ou um copo de água com um canudo podem ser acrescentados a esse jogo. Mas você verá que os jogadores são muito versáteis ao usar o equipamento da voz humana para produzir uma grande variedade de efeitos sonoros.

ÁREAS DE EXPERIÊNCIA
Teatro: Efeitos de Som
Espelho/Siga o Seguidor
Comunicação Não Verbal
Comunicação: Agilidade Verbal
Teatro: Vinhetas
Tempo Presente/Aqui, Agora!

© 2001 Perspectiva

FALA ESPELHADA #2   C36

PREPARAÇÃO
Coordenador: Leia o Comentário sobre *Siga o Seguidor* (Manual, p. 44).
Introdutórios: *Espelho* (A15), *Siga o Seguidor #1* (A17) e *Fala Espelhada #1* (A52).
Jogadores na plateia.

FOCO
Espelhar/refletir as palavras do iniciador em voz alta.

DESCRIÇÃO
Times de dois jogadores. Os jogadores permanecem um de frente para o outro e escolhem um tema para conversar. Um dos jogadores é o iniciador e inicia a conversa. O outro jogador reflete e espelha em voz alta as palavras do iniciador. Ambos os jogadores estarão falando as mesmas palavras em voz alta exatamente no mesmo momento. Quando é dada a instrução *Troca!* os jogadores mudam de posição. Aquele que refletia se torna o iniciador do discurso e o que iniciava passa a ser o refletor. As trocas devem ser feitas sem interrupção da fluência das palavras. Depois de algum tempo, não será mais necessário que o coordenador dê a instrução para as trocas. Os jogadores irão *seguir o seguidor* no discurso, pensando e dizendo as mesmas palavras simultaneamente, sem esforço consciente.

INSTRUÇÃO
Refletor, permaneça com a mesma palavra! Reflita aquilo que está ouvindo! Reflita a pergunta! Não responda! Compartilhe sua voz! Troca de refletor! Mantenham a fluência entre os dois! Permaneçam com a mesma palavra! Saiba quando você inicia o discurso! Saiba quando você está refletindo! Troca! Troca! (Quando os jogadores estiverem falando a uma só voz, sem intervalo de tempo.) *Agora fique na sua! Não inicie! Siga o Seguidor! Siga o Seguidor!*

AVALIAÇÃO
Jogadores na plateia, os jogadores ficaram com a mesma palavra ao mesmo tempo? Jogadores, vocês sabiam quando estavam iniciando a fala e quando estavam refletindo? Vocês sabiam quando estavam seguindo o seguidor? Para todos os jogadores, qual é a diferença entre repetir uma fala e refletir uma fala?

© 2001 Perspectiva

NOTAS
1. Os jogadores devem ser instruídos a evitar fazer perguntas. Se uma pergunta for colocada, o refletor deve *refletir* a pergunta e não *responder* a pergunta.
2. A diferença entre repetir as palavras do outro e refletir as palavras do outro deve ficar clara organicamente para que o *siga o seguidor* possa acontecer. Os jogadores estabelecem ligação entre si a partir da mesma palavra e tornam-se uma única mente, abertos um para o outro. Na medida em que a conversação flue entre os jogadores, aparentemente sem esforço, aparece o diálogo verdadeiro!
3. Da mesma forma como em *Fala Espelhada #1*, temas curriculares podem ser apresentados e explorados através desse jogo, restringindo o assunto da conversação entre os jogadores em função da área desejada.
4. Caso o tempo seja limitado, peça para que o grupo seja dividido em times de três jogadores, um dos quais é o instrutor. Todos os times jogam o jogo ao mesmo tempo em diferentes áreas da sala.
5. Para mais informações, veja o Manual.

ÁREAS DE EXPERIÊNCIA
Jogo de Ouvir-Escutar
Jogo de Olhar-Ver
Comunicação: Falando-Diálogo
Comunicação: Familiaridade e Flexibilidade com Palavras
Espelho/Siga o Seguidor
Comunicação Não Verbal
Jogo Sensorial
Jogo para Leitura
Tempo Presente/Aqui, Agora!

BLABLAÇÃO: ONDE   C37

PREPARAÇÃO
Introdutórios: *Blablação: Ensinar* (B10) e *Jogo do Onde* (B9)
Jogadores na plateia.

FOCO
Comunicar com os outros jogadores.

DESCRIÇÃO
Times de dois a quatro jogadores entram em acordo sobre Onde, Quem, O Quê. Cada time deve preparar uma planta baixa da mesma forma como no *Jogo do Onde* (B9). O jogo transcorre como *Blablação: Ensinar* (B10). Depois da atuação de cada time, os jogadores repetem a cena em Português.

INSTRUÇÃO
(Durante a Blablação): *Comunique-se com os outros jogadores! Não espere que eles interpretem o que está dizendo! O que está dizendo a eles?*

AVALIAÇÃO
O significado do diálogo em Português era próximo ou o mesmo que a Blablação? O que era necessário ou desnecessário dizer?

NOTAS
1. A repetição da cena em Português é realizada simplesmente para determinar a exatidão da comunicação que foi feita em Blablação. Durante a versão em Português, interrompa a ação frequentemente para perguntar aos jogadores e para a plateia. *Ele ou ela comunicaram isso em Blablação?*
   Uma vez que a questão da verbalização necessária ou desnecessária tenha sido esclarecida, a versão em Português não precisa ser necessariamente completada.

ÁREAS DE EXPERIÊNCIA
Comunicação: Sem Palavras
Teatro: Onde (Cenário e/ou Ambiente)
Série de Blablação
Comunicação Não Verbal

SIGA O SEGUIDOR #1   C38

PREPARAÇÃO
Coordenador: Leia Comentário sobre *o Espelho* (Manual, p. 43).
Aquecimento: *Espelho* (A15) e *Quem é o Espelho?* (A16)
Jogadores na plateia.

FOCO
Seguir o seguidor.

DESCRIÇÃO
Times de dois. Um jogador é o espelho, o outro o gerador dos movimentos. O diretor inicia o jogo de espelho normal e então diz *Mudança!* para que os jogadores invertam as posições. Essa ordem é dada a intervalos. Quando os jogadores estiverem iniciando e refletindo com movimentos corporais amplos, o diretor dá a instrução *Os dois espelham! Os dois iniciam!*. Os jogadores então espelham um ao outro sem iniciar. Isso é capcioso – os jogadores não devem iniciar, mas devem seguir o iniciador. Ambos são ao mesmo tempo o iniciador e o espelho (ou seguidor). Os jogadores espelham a si mesmos, sendo espelhados.

INSTRUÇÃO
Espelhe! Saiba quando inicia! Mudança! Espelhe só o que você vê, não o que pensa que vê! Mudança! (O instrutor pode entrar na área de jogo para checar as *iniciativas dos jogadores.*) *Saiba quando inicia! Faça movimentos corporais amplos! Amplie! Siga o seguidor! Espelhe apenas o que vê! Não o que pensa estar vendo! Espelhe! Mantenham o espelho entre vocês! Não inicie! Siga o iniciador! Siga o seguidor!*

AVALIAÇÃO
(Durante o jogo, a um jogador que se move):
Você iniciou este movimento? Ou você espelhou o que viu? Plateia, vocês concordam com o jogador?

NOTAS
1. Peça para os jogadores espelharem e iniciarem apenas quando estiverem fazendo movimentos corporais amplos.
2. Esse exercício pode confundir de início, mas permaneça jogando. Quando o jogador espelha o outro, haverá naturalmente variações corporais, devido a diferentes estruturas corporais. Assim os jogadores espelham a si mesmos sendo espelhados.

ÁREAS DE EXPERIÊNCIA
Jogo de Olhar-Ver
Parte do Todo: Ligação
Espelho/Siga o Seguidor
Comunicação Não Verbal
Jogo Sensorial
Tempo Presente/Aqui, Agora!

DUBLAGEM   C39

PREPARAÇÃO
Introdutórios: *Fala Espelhada #2* (C36), *Blablação: Onde* (C37) e *Siga o Seguidor #1* (C38).
Jogadores na plateia.

FOCO
Seguir o seguidor como se a voz de um jogador e o corpo de outro se tornassem um único jogador.

DESCRIÇÃO
Dois ou três jogadores (Subtime A) escolhem jogadores do mesmo sexo para serem suas vozes (Subtime B). Este grupo inteiro (Subtime A e Subtime B) estabelece Onde, Quem e O Quê. Os jogadores que fazem a voz se reúnem em torno de um microfone com uma visão clara da área de jogo onde os jogadores que fazem o corpo realizam Onde, Quem e O Quê. Os jogadores que fazem a voz refletem a atividade de cena por meio do diálogo. Os jogadores que fazem o corpo movem os lábios como se estivessem falando, mas devem usar Blablação silenciosa, sem balbuciar as palavras exatas. Os dois subtimes seguem o seguidor com a voz e a ação. Peça para os jogadores trocarem de posição – quem faz a voz passa a fazer o corpo, e quem faz o corpo passa a fazer a voz. Continue com o mesmo Onde, Quem e O Quê, ou escolha um novo.

INSTRUÇÃO
Sigam um ao outro! Evite antecipar o que vai ser falado! Reflita apenas aquilo que você ouve! Movimente a sua boca com Blablação silenciosa! Não inicie! Siga o seguidor! Tornem-se uma só voz! Um só corpo!

AVALIAÇÃO
A voz e o corpo eram uma coisa só? Plateia, vocês concordam?

NOTAS
1. No início, os vários jogadores só se tornarão um único corpo e voz apenas por alguns momentos. Porém, quando a ligação for estabelecida, ocorrerá uma explosão de força entre os jogadores. Isto unirá todos os jogadores numa relação verdadeira. Dê dez minutos de tempo de jogo antes de trocar os times.
2. Se não ocorrer a ligação entre os jogadores e a voz seguir apenas os movimentos do corpo ou vice-versa, jogue várias vezes o jogo *Espelho* e os

jogos com *Espaço* até que os jogadores experimentem o que acontece quando não iniciam, mas seguem o iniciador que por sua vez também está seguindo.
3. A instrução nasce daquilo que está emergindo. O instrutor não ordena, mas atua como um parceiro de jogo, explorando e intensificando o que vê emergir.
4. Quando a voz se torna única com as ações dos jogadores em cena, eles se sentem como se estivessem realmente pronunciando as palavras. Os jogadores em cena não devem ser usados como bonecos pelos dubladores. Deve ser dado tempo para que a atividade de cena possa emergir.
5. Quando a dublagem funciona, dois jogadores experimentam uma união verdadeira e é como se fossem uma única pessoa.

ÁREAS DE EXPERIÊNCIA
Parte do Todo: Ligação
Jogo de Ouvir-Escutar
Espelho/Siga o Seguidor
Comunicação Não Verbal
Comunicação: Agilidade Verbal
Jogo Sensorial
Teatro: Vinhetas
Tempo Presente/Aqui, Agora!

VERBALIZAÇÃO DO ONDE – PARTE I   C40

PREPARAÇÃO
Introdutório: *Relatando um Incidente Acrescentando Colorido* (A58). Jogadores na plateia.

FOCO
Permanecer no Onde, verbalizando cada envolvimento, cada observação, cada relação dentro dele.

DESCRIÇÃO
Times de dois jogadores estabelecem Onde, Quem e O Quê e sentam-se na área de jogo. Sem abandonar seus lugares, os jogadores realizam a cena verbalmente, descrevendo suas ações dentro do Onde e a sua relação com os outros jogadores. Os jogadores narram para si mesmos, não para os outros jogadores. Quando o diálogo for necessário, ele deve ser dito diretamente para o outro jogador, interrompendo a narração. Toda verbalização é no tempo presente.
Por exemplo:
Jogador 1: *Amarro meu avental vermelho e branco em minha cintura e pego o livro de receitas com capa de tecido que está sobre a mesa. Sento-me à mesa e abro o livro, procurando uma receita...*
Jogador 2: *Abro a porta de tela e corro para a cozinha. Puxa, deixei a porta bater novamente! Oi, mamãe, o que tem para jantar?* (e assim por diante).

INSTRUÇÃO
Mantenha o presente! Verbalize os objetos que mostram o Onde! Descreva os outros jogadores para nós! Não emita opiniões! Veja a si mesmo em ação! Não dê informações! Mantenha os objetos no espaço! Use o diálogo quando ele aparecer! Verbalize como suas mãos sentem a cadeira! Não emita opiniões! Isso é uma opinião! Isto é um preconceito! Uma suposição!

AVALIAÇÃO
Os jogadores permaneceram no Onde ou o Onde permaneceu na cabeça deles (dando informações sobre o personagem, julgamentos, opiniões, preconceitos)? Jogadores, vocês concordam? Havia mais coisas que poderiam ser verbalizadas? Partes do Onde? Partes da ação?

NOTAS
1. Esse exercício pode ajudar a quebrar resistências e preconceitos dos jogadores.

2. Se os jogadores continuarem a transformar esse exercício em um jogo de ruminação e resposta emocional à ação e objetos, volte para um jogo com objeto no espaço (A9, A10, A37) e *Relatar um Incidente Acrescentando Colorido* (A58).
3. Não passe para a próxima ficha (Parte II) até que os jogadores tenham compreendido o FOCO da Parte I e este tenha trabalhado por eles.
4. A observação é geralmente impregnada de atitudes pessoais (passado) – ver alguma coisa por meio dos faça/não faça, dos preconceitos, suposições etc. o oposto de ver simplesmente o que aí está. Apenas *ver, aqui e agora!* permite ao jogador, seja escrevendo ou falando, abrir portas dentro de si mesmo, que até então estavam cerradas. Permita que o invisível se torne visível. Deixe acontecer!
5. Para mais informações, consulte o Manual.

ÁREAS DE EXPERIÊNCIA
Teatro: Onde (Cenário e/ou Ambiente)
Comunicação: Familiaridade e Flexibilidade com Palavras
Comunicação: Falando-Narrando

VERBALIZAÇÃO DO ONDE – PARTE II   C41

PREPARAÇÃO
Aquecimento: *Verbalizando o Onde – Parte I* (C40).
Jogadores na plateia.

FOCO
Reter a realidade física da *Verbalização do Onde – Parte I*.

DESCRIÇÃO
O mesmo time, depois de ter jogado *Verbalizando o Onde – Parte I* sentado, agora se levanta e atua no mesmo evento (cena). Os jogadores não verbalizam mais suas ações como na Parte I, falando apenas quando o diálogo é necessário.

INSTRUÇÃO
Mantenha o sentido físico do Onde – cheiros, cores, texturas ... comunique-o! Não conte!

AVALIAÇÃO
Jogadores, a *Verbalização do Onde – Parte I* ajudou a dar realidade à situação em cena na *Parte II*? A atuação no evento ou cena se tornou mais fácil por causa da verbalização? Jogadores na plateia, havia mais profundidade na atuação do evento ou cena? Havia mais vida? Mais envolvimento e relação? Jogadores, vocês concordam?

NOTAS
1. Se o FOCO em permanecer no Onde verbalizando a cena (Parte I) tiver funcionado para os jogadores, o Onde agora deveria aparecer perceptível para todos os observadores (o invisível se torna visível).
2. Não é necessário que cada detalhe coberto pela narração faça parte da cena.
3. Se a parte narrativa desse exercício girar em torno daquilo que os jogadores estão pensando, em lugar dos detalhes da realidade física em torno dos jogadores, a Parte II se tornará uma piada.
4. Observe a completa ausência de dramaturgia nessas cenas, na medida em que surgir a improvisação verdadeira.

ÁREAS DE EXPERIÊNCIA
Teatro: Onde (Cenário e/ou Ambiente)
Objeto no Espaço: Tornando Visível o Invisível
Comunicação Não Verbal

CAMINHADA CEGA NO ESPAÇO   C42

PREPARAÇÃO
Aquecimentos: *Caminhada no Espaço #1, #2 e #3* (A6, A7 e A8).
Grupo todo.

FOCO
Movimentar-se no espaço.

DESCRIÇÃO
Os jogadores são divididos em dois times. Um time por vez caminha atravessando o espaço da sala, sendo que cada jogador deve ocupar seu próprio espaço e respeitar o espaço do parceiro. Os jogadores seguem a instrução. Quando um time tiver passado pela experiência, troque as posições.

INSTRUÇÃO
Você atravessa o espaço e deixa que o espaço atravesse você! Há espaço suficiente para todos! Ocupe o espaço que precisa! Você ocupa seu próprio espaço e permite que outros ocupem o seu! (pausa) *Caminhe ao encontro e em torno de seus parceiros!* (pausa) *Todos caminham para trás! Ao encontro! Afastando-se! Em torno dos parceiros! Deixe que suas mãos façam parte do corpo! Sinta a caminhada com o corpo todo! Ocupe seu próprio espaço e deixe que seus parceiros ocupem o seu!* (pausa) *Caminhe para a frente em cameeeeeraaaa muiiiiiito leeeeentaaaa! Ao encontro! Afastando-se! Ocuuuupeeee seuuu eeespaaaçoooo! Deixeeeee que os ooouuuutrooos oooocuuupeeem o seu!* (pausa) *Acelere! Ao encontro! Afastando-se! Mais rápido! Ocupe seu espaço! Deixe que os outros ocupem o seu! Tão rápido quanto puder!* (pausa) *Velocidade normal! Forme uma teia em torno dos parceiros! Ocupe seu próprio espaço! Respeite o espaço dos parceiros!* (pausa) *Fechem os olhos! Ocupe seu espaço! Permita que os parceiros ocupem seu espaço! Continue em movimento! Não há necessidade de tatear com as mãos! O corpo sabe! Espiar tira a graça! Continue em movimento! Ao encontro, afastando-se, formando uma teia em torno dos parceiros!* (pausa) *Mantenha os olhos fechados e congele! Com os olhos fechados, perceba seu corpo em relação ao corpo dos parceiros! Procure perceber onde está! Quem está próximo de você! Não se movimente! Quando achar que sabe onde está, abra os olhos!*

AVALIAÇÃO
Nenhuma, exceto para dar tempo às risadas e olhar em torno quando os jogadores abrem os olhos.

© 2001 Perspectiva

NOTAS

1. Caso o tempo o permitir, volte para um dos itens da instrução – caminhar para trás, caminhar em câmera lenta ou o que for – e repita *De olhos fechados!* três ou quatro vezes.
2. Se o tempo for limitado, esse exercício pode ser feito sem o time de jogadores na plateia. No entanto, os jogadores na plateia terão proveito ao ver os outros experimentarem essa caminhada no espaço.

ÁREAS DE EXPERIÊNCIA

Exploração do Movimento Corporal
Jogo Tradicional
Caminhada no Espaço
Tocar – Ser Tocado
Jogo de Ouvir-Escutar
Jogo Sensorial
Movimento Físico e Expressão
Tempo Presente/Aqui, Agora!

CEGO AVANÇADO C43

PREPARAÇÃO
Coordenador: Prepare a área de jogo de forma que fique segura, plana, sem objetos pontudos ou perigosos.
Aquecimento: *Caminhada Cega no Espaço* (C42).
Introdutório: *Cego* (B52).
Jogadores na plateia.

FOCO
Movimentar-se de olhos vendados como se pudesse ver.

DESCRIÇÃO
Dois ou mais jogadores por time. O time prepara um Onde simples apenas com cadeiras e entra em acordo sobre Quem e O Quê. Os jogadores estão de olhos vendados e fazem a cena com Onde, Quem, O Quê sem adereços reais. Uma planta baixa com palavras em lugar de símbolos pode ser feita e ficar às vistas da plateia, com a regra adicional de que os jogadores devem estabelecer contato com todos os objetos na planta baixa.

INSTRUÇÃO
Siga esse movimento! Veja os objetos no espaço! Entre em contato com todos os objetos na planta baixa! Explore e intensifique! Compartilhe com a plateia!

AVALIAÇÃO
Os jogadores entraram em contato com todos os objetos no Onde? Os objetos estavam no espaço? Ou na cabeça? Jogadores, vocês concordam?

NOTAS
1. O jogo teatral *Cego Avançado* não deve ser realizado antes que os jogadores tenham tido experiência com os objetos no espaço e percebam a ligação no espaço com os parceiros.

ÁREAS DE EXPERIÊNCIA
Teatro: Resposta Plena
Teatro: Onde (Cenário e/ou Ambiente)
Tocar – Ser Tocado
Jogo de Ouvir-escutar
Objeto no Espaço: Tornando Visível o Invisível
Comunicação Não Verbal
Jogo Sensorial

DEIXANDO UM OBJETO EM CENA   C44

PREPARAÇÃO
Jogadores na plateia.

FOCO
Um objeto deixado em cena.

DESCRIÇÃO
Dois ou mais jogadores avançados entram em acordo sobre Onde, Quem, O Que. Um evento (cena) é realizado, no qual um objeto, som, clima ou pensamento são deixados em cena quando ela termina. Não há jogadores em cena quando a cena termina. Alguns exemplos: 1. Refugiados de guerra fogem de um edifício durante um bombardeio. Depois que os jogadores saíram de cena, ouve-se o choro de uma criança; 2. Uma família, com medo de contrair uma epidemia, nunca sai de casa. Retirando-se para deitar, à noite, permanece em cena uma janela aberta na qual esvoaça uma cortina... 3. Um grupo que está discutindo um livro exalta-se, argumentando e sai, deixando o livro em cena.

INSTRUÇÃO
Nenhuma.

AVALIAÇÃO
Os jogadores deixaram que o FOCO os conduzisse através do Onde, Quem e O Quê? Ou eles estavam fazendo dramaturgia? Jogadores, vocês concordam?

NOTAS
1. É necessário um palco equipado para esse exercício, já que os efeitos de luz, som e mesmo adereços reais intensificam a resposta teatral.
2. Esse exercício é válido para compreender o desenvolvimento de cena.

ÁREAS DE EXPERIÊNCIA
Teatro: Vinhetas

ENVIANDO ALGUÉM À CENA   C45

PREPARAÇÃO
Introdutório: *Jogo do Onde* (B9).
Jogadores na plateia.

FOCO
Ajudar os jogadores a desenvolver e/ou terminar uma cena (evento).

DESCRIÇÃO
Dois jogadores estabelecem Onde, Quem e O Quê e pedem *Cortina!* Os outros jogadores entram durante o jogo se a sua presença ajudar a desenvolver o evento (cena) ou levá-la a um final.

INSTRUÇÃO
Explore essa ação! Intensifique esse sentimento! Aceite o novo jogador! Entre apenas se for necessário! Entre para desenvolver a cena! Explore e intensifique!

AVALIAÇÃO
Os jogadores que entraram no evento ou cena a desenvolveram? Os jogadores entraram quando era necessário? Outros jogadores, vocês concordam? Plateia, vocês concordam?

NOTAS
1. Esse exercício é semelhante ao *Jogo do Onde*, embora mais avançado, já que os jogadores devem entrar apenas quando necessário para desenvolver ou terminar um evento (cena) quando ela está enfraquecida.
2. A experiência com esse exercício é útil quando os jogadores realizam improvisações para uma plateia formal. Em oficinas, o coordenador pode dar o limite de tempo *Um minuto!* para que os jogadores finalizem o jogo. Durante apresentações, enviar alguém à cena serve ao mesmo objetivo, sem que isso precise ser apontado para a plateia.
3. Variante: Instrução ou um novo jogador chama *Congelar!* sendo que os jogadores em cena congelam e um novo jogador entra com um novo Quem.

ÁREAS DE EXPERIÊNCIA
Teatro: Vinhetas

© 2001 Perspectiva

DAR E TOMAR   C46

PREPARAÇÃO
Aquecimento: *Dar e Tomar: Aquecimento* (B5).
Jogadores na plateia.

FOCO
Ouvir/escutar com o parceiro para saber quando dar e tomar.

DESCRIÇÃO
(Duas mesas, com duas cadeiras cada uma, são muito úteis para este exercício). Divida o grupo em times de quatro. Cada time de quatro subdivide-se em times de dois. Cada subtime (cada um sentado em uma mesa) mantém uma conversa separadamente. Durante a conversa cada subtime deve ouvir o outro de modo a saber quando dar e quando tomar.

Parte I: O professor anuncia *Mesa 1* e *Mesa 2* até que o jogo se torne claro para ambos os subtimes. Os dois subtimes devem iniciar suas conversas ao mesmo tempo. Quando a Mesa 1 for anunciada, o subtime 1 fica difuso. Ficar difuso não é congelar. Os jogadores que estiverem na mesa fora de foco sustentam a ação, o relacionamento e a conversa silenciosamente em não movimento, mas permanecem preparados para continuar ativamente quando chegar o momento de tornarem o foco novamente. Dê a instrução *Um!*, *Dois!* etc. em ritmos variados até que os dois subtimes compreendam. Depois vá para a Parte II.

INSTRUÇÃO
Mesa 1! Mesa 2 difusa! Mantenham o relacionamento enquanto ficam difusos! Não congelem! Sinta relaxamento no não movimento! Mesa 2! Mesa 1 fica difusa!

Parte II: Quando o ato de passar o FOCO para o outro time estiver compreendido, pede-se aos jogadores para continuarem suas conversas, dando e tomando o FOCO sem serem instruídos.

INSTRUÇÃO
Dê! Jogue o jogo! Joguem como uma unidade!

Parte III: Continuando como acima, os dois subtimes tentam tomar o FOCO do outro. O subtime que mantiver a atenção da plateia terá tomado o FOCO. Ambos os times colocam toda a energia em tomar o FOCO através de som, atividade etc.

INSTRUÇÃO
Tomar! Tomar! (até que o FOCO seja tomado) (A plateia saberá quando o FOCO foi tomado).

Parte IV: Ambos os times dão e tomam o FOCO do outro, sem qualquer instrução específica.

INSTRUÇÃO
Por sua conta agora! Dar e tomar! Perceba quando tomar! Jogue o jogo!

AVALIAÇÃO
Subtime 1, vocês tiveram problemas para saber quando seus parceiros queriam dar? Plateia, vocês poderiam dizer quando um dos membros do subtime não queria dar e o outro queria? Jogadores, vocês tomaram o foco na Parte IV antes que o outro time tivesse dado? Outro time, vocês concordam? Plateia, vocês concordam?

NOTAS
1. Se desejar, peça para os jogadores entrarem em acordo sobre um Onde, Quem e O Quê (dois amigos decidindo sobre uma festa em um restaurante, por exemplo).
2. Os jogadores nos subtimes devem aprender a dar e tomar como se fossem um só grupo. Isto desenvolve habilidades de enviar e receber num nível não verbal.
3. Use *Dar e Tomar* como instrução em outros jogos, quando os jogadores estiverem se movimentando e falando todos ao mesmo tempo, sem ouvir uns aos outros.
4. Veja *Duas Cenas* em *Improvisação para o Teatro*, pp. 144-147, no qual está a descrição original do exercício.

ÁREAS DE EXPERIÊNCIA
Comunicação Não Verbal
Comunicação: Ressonância na Fala
Teatro: Clareando o Quadro de Cena; Marcação Autodirecionada
Jogo de Ouvir-Escutar
Espelho/Siga o Seguidor
Comunicação: Agilidade Verbal
Jogo Sensorial
Tempo Presente/Aqui, Agora!

CONVERGIR E RE-DIVIDIR — C47

PREPARAÇÃO
Aquecimento: *Dar e Tomar* (C46).
Jogadores na plateia.

FOCO
Dar e tomar o FOCO de um evento (cena).

DESCRIÇÃO
Times de quatro, seis ou oito combinam o Onde, Quem e O Quê. Então, dividem-se em subtimes de dois, os quais entrarão num nível de relacionamento imediato. Por exemplo: Onde = uma festa; Quem = convidados; O Que = comendo, bebendo etc. Durante o jogo, os subtimes dão e tomam o FOCO como no jogo *Dar e Tomar* (C46). De tempos em tempos o coordenador dá a instrução *Convergir!* e todos os jogadores aproximam-se e se encontram em uma ação comum, por exemplo, pegar comida de uma mesa. Quando o coordenador der a instrução *Redividir!* os subtimes devem se dividir e os jogadores continuam com novos parceiros, usando novamente a técnica de dar e tomar. O coordenador deve dar as instruções *Convergir!* e *Redividir!* até que os jogadores terminem com os relacionamentos de seus subtimes originais.

INSTRUÇÃO
Dar e tomar! Quando um time toma o outro dá! Convergir! Todos os times convergem! Redividir! Novos subtimes! Dar e tomar! Convergir!

AVALIAÇÃO
Quando o subtime A estava em FOCO, B e C usaram meios interessantes para ficarem difusos? Os jogadores interagiram ao convergir e redividir com os outros acontecimentos de cena? Os jogadores deram e tomaram de maneira a enriquecer o acontecimento da cena?

NOTAS
1. Quando for dada a instrução *Convergir!,* deve haver uma alteração do grupo como um todo. É então que a nova subdivisão ocorre.
2. Para acelerar a compreensão, é recomendado que todos os times passem pelo exemplo dado acima. Todos os jogadores simplesmente convergem para a mesa de refrigerantes que está no Onde e se redividem pelo ambiente. Faça todos os times usarem o mesmo Onde.

© 2001 Perspectiva

ÁREAS DE EXPERIÊNCIA
Jogo de Ouvir-Escutar
Comunicação Não Verbal
Comunicação: Ressonância na Fala
Teatro: Clareando o Quadro de Cena; Marcação Autodirecionada
Espelho/Siga o Seguidor
Comunicação: Agilidade Verbal
Jogo Sensorial
Tempo Presente/Aqui, Agora!

TROCANDO DE LUGARES — C48

PREPARAÇÃO
Introdutórios: *Dar e Tomar* (C46) e *Convergir e Re-dividir* (C47).
Jogadores na plateia.

FOCO
Ligação entre parceiros.

DESCRIÇÃO
Quatro a oito jogadores por time entram em acordo sobre Onde, Quem e O Quê e se dividem em subtimes de dois. Os jogadores nos subtimes são *um* ou *dois*. Quando o jogo tiver iniciado, o coordenador dá a instrução *Um!* e o jogador de número *um* de cada subtime troca de posição em cena. Imediatamente o jogador *dois* vai para a posição deixada vaga por *um*. Quando *Dois!* é chamado, os jogadores de número *dois* trocam de posição enquanto os jogadores de número *um* vão para a posição na qual os jogadores de número *dois* estavam. A instrução deve ser continuada até que todos os jogadores estejam prontos para iniciar o movimento (ao qual o parceiro deve responder). Toda ação é integrada ao Onde, Quem e O Quê.

INSTRUÇÃO
Um, movimento! Dois, movimento! (Peça por mudanças até que todos os jogadores estejam fluentes.) *Agora você fica na sua! Siga o iniciador!*

AVALIAÇÃO
Os movimentos estavam integrados ao evento ou cena? Os movimentos eram interessantes ou óbvios?

NOTAS
1. Os personagens não necessitam conhecer-se entre si dentro da situação, como, por exemplo, em uma estação de trem, embora estejam ligados no jogo.
2. Peça para os jogadores não selecionarem uma situação de movimento pré-moldada, como, por exemplo, uma galeria de arte. Ajude os jogadores a manter o problema como um desafio.

ÁREAS DE EXPERIÊNCIA
Jogo de Ouvir-Escutar
Comunicação Não Verbal
Comunicação: Ressonância na Fala
Teatro: Clareando o Quadro de Cena; Marcação Autodirecionada
Espelho/Siga o Seguidor
Tempo Presente/Aqui, Agora!

O QUE ESTÁ ALÉM: EVENTO PRESENTE   C49

PREPARAÇÃO
Introdutórios: *O Que Está Além: Onde* (C7) e *O Que Está Além: Atividade* (C8).
Jogadores na plateia.

FOCO
O que está acontecendo além.

DESCRIÇÃO
Dois jogadores entram em acordo sobre Onde, Quem e O Quê. Os jogadores realizam uma atividade em cena enquanto que algo que envolve a ambos está acontecendo além da cena mas não é discutido abertamente. Por exemplo: Onde – escritório; Quem – trabalhadores; O Quê – editando o jornal da companhia; *O Que Está Além* – encontro de diretores, que estão discutindo a redução de pessoal. O evento (cena) termina no momento em que *o que está além* da cena é revelado.

INSTRUÇÃO
Sustente a atividade! Mantenham o FOCO entre vocês! Mostrem! Não contem!

AVALIAÇÃO
O que estava além? Onde os jogadores estavam?

NOTAS
1. Outro exemplo: Onde – dormitório; Quem – marido e mulher; O Quê – tentando dormir. *O que está além* – filha está entretendo seu namorado na sala de estar. Nesse exemplo, virar, tossir, rearrumar os travesseiros, abrir e fechar janelas, acender e apagar luzes, levantar para beber água etc. pode se transformar em uma comédia na medida em que a mãe e o pai esperam que o rapaz saia de casa.
2. Se usado demasiado cedo com seus alunos, *O Que Está Além: Evento Presente* será revelado tão rapidamente que o jogo não leva mais do que alguns minutos. Quando realizado com jogadores avançados, no entanto, que aprenderam a deixar que o FOCO trabalhe por eles, o jogo pode continuar por um bom tempo, sendo que a plateia fica totalmente absorta.

ÁREAS DE EXPERIÊNCIA
Teatro: O Quê (Atividade)

© 2001 Perspectiva

O QUE ESTÁ ALÉM: EVENTO PASSADO OU FUTURO   C50

PREPARAÇÃO
Introdutórios: *O Que Está Além: Onde* (C7), *O Que Está Além: Atividade* (C8) e *O Que Está Além: Evento Presente* (C49).
Jogadores na plateia.

FOCO
O que aconteceu ou vai acontecer ao sair de cena.

DESCRIÇÃO
Dois jogadores por time. Entram em acordo sobre Onde, Quem e O Quê. Os jogadores mostram O Quê, totalmente envolvidos com a atividade em cena. No entanto, os jogadores (Quem) fizeram algo (em conjunto) antes de entrar na presente atividade de cena ou irão fazer algo em seguida, ao sair de cena. Mantendo o FOCO naquilo que vai acontecer, os jogadores passam pelo Onde, Quem e O Quê. O jogo termina quando aquilo que está além é trazido para a cena. Por exemplo, um casamento, um funeral, um nascimento.

INSTRUÇÕES
Permaneça envolvido com a atividade de cena! Explore-a! Intensifique-a! O que está além deve ser mantido entre vocês!

AVALIAÇÃO
Onde os jogadores estavam? Quem eram os jogadores? O que estava para acontecer? Jogadores, vocês concordam? Vocês deixaram que o FOCO se manifestasse através da atividade de cena?

NOTAS
1. Os jogos *O Que Está Além?* C49 e C50 não devem ser usados até que o Onde e a relação com outro parceiro através da atividade de cena se torne uma segunda natureza para os jogadores.
2. Se O Que está além? é trazido para a cena antes do início do jogo, simplesmente interrompa o jogo e volte para ele em um momento posterior.
3. Quando O que está além? estiver presente entre os jogadores, a comunicação não verbal será intensificada e haverá maior relação pessoal, que ficará evidente no trabalho de cena.
4. Os jogadores invariavelmente tem grande prazer com o jogo *O Que Está Além!*
5. Para maiores informações, consulte o Manual.

© 2001 Perspectiva

ÁREAS DE EXPERIÊNCIA
Teatro: O Quê (Atividade)

SAÍDAS E ENTRADAS   C51

PREPARAÇÃO
Introdutórios: *Dar e Tomar* (C46) e *O Que Está Além? #1, #2. #3 e #4* (C7, C8, C49 e C50).
Jogadores na plateia.

FOCO
Fazer saídas e entradas para atingir envolvimento total com os parceiros de jogo.

DESCRIÇÃO
Times de quatro, cinco ou seis jogadores estabelecem Onde, Quem e O Quê. Cada jogador faz tantas saídas e entradas quanto for possível mas cada saída ou entrada deve ser enquadrada de maneira que os jogadores em cena estejam totalmente envolvidos com a entrada ou saída do jogador. Se os jogadores entrarem ou saírem sem o total envolvimento dos parceiros, os jogadores da plateia podem interromper e dizer *Volte! Vá para fora! Você não entrou!*

INSTRUÇÃO
Mantenha o movimento de cena! Não planeje as saídas! Espere o momento certo! Sustente a atividade! Jogue o jogo! Deixe que as saídas (entradas) surjam do Onde, Quem e O Quê!

AVALIAÇÃO
Quais foram as saídas e entradas em que houve envolvimento verdadeiro e quais tentaram apenas chamar a atenção? Jogadores, vocês concordam?

NOTAS
1. Recursos como gritar, bater os pés, pular etc. podem chamar a atenção para o jogador que está chegando, mas não para o envolvimento com o Onde, Quem e O Quê necessário para a continuidade do jogo (processo). No entanto, se os jogadores em cena dão atenção e estão envolvidos com a saída ou entrada do jogador, nenhuma ação é barrada, não importa quão fantástica ela seja. Por isso, se a saída ou entrada envolvem Onde, Quem e O Quê, os jogadores podem entrar engatinhando, dançando, sair voando ou entrar com um simples *"oi!"*.
2. *Saídas e Entradas* deve deixar organicamente clara a diferença entre chamar a atenção (um jogador isolado) e estar envolvido (parte do todo).

© 2001 Perspectiva

3. Tarefa para casa: peça para os jogadores prestarem atenção em como, muitas vezes, as pessoas (incluindo eles mesmos) ficam mais satisfeitas com a atenção do que com o envolvimento.

ÁREAS DE EXPERIÊNCIA
Teatro: Movimento em Cena
Parte do Todo: Interação
Teatro: Vinhetas

TENSÃO SILENCIOSA   C52

PREPARAÇÃO
Jogadores na plateia.

FOCO
No silêncio entre os jogadores.

DESCRIÇÃO
Dois ou mais jogadores (de preferência, dois) estabelecem Onde, Quem e O Que. A tensão entre os jogadores é tão forte que eles são incapazes de falar. Não deve haver diálogo durante este evento (cena). Onde, Quem e O Que devem ser comunicados através do silêncio. Alguns exemplos: 1. Casal de idade avançada ouvindo um ladrão caminhando no andar térreo; 2. Uma família de mineradores esperando por notícias após um desastre no interior da mina; 3. Dois namorados que acabam de romper relações.

INSTRUÇÃO
Foco no silêncio! Comunique através do silêncio! Não movimento no diálogo interior! Olhem um para o outro! Vejam um ao outro!

AVALIAÇÃO
Nós sabíamos onde os jogadores estavam? Quem eram os jogadores? Os jogadores utilizaram diálogo interior? Os jogadores comunicaram através do silêncio? Sem palavras? Jogadores, vocês concordam?

NOTAS
1. Se o FOCO for compreendido, este problema será útil para os jogadores que se *escondem*, pois ele pede contato direto com os olhos.
2. Às vezes a instrução *Dar e Tomar!* é útil aqui.
3. O silêncio verdadeiro cria abertura entre os jogadores e fluência de energia, fazendo com que os jogadores atinjam recursos mais profundos.
4. Muitas vezes a tensão que surge entre os jogadores culmina em um único grito, risada ou algum outro som. Não diga isso aos jogadores. O jogador que diz *Eu queria gritar, mas pensei que você não queria que eu gritasse!* não estava focalizando o problema, mas sim naquilo que o professor queria.
5. Não deve haver diálogo interior (palavras silenciosas), nem fala. Toda fala deve ser mantida em não movimento. (Veja Comentário sobre *Não Movimento – Câmera Lenta*, Manual, p. 44).

© 2001 Perspectiva

ÁREAS DE EXPERIÊNCIA
Comunicação Não Verbal
Teatro: Quem (Personagem e/ou Relacionamento)
Teatro: Vinhetas

TRANSFORMAÇÃO DE RELACIONAMENTO C53

PREPARAÇÃO
Coordenador: Leia Comentário sobre *Transformação*, Manual p. 46.
Introdutórios: *Transformação de Objetos* (A35), *Siga o Seguidor #1* (A17) e *Substância do Espaço* (A33).
Jogadores na plateia.

FOCO
Relação entre os jogadores através de uma série de relacionamentos que se transformam.

DESCRIÇÃO
Dois jogadores iniciam o jogo com um determinado relacionamento (Quem). Por exemplo: médico examinando paciente. No decorrer do jogo eles deixam que o Quem se transforme em novos relacionamentos, um após o outro. Os jogadores não devem iniciar a mudança (inventá-la) e sim deixar acontecer. No decurso dos relacionamentos que se transformam, os jogadores podem tornar-se animais, plantas, objetos, máquinas e entrar em qualquer espaço e tempo.

INSTRUÇÃO
Não inicie a mudança! Siga o iniciador! Siga o Seguidor! Permaneça com esse som! Com esse movimento! Esse olhar! Explore esse objeto que está entre os dois! Utilize o corpo todo! Intensifique essa ação!

AVALIAÇÃO
Jogadores, vocês inventaram ou deixaram acontecer? Vocês mantiveram o FOCO na relação ou foram surpreendidos no evento ou cena, ou relacionamento? Plateia, vocês concordam?

NOTAS
1. Quando os jogadores são surpreendidos em um evento (cena) e estão desempenhando papéis, dê a instrução *Sejam o espelho um do outro!* para ajudar a reestabelecer a relação entre os jogadores e a voltar para o FOCO.
2. Os relacionamentos em transformação revelam um evento (cena) em microcosmo antes de mudar. A tendência é permanecer com o novo evento (cena), mas o momento em que ele emerge é também o momento de transformação. Por exemplo, se um médico examina um paciente, o estetoscópio, que é o objeto entre os jogadores, pode se transformar em

uma cascavel ou um lençol, e os jogadores então passam a estar em um novo Onde, Quem e O Quê.
3. O diálogo deve ser mínimo pois *Transformação de Relacionamento* exige muito movimento corporal para que a transformação emerja. Poderão aparecer sons – grunhidos, gritos etc. O som nesse caso faz parte da energia que aparece e continua sendo movimento corporal, enquanto o diálogo (neste exercício) pode interromper o processo ao lidar com ideias em lugar de energia física.

ÁREAS DE EXPERIÊNCIA
Jogo de Transformação
Teatro: Onde (Personagem e/ou Relacionamento)
Espelho/Siga o Seguidor
Comunicação Não Verbal
Teatro: Vinhetas
Tempo Presente/Aqui, Agora!

A PLATEIA DIRIGE C54

PREPARAÇÃO
Introdutórios: Todos os jogos teatrais, A1 até C53.

FOCO
No jogo.

DESCRIÇÃO
Faça a contagem em times de dois ou mais jogadores, que entram em acordo sobre Onde, Quem e O Quê. Cada time atua como grupo instrutor para o evento (cena) do outro time. Na medida em que um evento (cena) está sendo feita, os jogadores-instrutores dão o FOCO, dependendo daquilo que os jogadores em cena estão necessitando, como *Contato!, Blablação! Câmera lenta! Movimento estendido! Explore e intensifique!* etc. Os jogadores em cena devem sustentar o FOCO até que apareça um novo problema.

INSTRUÇÃO
Instrutores, ajudem os jogadores a jogar!

AVALIAÇÃO
Jogadores em cena, a instrução foi útil? Jogadores-instrutores, vocês FOCALIZARAM o jogo e instruíram ajudando os jogadores a jogar? Ou as instruções foram uma imposição ao jogo?

NOTAS
1. Dar instruções desenvolve habilidades de direção. Um grupo muito numeroso de instrutores pode criar confusão. É possível escolher um único instrutor que dá o novo FOCO depois de rápida consulta com seus parceiros.
2. Desencoraje instruções que não emergem das necessidades do jogo. Alguns jovens entusiastas às vezes sentem o poder de ditar ações, deixando de fazer parte do todo.

ÁREAS DE EXPERIÊNCIA
Várias

© 2001 Perspectiva

CAMINHADA COM ATITUDE

PREPARAÇÃO
Grupo caminhando no espaço.

DESCRIÇÃO

PARTE I
Todos os jogadores formam uma linha. Um jogador caminha para a frente com andar neutro, sem atitudes (cinco ou seis metros, de acordo com o que o espaço disponível permitir) e volta. O resto do grupo faz então a mesma caminhada e volta coletivamente, imitando a caminhada do primeiro jogador, sem atitudes de julgamente. O jogo continua até que todos os jagadores tenham caminhado individualmente e tenham sido imitados pelos outros jogadores.

INSTRUÇÃO
Cabeças! Ombros! Não hesite! Exagere um pouco! (Ao caminhante solitário). Faça a sua prórpia caminhada! Seja você mesmo!

PARTE II
Grupo todo. Metade do grupo é plateia. Pense no corpo físico de alguém que conhece ao caminhar (parente, amigo ou inimigo). Exagere levemente se necessário. Caminhe individualmente, ao caminhar.

INSTRUÇÃO
Pense em alguém que conhece! Assuma sua expressão! Seu ritmo!

NOTAS
Esse jogo pode produzir muito prazer e risadas. É útil para desenvolvimento de personagens.

AVALIAÇÃO
Debate: *Eu fiquei parecido com meu parente!*

ÁREAS DE EXPERIÊNCIA
Ver e Ser Visto
Observação

© 2001 Perspectiva

SUGESTÕES DA PLATEIA

Sugestões da plateia tornaram-se a marca do teatro de improvisação em todo o mundo. Foi criado e introduzido pela autora em 1939.

FOCO
Envolver a plateia como parceira, criando uma união (um só corpo) com vistas ao desdobramento do imprevisto.

DESCRIÇÃO
Os jogadores introduzem um jogo com FOCO e regras, por exemplo: *Entradas e Saídas* (C51), *Sussurro de Cena* (C16), *Contato* (C17) etc. A plateia deve sugerir um Onde, Quem e O Quê; o qual é posto em ação pelos jogadores.

NOTAS
1. Os jogadores devem jogar sem cair em uma história ou piada, pois caso contrário muitas das *sugestões da plateia* irão falhar na medida em que os jogadores lutam para ser engraçados. *Tire da cabeça! Coloque no espaço!*
2. Sugestões que armam ciladas são limitadoras. Evite-as.
3. A habilidade para fazer seleção rápida para o personagem (Quem) e Onde são necessários para o sucesso do jogo. Todos os jogos teatrais nesse Fichário devem ser usados continuamente durante as oficinas de teatro para regenerar e revigorar os jogadores.

VARIANTES
1. É possível introduzir um estilo de interpretação ou período histórico, como, por exemplo, Kabuki; Filme de Faroeste; Filme de Terror; Cinema Trash etc.
2. Durante o jogo, o instrutor pode pedir *Congele!*, solicitando novas sugestões da plateia. Os jogadores então continuam, integrando as novas sugestões.
3. Onde, Quem, O Quê. Sem seleção de jogos teatrais. No caso do O Que, peça uma atividade simples. Não deve haver personagens, conflitos ou enredos clichês.

ÁREAS DE EXPERIÊNCIA
Várias

© 2001 Perspectiva

CÂMERA

PREPARAÇÃO
Penetrando Objetos (A21) e *Conversação Não Relacionada.*

FOCO
Colocar todo FOCO e energia no parceiro.

DESCRIÇÃO
Dois jogadores entram em acordo sobre Onde, Quem e O Que. O coordenador fala o nome de um dos jogadores por vez, que deve colocar o FOCO da cabeça aos pés no parceiro, como se ele fosse a câmera. Ação e diálogo não devem ser interrompidos mas sim continuados durante as mudanças da câmera, que devem ser instruídas pelo coordenador.

INSTRUÇÃO
Jogador A é a câmera! Jogador B é a câmera! Atenção com o corpo todo! Veja com a parte de trás de sua cabeça! Veja com suas vísceras! Pernas! Pescoço! Sem câmera! Agora ambos são câmera!

AVALIAÇÃO
Os jogadores deram atenção corporal completa? A ação de cena continuou ativamete? Eles viam seus parceiros de jogo ou *olhavam fixamente*?

NOTAS
1. Olhar fixamente pode ser detectado através do olhar superficial e rigidez corporal: uma cortina diante dos olhos.
2. Ao explicar o problema, use a imagem de tornar-se câmera – ou sugira que o jogador é um grande olho ou lente (da cabeça aos pés) para ajudar os jogadores a concentrar-se e FOCALIZAR sua energia no parceiro.
3. Avise os jogadores que as mudanças entre *Câmera!* e *Não Câmera!* serão dadas através da instrução.
4. Durante outros jogos teatrais, chamar *Câmera!* pode ajudar os jogadores a VER seus parceiros.

ÁREAS DE EXPERIÊNCIA
Olhar-Ver
Envolvimento Corporal

© 2001 Perspectiva

LENTO/RÁPIDO/NORMAL

PREPARAÇÃO
Câmera Lenta – Pegar e Congelar (A56)

PARTE I

FOCO
Explorar Onde, Quem e O Quê em diferentes estruturas temporais.

DESCRIÇÃO
Dois ou mais jogadores entram em acordo sobre Onde, Quem e O Quê. Os jogadores fazem a cena durante alguns minutos em velocidade normal.

INSTRUÇÃO
Use o Onde! Entrem em contato uns com os outros!

AVALIAÇÃO
(Nenhuma até aqui). Espere até que os jogadores tenham passado pelas Partes II, III e IV.

PARTE II

FOCO
Repetir em câmera lenta.

DESCRIÇÃO
Os jogadores fazem a cena novamente (mesmo Onde, Quem e O Que) mas desta vez em câmera lenta.

INSTRUÇÃO
Câaaameeeeeraaaaaaaaaa leeeeeeeentaaaaaa! O espaço está em câmera lenta! Vejam uns aos outros em câmera leeentaaa!

PARTE III

FOCO
Repetir em tempo rápido.

DESCRIÇÃO
Os jogadores refazem a ação tão rápido quanto puderem.

© 2001 Perspectiva

INSTRUÇÃO
Rápido! Tão rápido quanto puder! Mais rápido! Continue!

PARTE IV

FOCO
Repetir em tempo normal.

DESCRIÇÃO
Os jogadores refazem a ação.

INSTRUÇÃO
Nenhuma.

NOTAS
1. O tempo de jogo deve ser curto. Dê o tempo suficiente apenas para que os jogadores se relacionem uns com os outros e o Onde.
2. Como esse jogo permite grande ludicidade, não é necessário preocupar-se em repetir a ação e o diálogo exatamente a cada vez.
3. Os jogadores irão selecionar intuitivamente elementos que não são essenciais ao jogo e prosseguir com ação e diálogo.
4. Esse é um exercício de seleção.
5. Observe os jogadores que estão *interpretando* a camera lenta em vez de estarem *em estado* de câmera lenta. (Leia Comentário sobre *Câmera Lenta*.)

AVALIAÇÃO
Havia uma diferença entre o primeiro e o último jogo? Havia maior profundidade e relacionamento definido entre os jogadores? Jogadores, vocês concordam?

ÁREAS DE EXPERIÊNCIA
Teatro: Onde (Cenário e/ou Ambiente)
Quem (Personagem e Relacionamento)

OCULTAR

PREPARAÇÃO

FOCO
Ocultar, de acordo com a instrução.

DESCRIÇÃO
O jogador sustenta aquilo que foi instruído a ocultar.

NOTAS
O jogador, ao ocultar o assunto, está ao mesmo tempo envolvido com ele. Como isso pode acontecer?
1. Ocultar é como muitos outros jogos, um paradoxo: isto produz um momento de desequilíbrio mágico, uma das porteiras para o intuitivo. O invisível torna-se visível.
2. O que queremos fazer acontecer é a aceitação do invisível como uma ligação entre os jogadores e a plateia; ligação (relação) como comunicação real.
3. A mente do jogador é esvaziada (livre) de todas as manifestações de atitudes ou interpretações. Esse esvaziamento permite a fluência de energia – tornando-se parte daquilo que está realmente acontecendo.
4. Um jogador, ao ser instruído *Oculte Lady Macbeth!*, tornou-se um homem muito perigoso, um homem passivo com uma espada na mão.
5. Veja *Tocar e Ser Tocado/Ver e Ser Visto* (Séries de *Caminhada no Espaço*).
6. Ocultar pode ser usado como uma instrução nas *Caminhadas no Espaço*.

ÁREAS DE EXPERIÊNCIA
Olhar-Ver

QUADRO DE CENA

PREPARAÇÃO
Nenhuma. Dois grandes times.

FOCO
Criação em grupo. Mostrar que uma parte de você é você inteiro.

DESCRIÇÃO
Os jogadores se movimentam para dentro e para fora de cena e em torno uns dos outros. Quando for dada a instrução *Quadro de Cena!* os jogadores devem instantaneamente ficar parados. Se alguns deles não estiverem visíveis para a plateia, continue a dar a instrução *Quadro de Cena!* Os jogadores devem ficar visíveis instantaneamente. Alguns se ajoelham, outros levantam os braços, aparecem cotovelos. Muitas formações interessantes criadas ao acaso podem aparecer.

VARIANTES
1. QUADRO DE CENA EM MOVIMENTO. O grupo se movimenta continuamente, ficando visível todo o tempo.
2. DAR A MOLDURA PARA UM JOGADOR INDIVIDUAL. Os jogadores se movimentam para dentro e para fora de cena e em torno uns dos outros. O instrutor chama o nome de um jogador individual. Todos os jogadores seguem esse jogador, dando-lhe a moldura no quadro de cena. *Pare! Quadro de cena!* Repita com outros jogadores.
3. Dois times, um é observador. Quando cada quadro de cena estiver congelado, os jogadores na plateia ou os próprios jogadores em cena escolhem um Onde, Quem e O Que a partir das sugestões feitas pelas posições dos jogadores. Isso pode ser feito com um jogador individual ou com um grupo.

INSTRUÇÃO
Quadro de cena! Continue! Quadro de cena! Continue!
Variante #1. *Quadro de cena! Quadro de cena!*
Variante #2. (Chame o nome de um jogador). *Pare! Quadro de cena!* (Chame o nome de outro jogador) *Pare! Quadro de cena!*

AVALIAÇÃO
Plateia, como chegaram às suas sugestões? Jogadores, como a sua percepção do quadro de cena se relacionou com aquilo que foi visto pela plateia?

NOTAS
1. Esse jogo teatral é um aquecimento que pode ser usado como um Jogo de Pegador. Utilize a instrução *Quadro de Cena!* em outros jogos quando ver que o grupo de jogadores estão embolados.

ÁREAS DE EXPERIÊNCIA
Aquecimento Ativo
Movimentos Físicos e Expressão